Level 2

¡Avancemos!

Cuaderno práctica por niveles
Teacher's Edition

HOLT McDOUGAL
a division of Houghton Mifflin Harcourt

ISBN-13: 978-0-618-75102-0
ISBN-10: 0-618-75102-5   13 0982 15
Internet: www.holtmcdougal.com

4500531602

TABLE OF CONTENTS

UNIDAD 1
Lección 1
Vocabulario A, B, C 1
Gramática A, B, C 4
Gramática A, B, C 7
Integración 10
Escuchar A, B, C 12
Leer A, B, C 15
Escribir A, B, C 18
Cultura A, B, C 21

Lección 2
Vocabulario A, B, C 24
Gramática A, B, C 27
Gramática A, B, C 30
Integración 33
Escuchar A, B, C 35
Leer A, B, C 38
Escribir A, B, C 41
Cultura A, B, C 44

Comparación cultural 47

UNIDAD 2
Lección 1
Vocabulario A, B, C 50
Gramática A, B, C 53
Gramática A, B, C 56
Integración 59
Escuchar A, B, C 61
Leer A, B, C 64
Escribir A, B, C 67
Cultura A, B, C 70

Lección 2
Vocabulario A, B, C 73
Gramática A, B, C 76
Gramática A, B, C 79
Integración 82
Escuchar A, B, C 84
Leer A, B, C 87
Escribir A, B, C 90
Cultura A, B, C 93

Comparación cultural 96

UNIDAD 3
Lección 1
Vocabulario A, B, C 99
Gramática A, B, C 102
Gramática A, B, C 105
Integración 108
Escuchar A, B, C 110
Leer A, B, C 113
Escribir A, B, C 116
Cultura A, B, C 119

Lección 2
Vocabulario A, B, C 122
Gramática A, B, C 125
Gramática A, B, C 128
Integración 131
Escuchar A, B, C 133
Leer A, B, C 136
Escribir A, B, C 139
Cultura A, B, C 142

Comparación cultural 145

UNIDAD 4
Lección 1
Vocabulario A, B, C 148
Gramática A, B, C 151
Gramática A, B, C 154
Integración 157
Escuchar A, B, C 159
Leer A, B, C 162
Escribir A, B, C 165
Cultura A, B, C 168

Lección 2
Vocabulario A, B, C 171
Gramática A, B, C 174
Gramática A, B, C 177
Integración 180
Escuchar A, B, C 182
Leer A, B, C 185
Escribir A, B, C 188
Cultura A, B, C 191

Comparación cultural 194

UNIDAD 5

Lección 1

Vocabulario A, B, C	197
Gramática A, B, C	200
Gramática A, B, C	203
Integración	206
Escuchar A, B, C	208
Leer A, B, C	211
Escribir A, B, C	214
Cultura A, B, C	217

Lección 2

Vocabulario A, B, C	220
Gramática A, B, C	223
Gramática A, B, C	226
Integración	229
Escuchar A, B, C	231
Leer A, B, C	234
Escribir A, B, C	237
Cultura A, B, C	240
Comparación cultural	243

UNIDAD 6

Lección 1

Vocabulario A, B, C	246
Gramática A, B, C	249
Gramática A, B, C	252
Integración	255
Escuchar A, B, C	257
Leer A, B, C	260
Escribir A, B, C	263
Cultura A, B, C	266

Lección 2

Vocabulario A, B, C	269
Gramática A, B, C	272
Gramática A, B, C	275
Integración	278
Escuchar A, B, C	280
Leer A, B, C	283
Escribir A, B, C	286
Cultura A, B, C	289
Comparación cultural	292

UNIDAD 7

Lección 1

Vocabulario A, B, C	295
Gramática A, B, C	298
Gramática A, B, C	301
Integración	304
Escuchar A, B, C	306
Leer A, B, C	309
Escribir A, B, C	312
Cultura A, B, C	315

Lección 2

Vocabulario A, B, C	318
Gramática A, B, C	321
Gramática A, B, C	324
Integración	327
Escuchar A, B, C	329
Leer A, B, C	332
Escribir A, B, C	335
Cultura A, B, C	338
Comparación cultural	341

UNIDAD 8

Lección 1

Vocabulario A, B, C	344
Gramática A, B, C	347
Gramática A, B, C	350
Integración	353
Escuchar A, B, C	355
Leer A, B, C	358
Escribir A, B, C	361
Cultura A, B, C	364

Lección 2

Vocabulario A, B, C	367
Gramática A, B, C	370
Gramática A, B, C	373
Integración	376
Escuchar A, B, C	378
Leer A, B, C	381
Escribir A, B, C	384
Cultura A, B, C	387
Comparación cultural	390
Vocabulary & Grammar Review Bookmarks	393

TO THE STUDENT:

Cuaderno práctica por niveles provides activities for practice at different levels of difficulty. Leveled vocabulary and grammar activities cover the entire content of each lesson of your student book. Other activity pages practice the content of the lesson while targeting a specific skill, such as listening. Within most categories of practice there are three pages, each at a different level of difficulty (A, B, and C). The A level is the easiest and C is the most challenging. The different levels of difficulty (A, B, C) are distinguished by the amount of support you're given. A level activities usually give you choices, B level activities often call for short answers to be written, and C level activities require longer answers.

The following sections are included in the **Cuaderno** for each lesson:

- **Vocabulario**

  Each page in this section has three activities that practice the lesson vocabulary.

- **Gramática**

  This section follows the same pattern as the **Vocabulario** section and reinforces the grammar points taught in each lesson.

- **Integración**

  Each of these pages has a pre-AP* activity that requires you to gather information from two different sources and respond to a related question. The source material is always presented in two different formats: written and spoken.

- **Escuchar**

  Each page in this section has two audio passages, each followed by a short activity. The passages allow you to practice your oral comprehension of Spanish.

- **Leer**

  This section contains short readings accompanied by **¿Comprendiste?** and **¿Qué piensas?** questions.

- **Escribir**

  In this section you are asked to write a short composition. A pre-writing activity will help you prepare to write your composition.

- **Cultura**

  Activities in this section focus on the cultural information found in each lesson.

• Pre-Ap is a registered trademark of the College Entrance Examination Board, which was not involved in the production of and does not endorse this product.

Vocabulario A

> **¡AVANZA!** **Goal:** Talk about air travel and other forms of transportation

① ¿Qué necesito para viajar? Subraya la mejor expresión entre paréntesis para completar cada oración. *(Underline the best expression to complete each sentence.)*

1. Voy de vacaciones y primero necesito (<u>confirmar el vuelo</u> / pasar por seguridad).

2. Voy a Dallas y luego vuelvo a Miami. Necesito un boleto (<u>de ida y vuelta</u> / de ida).

② Rosalía y Jorge se preparan para viajar. Completa la conversación con las siguientes palabras y expresiones. *(Complete the conversation.)*

el itinerario	facturar el equipaje	la identificación
hacer las maletas	el traje de baño	dónde queda

Rosalía: Vamos de viaje y voy a **1.** ___*hacer las maletas*___ .

Debo traer **2.** ___*el traje de baño*___ si vamos a la playa.

Jorge: ¿Tienes **3.** ___*el itinerario*___ para confirmar la hora del vuelo?

Rosalía: Sí, y también tengo **4.** ___*la identificación*___ para abordar el avión.

Jorge: En el aeropuerto, vamos a hacer cola para **5.** ___*facturar el equipaje*___ .

Rosalía: Sí, y tenemos que preguntar **6.** ___*dónde queda*___ la puerta.

③ Estás de vacaciones en Madrid y necesitas llegar a tu hotel. ¿Cómo pides direcciones? Escribe tres preguntas usando los dibujos. *(Use the pictures and write questions asking for directions.)*

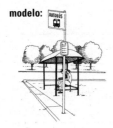 modelo:  **1.**  **2.**  **3.**

modelo: Por favor, ¿dónde queda la parada de autobús?

1. *Answers will vary:* **Por favor, ¿dónde puedo tomar un taxi?** _____

2. *Answers will vary:* **Por favor, ¿dónde queda la estación de tren?** _____

3. *Answers will vary:* **Por favor, ¿dónde queda el hotel?** _____

Vocabulario B

 Goal: Talk about your travel preparations, getting around in an airport and around town.

1 Antonio y Olivia van de vacaciones. ¿Qué necesitan hacer? Pon las actividades en orden del 1 al 6. *(Write what Antonio and Olivia need to do in order from 1 to 6.)*

___1___ comprar el boleto de ida y vuelta   ___4___ facturar el equipaje

___3___ llegar al aeropuerto   ___2___ hacer las maletas

___5___ pasar por seguridad   ___6___ abordar

2 Usa los dibujos para completar las oraciones. *(Use the drawings to complete the sentences.)*

1.    **2.**

1. La señora García compra un boleto en ____la agencia de viajes____ .

2. Ellos hacen cola para ____facturar el equipaje____ .

3 Piensa en un(a) amigo(a). En una oración, escribe adónde va a viajar. Escribe otra oración para decir cómo busca transporte. *(Write two sentences about a friend or relative's trip and how they ask about transportation.)*

1. *Answers will vary:* **Mi prima va a Puerto Rico.** _____

_____

2. *Answers will vary:* **Ella pregunta: Por favor, ¿dónde queda la estación**

de tren? _____

Nombre _____ Clase _____ Fecha _____

Vocabulario C

 Goal: Talk about your travel preparations, getting around in an airport and around town.

1 Lidia quiere viajar. Completa las oraciones con la letra de las palabras correctas de la caja. *(Choose the correct words from the box.)*

a. el boleto	**d.** traje de baño	**f.** el reclamo de
b. confirmar el vuelo	**e.** facturar el	equipaje
c. el itinerario	equipaje	**g.** va de viaje

Lidia __g__ porque es verano y no tiene clases. Necesita comprar __a__ y hacer __c__ con un

agente de viajes. Antes de viajar, tiene que __b__ . En el aeropuerto, tiene que __e__ . Después

del vuelo, buscar las maletas en __f__ . Lidia trae en el equipaje su __d__ para ir a la playa.

2 Mira los dibujos y escribe oraciones completas para decir qué hacen estas personas cuando van de viaje. *(Describe the drawings in complete sentences.)*

1.  **2.**  **3.**  **4.**

1. Él hace la maleta. _____

2. Ella factura el equipaje. _____

3. Ellos pasan por seguridad. _____

4. Ellas toman un taxi. _____

3 Marcela llega a Puerto Rico y le pide direcciones al agente de turismo. Completa la conversación con tres oraciones entre Marcela y el agente. *(Complete this conversation.)*

Marcela: Por favor, ¿dónde queda el Hotel Bellavista?

Agente: *Answers will vary:* **Queda al lado de la estación de tren.**

Marcela: *Answers will vary:* **Por favor, ¿dónde puedo tomar un taxi?**

Agente: *Answers will vary:* **Puedes tomar un taxi en la puerta del hotel.**

Gramática A *Direct object pronouns*

¡AVANZA! **Goal:** Use **direct object pronouns** in place of nouns.

---

1 Rosalba y Manuel verifican si tienen todo para el viaje. Subraya el pronombre de objeto directo correcto. *(Underline the correct direct object pronoun.)*

1. ¿Tienes la maleta? No, no (lo / <u>la</u>) tengo.

2. Mi tío tiene las maletas en su coche. Va a facturar (los / <u>las</u>) en el aeropuerto.

3. ¿Quién tiene el itinerario? Rosalba (<u>lo</u> / la) tiene.

4. No tengo los pasaportes. Manuel (las / <u>los</u>) tiene.

2 Dos chicos hablan de su viaje. Completa la oración con **lo, los, la** o **las** delante del verbo. *(Choose one).*

1. La agencia de viajes vende boletos; yo ___los___ compro.

2. No sé dónde está mi maleta; Luis ___la___ busca.

3. El taxi no está aquí; nosotros ___lo___ llamamos.

4. ¿Ves a las auxiliares de vuelo? Yo ___las___ veo en la puerta.

3 Miguel y Linda tienen problemas y necesitan ayuda. Escríbeles tu consejo en una oración completa. Usa **tener que** y el **verbo entre paréntesis**. Usa el pronombre de objeto directo apropiado. *(Write a sentence giving advice to Miguel and Linda. Use **tener que**, the verb in parentheses, and the correct direct object pronoun.)*

modelo   **Ana:** No tengo **el boleto**.
          Tú: (comprar) Tienes que comprar**lo** con el agente de viajes. (*Or*) **Lo** tienes que comprar con el agente de viajes.

1.   **Miguel:**   No encuentro **la tarjeta de embarque**.

          Tú: (buscar) Tienes que buscarla. / La tienes que buscar.

2.   **Miguel:**   No veo **las puertas** de salida.

          Tú: (buscar) Tienes que buscarlas. / Las tienes que buscar.

3.   **Linda:**   ¿Necesito facturar **mi equipaje**?

          Tú: (facturar) Tienes que facturarlo. / Lo tienes que facturar.

4.   **Linda:**   Necesito comprar **unos trajes de baño**.

          Tú: (comprar) Tienes que comprarlos. / Los tienes que comprar.

Gramática B *Direct object pronouns*

> ¡AVANZA! **Goal:** Use **direct object pronouns** in place of direct object nouns.

1 Estas personas necesitan algo para viajar. Escoge el pronombre de objeto directo correcto para cada oración. *(Write the correct direct object pronoun.)*

1. Luz y Miguel necesitan comprar maletas. Van a comprar____las____.

2. Mis abuelos necesitan dos boletos para viajar a Miami. Quieren

   comprar____los____ con el agente de viajes.

3. Mi prima necesita su identificación para pasar por seguridad. Tiene

   que buscar____la____ en su equipaje.

4. Inés necesita su pasaporte. ____Lo____ necesita para viajar.

> lo
> los
> la
> las

2 Describe qué hacen Julia y su familia cuando van de viaje. Forma oraciones con un pronombre de objeto directo. *(Describe what Julia does.)*

modelo: Julia necesita boletos. **Ella los compra.**

1. Juan quiere comprar una maleta. _____Él la compra._____

2. Mis tíos necesitan tomar un taxi. _____Ellos lo toman._____

3. Mi prima quiere comprar unos trajes de baño. _____Ella los compra._____

3 Completa este diálogo sobre el pasaporte de Marcos. Escribe tres oraciones completas y usa pronombres de objeto directo. *(Complete this dialog about Marcos' passport.)*

modelo   **Diego:** ¡Marcos! ¡No tengo el pasaporte!
   Marcos: ¡Ay, no! ¿No lo tienes en tu chaqueta?

Diego: *Answers will vary:* **No, no lo tengo en la chaqueta.**

Marcos: *Answers will vary:* **¿Sabes si lo tienes en tu maleta?**

Diego: *Answers will vary:* **No, voy a ver. Sí, ¡lo encontré en mi maleta!**

Gramática C *Direct object pronouns*

> **¡AVANZA!** **Goal:** Use **direct object pronouns** in place of direct object nouns.

1 ¡Las siguientes personas van de vacaciones! Escribe el pronombre de objeto directo apropiado para decir qué hace cada una. *(Write the corect direct object pronoun to complete the sentences.)*

1. Javier mira la pantalla; ____la____ mira para ver la hora de salida.

2. Mariela lleva el traje de baño en su maleta; ____lo____ lleva para poder ir a la playa.

3. Mi abuela factura las maletas; luego ____las____ va a buscar en el reclamo de equipaje.

4. Felipe necesita ver a los agentes de viajes; Felipe necesita ver____los____ .

2 Contesta las preguntas sobre tus planes para las vacaciones. Sustituye los nombres por pronombres de objeto directo. *(Substitute with a direct object pronoun.)*

1. ¿Dónde compraste los boletos?

Los compré en la agencia de viajes.

2. ¿Quién va a hacer las maletas?

Mi papá va a hacerlas / las va a hacer.

3. ¿Vas a confirmar el vuclo?

Sí, voy a confirmarlo / lo voy a confirmar.

4. ¿Necesitas el pasaporte cuando pasas por la aduana?

Sí, lo necesito cuando paso por la aduana.

5. Después del vuelo, ¿necesitan buscar la parada de autobús?

Answers will vary: **No, no necesitamos buscarla porque vamos a tomar un taxi.**

3 Tú y tu amigo(a) viajan a otro país. Escribe cuatro oraciones sobre sus planes. Usa dos pronombres de objeto directo. *(Write about your vacation plans.)* Answer will vary:

modelo: Mi amiga y yo vamos a... Voy a...

_____

_____

_____

_____

Gramática A   *Indirect object pronouns*

Level 2, pp. 46-48

  Goal: Use **indirect object pronouns** to accompany or replace indirect object nouns.

1 Unas personas hablan de un viaje. Subraya las palabras correctas. *(Underline the correct words.)*

1. El agente de viajes (<u>me</u> / te) da los boletos a mí.

2. La auxiliar de vuelo (me / <u>te</u>) pide la identificación a ti.

3. Las pasajeras (<u>le</u> / les) dan las tarjetas de embarque al auxiliar de vuelo.

4. Nuestros padres (<u>nos</u> / os) van a regalar un viaje a nosotros.

2 A veces, necesitamos ayuda cuando viajamos. Usa el pronombre de objeto indirecto apropiado para completar las siguientes oraciones. *(Complete the sentences with indirect object pronouns.)*

modelo: la agente de viajes / hacer un itinerario / para mí
      <u>La agente de viajes **me** hace un itinerario.</u>

1. la agente de viajes / confirmar el vuelo / a mi papá

   La agente de viajes **le** confirma el vuelo (a mi papá).

2. mi mamá / hacer las maletas / para nosotros

   Mi mamá **nos** hace las maletas.

3. la pasajera / pide direcciones / a los agentes de la oficina de turismo

   La pasajera **les** pide direcciones (a los agentes de la oficina de turismo)

4. el muchacho / pregunta dónde queda la estación de tren / a ti

   El muchacho **te** pregunta dónde queda la estación de tren.

3 ¡Todo el mundo tiene preguntas! Completa las siguientes oraciones con **le** o **les**. *(Complete the sentences.)*

1. El señor _____le_____ va a preguntar a Luz a qué hora sale el vuelo.

2. La auxiliar de vuelo _____les_____ pregunta a los pasajeros si quieren un refresco.

3. El agente de viajes _____les_____ tiene que confirmar el vuelo a los Solís.

4. ¿A quién _____le_____ puedes comprar un boleto de ida y vuelta?

Gramática B Indirect object pronouns

Level 2, pp. 46-48

> **¡AVANZA!** **Goal:** Use **indirect object pronouns** to accompany or replace indirect object nouns.

1 Marisol y sus amigos van de vacaciones. Forma oraciones con las palabras de la caja para decir qué hacen las personas por ellos. (*Write sentences with the following words.*)

te	les	nos	le

1. Papá / confirmar el vuelo / a ti

Papá **te** confirma el vuelo. _____

2. el agente de viajes / vender un boleto / a ustedes

El agente de viajes **les** vende un boleto. _____

3. Mamá / comprar / un traje de baño / a nosotros

Mamá **nos** compra un traje de baño. _____

4. Nosotros / preguntar / dónde queda la estación de tren / a él

Nosotros **le** preguntamos dónde queda la estación de tren. ___

2 Completa el siguiente párrafo con **me, le** o **les**. (*Fill in the blanks with the appropriate indirect object pronoun.*)

La señora Mora **1.** ____le____ dice a Roberta que van a hacer un viaje a

Cancún. Roberta **2.** ____les____ habla del viaje a sus hermanos.

3. ____Les____ dice que hay playas en Cancún. Sus hermanos

4. ____le____ preguntan a ella si necesita ayuda para hacer la maleta.

3 Imagina que vas de viaje y contesta las siguientes preguntas con una oración original y completa. Usa los pronombres de objeto indirecto. (*Thinking about one of your own trips, answer the questions using indirect object pronouns.*) Answers will vary.

modelo: ¿Quién te da el itinerario?
La agente de viajes **me** da el itinerario.

1. ¿A quién le pides direcciones para llegar a tu hotel?

Le pido direcciones al agente de la oficina de turismo.

2. ¿A quiénes les pides dinero para viajar?

Les pido dinero a mis padres.

Gramática C *Indirect object pronouns*

¡AVANZA! **Goal:** Learn the **indirect object pronouns**. Then use the pronouns to accompany or replace indirect object nouns.

1 ¿Qué pasa cuando viajamos? Completa las oraciones con **me, te, le, nos** o **les**. *(Complete the sentences with an appropriate form of the indirect object pronoun.)*

1. María ____me____ da un boleto a mí.

2. ¿Juan ____te____ hace la maleta a ti?

3. Cuando Nora pasa por la aduana ____le____ preguntan qué tiene en su maleta.

4. Nuestros padres ____nos____ van a pagar el boleto. (a nosotros)

5. La pasajera ____les____ pregunta dónde está la puerta. (a ellos)

2 Escribe una oración nueva usando el pronombre de objeto indirecto correcto. Sigue el modelo. *(Write a new sentence using the correct pronoun.)*

modelo: Unos turistas piden direcciones (**a nosotros**).
         Unos turistas **nos** piden direcciones (a nosotros).

1. Papá da la maleta (**a mi hermana**).

   Papá **le** da la maleta a mi hermana. _____

2. La auxiliar de vuelo da la tarjeta de embarque (**a los pasajeros**).

   La auxiliar de vuelo **les** da la tarjeta de embarque. _____

3. Mamá dice (**a Roberta**) que se van de viaje.

   Mamá **le** dice que se van de viaje. _____

4. El auxiliar de vuelo pregunta (**a mí**) si quiero un refresco .

   El auxiliar de vuelo **me** pregunta si quiero un refresco. _____

5. José da las maletas (**a Lourdes**).

   José **le** da las maletas a Lourdes. _____

3 Después del vuelo, bajas del avión. Escribe dos oraciones que digan a quién le haces preguntas para encontrar cosas que necesitas. Tienes que usar los pronombres de objeto indirecto. *(Write two sentences telling from whom you ask for things after your flight.)*

modelo: **Le** pregunto al auxiliar de vuelo dónde está el reclamo de equipaje.

1. *Answers will vary:* **Les pido direcciones a las personas de la oficina de turismo.**

2. *Answers will vary:* **Le pregunto al auxiliar de vuelo dónde está la aduana.**

Integración: Hablar

Mabel y su familia van de vacaciones, y una agencia de viajes los ayuda a organizar el viaje. *(A travel agent helps Mabel and her family organize their trip.)*

Fuente 1 Leer

Lee la confirmación que la agencia de viajes le manda a la familia. *(Read the e-mail.)*

A: **la famila Gómez**   De: **«El cóndor»**
Tema: **Itinerario a Santiago de Chile**

¡Gracias por viajar con nosotros!

La agencia de viajes «El cóndor» tiene su reservación para cuatro boletos de ida y vuelta con Aerolínea Andina de Nueva York a Santiago de Chile el 4 de junio y de Santiago de Chile a Nueva York el 18 de junio. Es un vuelo directo de 13 horas e incluye dos comidas.

Abajo le mandamos el itinerario con toda la información que necesitan. Mañana van a recibir los boletos; los mandamos hoy.

Cada persona puede facturar una maleta grande y puede tener una maleta pequeña o una mochila en el avión.

Deben confirmar el vuelo con 24 horas de anticipación. Si tienen preguntas, deben llamar a un agente de viajes al 1-800-555-2525. ¡Buen viaje!

Fuente 2 Escuchar   *WB CD 01 track 02*

Escucha el anuncio en el aeropuerto. Toma apuntes. *(Listen to the airport announcement and take notes.)*

_____

_____

_____

Hablar

Describe qué tiene que hacer la familia Gómez antes del vuelo y qué tienen que hacer en el aeropuerto. Incluye los detalles de su vuelo (fecha, hora, puerta, destino, etc.) y qué tienen que traer con ellos. *(Describe what the Gómez family has to do before their trip and at the airport. Include details about their flight.)*

modelo: Antes del viaje, la familia tiene que... En el aeropuerto, tienen que...

Answers will vary: **Antes del viaje, la familia tiene que leer el itinerario y confirmar el vuelo. Deben llamar a un agente de viajes si tienen preguntas. En el aeropuerto, tienen que hacer cola en la puerta quince con el pasaporte y la tarjeta de embarque en la mano. Tienen que abordar a las cinco y diez. La salida es a las cinco y treinta. Mabel tiene que buscar a un auxiliar de vuelo en la puerta. Le va a dar su identificación.**

Integración: Escribir

Level 2, pp. 49-51
WB CD 01 track 03

UNIDAD 1
Lección 1

Integración:
Escribir

La novelista Amanda Sanz publica su nuevo libro, un misterio sobre una mujer que viaja a Costa Rica. Lo que le pasa a ella allí es lo misterioso. *(Amanda Sanz's new book involves the mysterious events of a woman's trip to Costa Rica.)*

Fuente 1 Leer

Lee un poco del nuevo misterio de Amanda Sanz. *(Read part of Amanda Sanz's mystery novel.)*

Viviana Vásquez entra al aeropuerto y compra su boleto a Costa Rica.

—¿Un boleto de ida y vuelta? — le pregunta el agente. —No, de ida nada más. —contesta ella —Y no necesito facturar mi equipaje.

El agente le da el boleto y ella pasa por seguridad. Le da su pasaporte al agente de seguridad. Él lo mira, luego la mira a ella, y mira el pasaporte otra vez.

—No sabe que es un pasaporte falso —piensa Viviana. Ella toma su pasaporte y la pequeña maleta y aborda el avión.

Fuente 2 Escuchar   WB CD 01 track 04

Escucha la descripción del libro en un anuncio de la radio. Toma apuntes. *(Listen to the book's description on the radio and take notes.)*

_____

_____

_____

_____

Escribir

Describe el misterio de Amanda Sanz. ¿Por qué va Viviana a Costa Rica y cómo sabemos que no va a volver? ¿Qué hace en el aeropuerto antes del vuelo y qué trae con ella? ¿Qué le pasa al llegar? *(Describe what happens in the mystery novel.)*

modelo: Sabemos que no va a volver porque... En el aeropuerto...

Answers will vary: **No sabemos por qué Viviana va a Costa Rica, pero**

sabemos que no va a volver porque compra un boleto de ida, no de ida y

vuelta. En el aeropuerto compra el boleto y pasa por seguridad con un

pasaporte falso y una maleta pequeña. Tiene ropa, un traje de baño y un

secreto. Al llegar a Costa Rica encuentra una sorpresa en el taxi, pero

tenemos que leer el libro para saberlo.

Escuchar A

¡AVANZA!	**Goal:** Listen to find out how Claudio and his family get ready for vacation.

1 Claudio hace un viaje. Escucha sus planes. Luego lee cada oración y contesta cierto o falso. *(Answer true or false.)*

Ⓒ F **1.** Claudio va de vacaciones con su familia.

C Ⓕ **2.** Va a viajar a California.

Ⓒ F **3.** Pone su traje de baño en la maleta porque va a nadar.

C Ⓕ **4.** Claudio hace el itinerario.

Ⓒ F **5.** La abuela de Claudio habla con la agente de viajes.

C Ⓕ **6.** Claudio no sabe dónde están los pasaportes.

2 ¿Qué hacen? Escucha la conversación de Claudio y su papá. Haz una línea desde el dibujo del miembro de la familia al dibujo que describe qué hace. *(Listen and connect the person to his/her task.)*

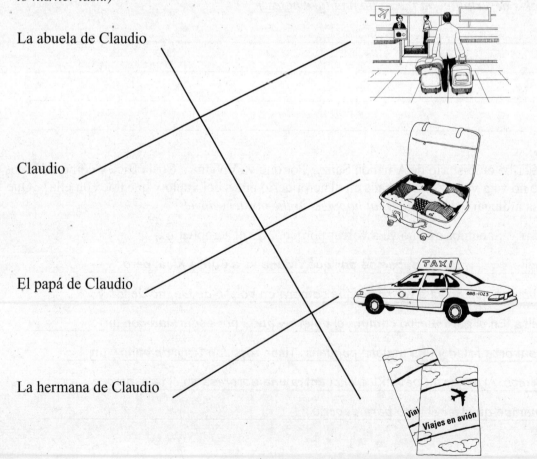

La abuela de Claudio

Claudio

El papá de Claudio

La hermana de Claudio

Escuchar B

¡AVANZA! **Goal:** Listen to find out how Claudio's family gets ready for vacation.

---

1 Claudio hace un viaje. Escucha sus planes y luego completa las oraciones. *(Listen and complete the sentences.)*

1. Claudio va _____*de vacaciones*_____ con su familia.

2. Van a viajar a _____*Costa Rica*_____ .

3. Claudio pone el _____*traje de baño*_____ en la maleta.

4. La abuela de Claudio prepara el _____*itinerario*_____ .

5. El papá de Claudio tiene los _____*pasaportes*_____ en su cuarto.

2 ¿Qué hacen? Escucha la conversación de Claudio y su papá. Escribe el nombre del miembro de la familia debajo del dibujo que corresponde y luego describe qué hace en una oración completa. *(Who does each task?)*

1.

_____*Claudio factura el*_____

_____*equipaje.*_____

2.

_____*El papá de Claudio hace*_____

_____*las maletas.*_____

3.

_____*La hermana de Claudio*_____

_____*llama un taxi.*_____

4.

_____*La abuela de Claudio*_____

_____*compra los boletos.*_____

Escuchar C

Level 2, pp. 56-57
WB CD 01 tracks 09-10

> ¡AVANZA! **Goal:** Listen to find out how Claudio's family gets ready for vacation.

1 Claudio hace un viaje. Toma apuntes de qué hace la familia de Claudio y describe en una oración completa cómo se prepara para su viaje. Usa las palabras entre paréntesis. (*Use the clues to describe Claudio's plans.*)

1. (el viaje) La familia de Claudio hace un viaje a Costa Rica.

2. (las maletas) Los abuelos de Claudio van a comprar maletas nuevas.

3. (el traje de baño) Claudio pone el traje de baño en la maleta porque va a nadar.

4. (itinerario) La abuela de Claudio prepara el itinerario.

5. (los pasaportes) El papá de Claudio tiene los pasaportes.

2 ¿Qué hace? Escucha la conversación que describe cómo la familia de Claudio ayuda con el viaje. Toma apuntes y luego, contesta las preguntas con oraciones completas. (*How does each person help?*)

1. ¿Qué hace Claudio para ayudar con el viaje?

   Answers will vary: **Claudio hace cola para facturar el equipaje.**

2. ¿Quién hace las maletas?

   Answers will vary: **El papá de Claudio hace las maletas.**

3. ¿Qué hace la abuela de Claudio?

   Answers will vary: **La abuela de Claudio compra los boletos.**

4. ¿Cómo ayuda la hermana de Claudio con el viaje?

   Answers will vary: **La hermana de Claudio llama al taxi.**

Leer A

> **¡AVANZA!** **Goal:** Read about planning a trip.

¡Atención, pasajeros de vuelos internacionales!

Los viajeros de vuelos internacionales deben tener todos los documentos necesarios antes de viajar. Necesitan boleto, itinerario, pasaporte e identificación. Tienen que hacer las maletas. Después de llegar a su destino, deben buscar el equipaje y pasar por la aduana. Allí les van a mirar las maletas y el pasaporte. Luego, el pasajero puede entrar al país. Si necesita información sobre servicios de taxi, autobús u hoteles, puede ir a la oficina de turismo.

¿Comprendiste?

Lee cada oración y contesta **cierto** o **falso**. (*Answer true or false.*)

Ⓒ F   **1.** Es importante tener el boleto, el pasaporte y la identificación antes de viajar.

Ⓒ F   **2.** En la aduana miran las maletas.

C Ⓕ   **3.** En un viaje internacional, no tienes que pasar por la aduana.

Ⓒ F   **4.** En la oficina de turismo, puedes pedir direcciones.

¿Qué piensas?

1. ¿Conoces otro país o estado? Descríbelo.

Answers will vary: **Conozco** [name of country or state]. **Es un** [país o

estado] **grande y tiene muchas montañas.** (Or) **No conozco otro**

país o estado. Nunca viajé.

2. ¿A qué país te gustaría viajar?

Answers will vary: **Me gustaría viajar a** [name country].

UNIDAD 1
Lección 1

Leer B

¡AVANZA! **Goal:** Read about planning a trip.

Laura y su mamá no saben dónde están sus boletos. Ellas van a ir a Lima, pero primero tienen que ir a la agencia de viajes a buscar sus boletos y sus tarjetas de embarque. Ellas los necesitan para facturar el equipaje. Después de pasar por seguridad, quieren abordar el avión, así que leen la tarjeta de embarque para ver de qué puerta sale el vuelo.

Tarjeta de embarque

Número de vuelo: 617
De: Los Ángeles
A: Lima
Hora de salida: 5:00 p.m.
Puerta de salida: C39

¿Comprendiste?

1. ¿A qué hora sale el vuelo de Los Ángeles?

El vuelo sale de Los Ángeles a las 5 de la tarde.

2. ¿Adónde va el vuelo número 617?

Va a Lima, Perú.

3. ¿Qué hacen Laura y su mamá antes de llegar al aeropuerto?

Laura y su mamá tienen que ir a la agencia de viajes para buscar sus boletos.

4. ¿Cuándo llegan al aeropuerto, qué documentos necesitan para facturar el equipaje?

Necesitan los boletos y las tarjetas de embarque.

5. ¿Qué hacen después de pasar por seguridad?

Answers will vary: **Leen la tarjeta de embarque.**

¿Qué piensas?

1. ¿Vas a ir de viaje en avión? ¿A qué aeropuerto vas?

Answers will vary: **Sí, voy a ir en avión a California. Voy al aeropuerto**

de JFK.

2. ¿Cómo prefieres viajar: en coche, en autobús, en tren o en avión? ¿Por qué?

Answers will vary: **Prefiero viajar en avión porque puedo ir más lejos.**

Leer C

¡AVANZA! **Goal:** Read about planning a trip.

¡Vamos a San Juan!

Alberto:	Buenos días. Quiero ir a San Juan, Puerto Rico.
Agente de viajes:	¡Buenos días! Puedo ayudarlo. ¿Cuándo quiere ir?
Alberto:	Quiero ir el lunes por la mañana y estar dos semanas.
Agente de viajes:	Bueno, hay un vuelo que sale el lunes a las 10:00. Tiene que estar en el aeropuerto una hora antes del vuelo.
Alberto:	¡Perfecto!
Agente de viajes:	¿También necesita un hotel?
Alberto:	Sí, por favor. Prefiero uno cerca de la playa porque me gusta nadar.
Agente de viajes:	¡Va a gustarle mucho! Voy a hacer un itinerario para su viaje.

¿Comprendiste?

1. ¿Qué quiere hacer Alberto?

    Alberto quiere viajar a San Juan, Puerto Rico.

2. ¿En qué lugar prefiere Alberto un hotel?

    Alberto prefiere un hotel cerca de la playa.

3. ¿Cómo ayuda el agente de viajes a Alberto a prepararse para su viaje?

    Answers will vary: **El agente de viajes le hace un itinerario para su viaje.**

¿Qué piensas?

1. ¿Piensas que Alberto tiene que estar en el aeropuerto una hora antes del vuelo? ¿Por qué?

    Answers will vary: **Pienso que tiene que estar en el aeropuerto una hora antes**

    del vuelo, para hacer cola, porque hay que facturar el equipaje, para pasar por

    seguridad, para abordar, etc.

2. ¿Adónde quieres ir de viaje? ¿Qué actividades te gusta hacer en tus vacaciones?

    Answers will vary: **Quiero ir de viaje a México. Me gusta ir todos los días**

    a la playa y practicar deportes.

Escribir A

Level 2, pp. 56-57

> **¡AVANZA!** **Goal:** Write about a trip.

Step 1

Escribe qué tienes que hacer antes y después del vuelo. *(What do you do before and after your flight?)*

Antes del vuelo:	Después del vuelo:
1. hacer la maleta *or* hacer el itinerario	1. buscar el equipaje
2. hacer cola *or* facturar el equipaje	2. pasar por la aduana
3. pasar por seguridad o abordar	3. tomar un taxi

Step 2

Usa la información de arriba *(above)* para escribirle una carta a un amigo o amiga sobre tus planes de viaje. Di con quién viajas, adónde viajas y qué haces antes y después de tu viaje.

Querido(a) _____ ,

Answers will vary: **Voy de viaje a Miami con mis primos. Vamos a visitar a mi**

abuela. Tengo que hacer mi maleta facturar el equipaje y luego abordar.

En Miami vamos a buscar el equipaje, pero no tenemos que

pasar por la aduana. Vamos a tomar un taxi a la casa de la abuela.

¡Luego te cuento más! Con cariño,

_____

Step 3

Evaluate your writing using the information in the table.

Writing Criteria	Excellent	Good	Needs Work
Content	Your letter includes many details.	Your letter includes some details.	Your letter includes little information.
Communication	Most of your letter is clear.	Parts of your letter are clear.	Your letter is not very clear.
Accuracy	Your letter has few mistakes in grammar and vocabulary.	Your letter has some mistakes in grammar and vocabulary.	Your letter has many mistakes in grammar and vocabulary.

Nombre _____ Clase _____ Fecha _____

Escribir B

 Goal: Write about planning a trip.

Step 1

Escribe lo que tienes que hacer antes y después del vuelo. *(What do you need to do before and after your flight?) Answers will vary:*

Antes del vuelo:	Después del vuelo:
hacer la maleta	buscar las maletas
hacer cola	pasar por la aduana
pasar por seguridad	tomar un taxi

Step 2

Usa la información de arriba para escribir un párrafo sobre qué hay que hacer antes y después de un vuelo. Escribe seis oraciones completas, una para cada cosa que hay que hacer. *(Write six complete sentences, one for each of the things you need to do before and after a flight.)*

Answers will vary: **Antes de un vuelo, tienes que hacer la maleta y**

el itinerario. En el aeropuerto tienes que hacer cola para facturar el

equipaje. También tienes que pasar por seguridad. Después del vuelo,

tienes que buscar las maletas. A la llegada, pasas por la aduana.

Puedes tomar un taxi o tomar el autobús.

Step 2

Evaluate your writing using the information in the table.

Writing Criteria	Excellent	Good	Needs Work
Content	Your paragraph includes all of the information.	Your paragraph includes some of the information.	You paragraph includes little information.
Communication	Most of your paragraph is organized and easy to follow.	Parts of your paragraph are organized and easy to follow.	Your paragraph is disorganized and hard to follow.
Accuracy	Your paragraph has few mistakes in grammar and vocabulary.	Your paragraph has some mistakes in grammar and vocabulary.	Your paragraph has many mistakes in grammar and vocabulary.

Escribir C

¡AVANZA! **Goal:** Write about planning a trip.

Step 1

Escribe lo que tienes que hacer antes y después del vuelo. *(What do you need to do before and after your flight?)*

Antes del vuelo: en casa	Antes del vuelo: en el aeropuerto	Después del vuelo: en el aeropuerto
hacer el itinerario	hacer cola	buscar la(s) maleta(s)
hacer la(s) maleta(s)	facturar el equipaje	pedir direcciones
confirmar el vuelo	pasar por seguridad	llamar un taxi

Step 2

Con la información de la tabla, escribe un correo electrónico a un amigo o amiga a quien vas a visitar por avión. *(Write an email to the friend you are going to visit.) Answers will vary:*

_____,

¡Hola! Hoy tengo que hacer mi maleta y confirmar el vuelo. Tengo el

itinerario y los boletos. No quiero hacer cola, pero tengo que facturar

el equipaje porque tengo una maleta muy grande. Después de pasar por

seguridad, te llamo. ¡Nos vemos en San José! ¿Vienes a buscarme

o debo tomar un taxi? ¡Tengo que pedir direcciones!

Step 3

Evaluate your writing using the information in the table.

Writing Criteria	Excellent	Good	Needs Work
Content	Your email includes all of the information.	Your email includes some of the information.	Your email includes little information.
Communication	Most of your email is clear.	Parts of your email are clear.	Your email is not very clear.
Accuracy	Your email has few mistakes in grammar and vocabulary.	Your email has some mistakes in grammar and vocabulary.	Your email has many mistakes in grammar and vocabulary.

Cultura A

> ¡AVANZA! **Goal:** Review cultural information about Costa Rica.

1 **Costa Rica** Indica si las siguientes oraciones sobre Costa Rica son **ciertas** o **falsas**. *(Circle true or false.)*

C (F) **1.** Costa Rica es un país grande de Sudamérica.

C (F) **2.** La capital de Costa Rica es San Juan.

(C) F **3.** Una comida típica de Costa Rica es el gallo pinto.

(C) F **4.** El equipo nacional de fútbol de Costa Rica se llama «Los Ticos».

(C) F **5.** Muchos costarricenses dicen la frase «pura vida».

2 **Para los turistas** Completa las oraciones con la palabra correcta. *(Complete the sentences.)*

aguas termales	carretas	mariposas	orquídeas

1. En las calles de Costa Rica, los artistas pintan _____carretas_____ de muchos colores.

2. En el resorte de Tabacón hay jardines tropicales y ___aguas termales___ .

3. En el Jardín de Cataratas La Paz los turistas ven muchas ____mariposas____ y _____orquídeas_____ .

3 **El Jardín de Cataratas la Paz** Tú y un(a) amigo(a) van de vacaciones a Costa Rica y visitan el Jardín de Cataratas la Paz. Escribe las actividades que tú quieres hacer allí, las que quiere hacer tu amigo(a), y las que quieren hacer juntos. *(Write what you and your friend want to do at Jardín de Cataratas la Paz.)*

modelo: Yo quiero pasar debajo de las cataratas. Julia quiere buscar morfos azules. Nosotras dos vamos a ver orquídeas.

Qué quieres hacer tú	Qué quiere hacer tu amigo(a)	Qué quieren hacer los dos
pasar debajo de las cataratas estudiar plantas tropicales	buscar morfos azules ver muchas especies de mariposas en el observatorio	ver orquídeas encontrar colibríes

Answers will vary.

Cultura B

> **¡AVANZA!** **Goal:** Review cultural information about Costa Rica.

1 **¿Cómo es Costa Rica?** Completa las oraciones con las expresiones de la caja. *(Complete the sentences with the expressions from the box.)*

el gallo pinto	Los Ticos
San José	el colón

1. La capital de Costa Rica es _____ San José _____.

2. El equipo nacional de fútbol se llama «_____ Los Ticos _____».

3. Una comida típica de Costa Rica es _____ el gallo pinto _____.

4. La moneda costarricense es _____ el colón _____.

2 **Costa Rica** Contesta las siguientes preguntas. *(Answer the following questions.)*

1. ¿Qué actividades pueden hacer las personas en el resorte de Tabacón en Arenal?

   Answers will vary: **Pueden ver el volcán Arenal y jugar en las aguas termales.**

2. ¿Qué son las carretas?

   Answers will vary: **Son artesanías famosas de Costa Rica.**

   _____

3. ¿Qué frase popular dicen en Costa Rica para saludar *(greet)* a amigos y dar las gracias?

   Dicen «pura vida».

3 **La naturaleza costarricense** Escribe tres oraciones sobre la naturaleza de Costa Rica para una agencia de viajes. ¿Qué tipo de fauna y flora hay? ¿Qué se puede hacer? *(Write three sentences about Costa Rica's natural beauty for a travel agency.)*

modelo: Tienen que visitar el Jardín de Cataratas La Paz porque es muy bonito. Hay muchas mariposas allí. Pueden ver...

Answers will vary: **Deben visitar el parque del Jardín de Cataratas La Paz.**

Tiene un jardín de colibríes y un jardín de orquídeas. Pueden buscar el

morfo azul, una especie de mariposa muy bella.

Cultura C

> ¡AVANZA! **Goal:** Review cultural information about Costa Rica.

1 **Actividades en Costa Rica** Escribe qué cosas puedes hacer en cada lugar de Costa Rica. *(Complete this chart listing activities for each place.)*

Resorte de Tabacón	Jardín de Cataratas La Paz
observar un volcán activo	observar mariposas
ir a jardines tropicales	ver orquídeas
jugar en aguas termales	caminar a las cataratas

2 **Costa Rica** Contesta estas preguntas sobre Costa Rica en oraciones completas. *(Answer the following questions.)*

1. ¿Cuál es la moneda costarricense? _____ La moneda costarricense es el colón.

2. ¿Qué países están al lado de Costa Rica? _____ El Salvador y Panamá están al lado

de Costa Rica.

3. ¿Qué artista refleja la esencia de la frase popular ‹‹pura vida›› en su arte?

El pintor Adrián Gómez refleja la esencia de ‹‹pura vida››.

3 **Costa Rica y mi estado** Escribe un párrafo para comparar Costa Rica con la región donde tú vives. Sigue el modelo y escribe como mínimo cuatro oraciones. *(Write a paragraph comparing Costa Rica to the region where you live. Write at least four sentences.)*

modelo: Costa Rica es un país pequeño en Centroamérica. Mi estado es muy grande. En Costa Rica hay...

Answers will vary.

_____

_____

_____

_____

_____

Vocabulario A

> **¡AVANZA!** **Goal:** Talk about vacation activities.

1 La familia Quiñones está de vacaciones. Subraya la palabra apropiada para decir qué necesita. *(Underline the correct word.)*

1. La familia necesita (<u>alojamiento</u> / tomar fotos).

2. Emilia (<u>hace reservaciones</u> / visita) en el hotel.

3. Sus padres quieren una habitación (individual / <u>doble</u>).

4. Las habitaciones están en el tercer piso. Necesitan tomar (fotos / el <u>ascensor</u>).

2 Alfonso está de vacaciones. Escoge cuatro actividades de la lista que puede hacer al aire libre y escríbelas abajo. *(Choose four activities from the list and write them below.)*

comprar artesanías	montar a caballo	visitar un museo
dar una caminata	hacer una reservación	pescar

1. dar una caminata

2. montar a caballo

3. comprar artesanías

4. pescar

3 Cuando tú estás de vacaciones, ¿qué haces? Contesta las preguntas con una oración completa. *(Answer in complete sentences.)*

modelo: ¿Te gusta comprar un recuerdo?
Sí, (No, no) me gusta comprar un recuerdo.

1. ¿Te gusta regatear por un buen precio?

Sí, (No, no) me gusta regatear por un buen precio.

2. ¿Cómo pagas el recuerdo, con dinero en efectivo o con tarjeta de crédito?

Lo pago con dinero en efectivo (tarjeta de crédito).

Vocabulario B

| ¡AVANZA! | **Goal:** Talk about vacation activities. |

1 ¿Qué compra la familia Quiñones cuando está de vacaciones? Escoge cuatro de las siguientes cosas que pueden comprar y márcalas con una X. *(Choose four things to buy and mark them with an X.)*

modelo: __x__ el collar

1. __x__ el anillo   5. __x__ la tarjeta postal
2. __x__ las artesanías   6. ____ el turista
3. ____ una excursión   7. ____ una caminata
4. __x__ los aretes   8. ____ las atracciones

2 La familia Quiñones está de vacaciones. ¿Qué necesitan? Escribe la palabra apropiada para completar las oraciones. *(Complete the sentences.)*

1. La familia quiere un hotel pequeño. Necesitan un _____ hostal _____ .

2. Emilia quiere un cuarto para una persona. Necesita una habitación
   _____ individual _____ .

3. Las habitaciones están en el tercer piso. Necesitan tomar el _____ ascensor _____ .

4. Ernesto quiere comprar un recuerdo para su maestra. Necesita ir al
   _____ mercado al aire libre _____ .

3 Trabajas en la oficina de turismo, y unos turistas necesitan tu ayuda. Diles qué actividades de la lista pueden hacer. Sigue el modelo. *(Help these tourists decide what to do.)*

| acampar | montar a caballo | ir a pescar | visitar un museo |

1. Me gusta el mar. Me gustaría salir en barco. _____ Puede ir a pescar. _____

2. No me gusta dormir en hoteles. _____ Puede acampar. _____

3. Quiero conocer la historia de la región. _____ Puede visitar un museo. _____

4. Me gustan mucho los animales. _____ Puede montar a caballo. _____

UNIDAD 1 • Vocabulario C
Lección 2

Vocabulario C

┌───┐
│ ¡AVANZA! **Goal:** Talk about vacation activities.   │
└───┘

1 Emilia y Ernesto están de vacaciones. ¿Qué hacen? Escoge la expresión apropiada. *(Choose the best expression.)*

1. A Ernesto y Emilia les gusta comer pescado, así que (van a pescar / tienen reservaciones).

2. A Emilia y Ernesto les encanta el arte, así que (hacen una excursión / visitan un museo).

3. Emilia quiere comprar un anillo, aretes y un collar en el mercado al aire libre; le gustan (las tarjetas de crédito / las joyas).

4. Ernesto está de vacaciones en otro país; es un (caballo / turista).

2 La familia Sala está de vacaciones. Escoge la expresión apropiada para completar las oraciones. *(Complete the sentences.)*

1. La familia Sala necesita _____alojamiento_____ ; necesitan un hotel o un hostal.

2. Reciben las llaves de las habitaciones en la _____recepción_____ .

3. Federico les quiere escribir a sus amigos; les va a mandar _____tarjetas postales_____ .

4. Quieren comprar las artesanías, pero, ¡qué caras! Cuestan _____demasiado_____ .

3 Contesta estas preguntas de un amigo que visita tu región. Escribe oraciones completas. *(Answer the following questions from a friend visiting your city.)*

1. ¿Puedo acampar en la región donde vives?

Sí, (No, no) puedes acampar en mi región.

_____

2. ¿Puedo visitar museos allí? ¿Cuáles?

Answers will vary: **Sí, puedes visitar museos aquí. Puedes ir al**

Museo de Bellas Artes o al Museo de Ciencias.

3. ¿Qué tipo de alojamiento hay?

Answers will vary: **Hay un hostal cerca de mi casa.**

_____

Gramática A *Preterite of regular –ar verbs*

> **¡AVANZA!** **Goal:** Use the preterite of regular –ar verbs.

1 Subraya la forma apropiada de los verbos entre paréntesis. *(Underline the correct verb.)*

1. La semana pasada yo (monté / montó) a caballo.

2. Anteayer nosotros (tomaste / tomamos) fotos del museo.

3. El mes pasado ustedes (mandó / mandaron) tarjetas postales.

4. ¿El año pasado tú (acampaste / acampamos) en las montañas?

2 Lee lo que hicieron Ernesto y Emilia en sus vacaciones. Escribe la forma correcta del pretérito del verbo entre paréntesis para completar cada oración. *(Complete the sentences in the preterite.)*

De vacaciones el año pasado, Ernesto y Emilia **1.** ____visitaron____

(visitar) un museo en San José. **2.** ____Tomaron____ (tomar)

muchas fotos. En el mercado al aire libre, Emilia

3. ____compró____ (comprar) muchas joyas y artesanías;

ella **4.** ____regateó____ (regatear) por un buen precio.

5. ____Mandaron____ (mandar) muchas tarjetas postales a su familia

y amigos.

3 ¿En qué actividad(es) participaste con tus amigos durante tu tiempo libre? Contesta las siguientes preguntas con oraciones completas. *(Answer in complete sentences.)*

modelo: ¿Visitaste un museo el año pasado?
Sí, (No, no) visité un museo el año pasado.

1. ¿Tomaron tú y tu familia muchas fotos de sus vacaciones? ¿Cuántas?

Sí, (No, no) tomamos fotos de nuestras vacaciones. ¡Tomamos cien!

2. ¿Quiénes te mandaron tarjetas postales de sus vacaciones? ¿De dónde?

Answers will vary: **Mi tía me mandó una de México. Mis amigos me**

mandaron una de Hawaii.

3. ¿Qué recuerdos compraste durante tus vacaciones?

Answers will vary: **Compré una camiseta de Chicago y un sombrero de Texas.**

Gramática B *Preterite of regular –ar verbs*

Level 2, pp. 65-69

> **¡AVANZA!** **Goal:** Use the preterite of regular **–ar** verbs.

1 ¿Qué hicieron los miembros de la familia Quiñones? Escoge la forma apropiada del verbo para completar la oración. *(Choose the correct form of the verb.)*

1. La familia Quiñones __b__ el hotel con tarjeta de crédito.

　a. pagaron　　　　　**b.** pagó　　　　　**c.** pagaste

2. Emilia y Ernesto __c__ muchas fotos.

　a. tomé　　　　　**b.** tomamos　　　　　**c.** tomaron

3. Emilia __a__ por un buen precio para el collar.

　a. regateó　　　　　**b.** regateaste　　　　　**c.** regateamos

4. Nosotros __c__ en el mar.

　a. pescó　　　　　**b.** pescaron　　　　　**c.** pescamos

2 Contesta las preguntas sobre las vacaciones de estas personas. Escribe la forma del pretérito de los verbos de la caja. *(Write the correct preterite form of the verbs in the box.)*

1. ¿ ___Hablaste___ tú con la recepción anoche?

2. ¿Profesora Loreto, ___viajó___ usted en avión el verano pasado?

3. ¿Miguel y Manuel, ___acamparon___ ustedes en el parque anteayer?

4. ¿Tú y tu mamá ___compraron___ joyas en el centro comercial la semana pasada?

| hablar |
| viajar |
| acampar |
| comprar |

3 Escribe a tu amigo(a) tres preguntas sobre lo que el/ella y su familia hicieron durante las vacaciones. Usa las expresiones de la lista y palabras interrogrativas, como: **cuándo, dónde, adónde, qué, quién, cuál(es),** y **cuántos.** *(Write about your vacation.)*

| comprar | mandar | viajar | montar |
| tomar fotos | hablar | visitar | acampar |

modelo: **¿Cuándo acampaste?**

Answers will vary: **¿Adónde viajaste? ¿A quién visitaste? ¿Cuáles de los museos visitaste? ¿Cuántas fotos tomaste?**

Gramática C *Preterite of regular –ar verbs*

> ¡AVANZA! **Goal:** Use the preterite of regular –**ar** verbs.

❶ ¡Estas personas van de vacaciones! Subraya la forma correcta del verbo. *(Underline the correct form of the verb.)*

1. El mes pasado mi familia y yo _____montamos_____ a caballo. (montar)

2. La semana pasada mi papá _____compró_____ unas artesanías muy bellas. (comprar)

3. Anteayer mis hermanos _____confirmaron_____ el vuelo. (confirmar)

4. Anoche yo _____llamé_____ a un taxi. (llamar)

❷ Lee lo que hizo Alicia en sus vacaciones. Escribe un verbo en pretérito para completar cada oración. *(Complete the sentences in the preterite.)*

En las vacaciones del año pasado, mi familia y yo

1. _____pasamos_____ la noche en un hostal. Yo **2.** _____compré_____

recuerdos para mis abuelos en una tienda de artesanías, pero, ¡qué

caros! Mi papá y mi mamá **3.** _____regatearon_____ por un buen precio y

los **4.** _____pagaron_____ con dinero en efectivo. Mi hermano Marcelo

5. _____montó_____ a caballo.

❸ Escribe cuatro preguntas para tus amigos sobre lo que hicieron ayer, anoche, anteayer o la semana pasada. Usa el pretérito y las palabras interrogativas **adónde, dónde, cuándo, quién, qué, cuál(es), cuánto(s).** *(Write what your friends did.)* Answers will vary:

¿Qué música escuchaste ayer? _____

¿Con quién hablaste anoche? _____

¿Adónde viajaste la semana pasada? _____

¿Cuál de los libros estudiaste anteayer? _____

Gramática A Preterite of *ir, ser, hacer, ver* and *dar*

Level 2, pp. 70-72

> **¡AVANZA!** **Goal:** Use the preterite of **ir**, **ser**, **hacer**, **ver** and **dar**.

1 Unas personas hablan de lo que hicieron. Escoge el pronombre correcto de la caja para completar las siguientes oraciones. *(Choose the correct pronoun from the box.)*

a. Ella	b. Yo	c. Manolo y Esteban	d. Tú	e. Nosotros

modelo: __*a*__ vio las atracciones.

__*c*__ fueron a pescar el año pasado.

__*b*__ hice las maletas anteayer.

__*e*__ dimos una caminata anoche.

__*d*__ fuiste a la recepción para hablarles del problema.

2 ¿Qué hicieron? Completa las siguientes oraciones con el pretérito de los verbos entre paréntesis. *(Complete the sentences using the preterite.)*

Yo _____*vi*_____ (ver) una película anoche.

Nosotros _____*fuimos*_____ (ir) de vacaciones el verano pasado.

Ellos _____*dieron*_____ (dar) una caminata anteayer.

¿Tú _____*hiciste*_____ (hacer) una excursión el mes pasado?

¿ _____*Fue*_____ (ser) divertido regatear?

3 Mira los dibujos y escribe oraciones sobre lo que hicieron estas personas el verano pasado. Usa **ir**, **ser**, **hacer**, **ver** o **dar**. *(Look at the drawings and write sentences in the preterite.)*

1.

2.

1. (ellos) El verano pasado ellos fueron a pescar.

2. (usted) El verano pasado usted hizo la maleta.

Gramática B *Preterite of **ir, ser, hacer, ver** and **dar***

Level 2, pp. 70-72

¡AVANZA! **Goal:** Use the preterite of **ir**, **ser**, **hacer**, **ver** and **dar**.

❱ La familia Laredo participó en muchas actividades en su tiempo libre la semana pasada. Escoge el verbo apropiado para completar las siguientes oraciones. *(Choose the correct verb to complete the sentences.)*

a. vimos	b. fuiste	c. dio	d. hicieron

modelo: Nosotros _a_ una película la semana pasada.

1. Enrique y Ricardo _d_ una excursión la semana pasada.

2. ¿Tú _b_ al centro comercial la semana pasada?

3. Pablo le _c_ un anillo a Paloma.

❱ Maribel está de vacaciones. Forma oraciones en pretérito con las siguientes palabras para decir lo que hicieron las personas. *(Write sentences with the following words.)*

modelo: Papá / hacer las reservaciones
 Papá hizo las reservaciones.

1. La turista / dar una caminata La turista **dio** una caminata.

2. Francisco y Ángela / ir de compras Francisco y Ángela **fueron** de compras.

3. Mis amigas y yo / ver las atracciones Mis amigas y yo **vimos** las atracciones.

4. Tú / darle el recuerdo a tu tía Tú le **diste** el recuerdo a tu tía.

❸ Mira los dibujos y escribe una oración completa sobre lo que hicieron estas personas en su tiempo libre. *(Use the drawings to write complete sentences about what these people did during their free time.)*

1.

2.

1. *Answers will vary:* **Ella le dio un gato a su amigo.**

2. *Answers will vary:* **Ellas fueron al cine.**

Gramática C   *Preterite of **ir**, **ser**, **hacer**, **ver** and **dar***

Level 2, pp. 70-72

¡AVANZA!   **Goal:** Use the preterite of **ir**, **ser**, **hacer**, **ver** and **dar**.

---

1 ¿Qué hicieron ayer? Completa las oraciones con un verbo en pretérito. *(Complete the sentences with a preterite of a verb.)*

1. Esa turista _____*vio*_____ mucho arte interesante en el museo.

2. Yo _____*hice*_____ una excursión por la montaña.

3. Norberto _____*fue*_____ de compras al centro comercial.

4. Tú le _____*diste*_____ una tarjeta de crédito y dinero en efectivo a tu hermana.

2 ¿Qué hicieron anteayer? Escribe las oraciones en orden. Escribe el verbo en paréntesis en pretérito. *(Write the sentences in order with the verb in the preterite.)*

modelo: reservaciones / mis amigos / en / un hotel (hacer)
Mis amigos hicieron reservaciones en un hotel.

1. collar / le / a / su hija / un collar / Nélida (dar)

Nélida le dio un collar a su hija. _____

2. bellas / el museo / de arte / cosas / muchas (ver)

Yo vi muchas cosas bellas en el museo de arte. _____

3. muy / la caminata / divertida (ser)

La caminata fue muy divertida. _____

4. mercado / tú / al / aire / libre / de / compras / al (ir)

Tú fuiste de compras al mercado al aire libre. _____

3 Escribe tres oraciones completas sobre lo que hicieron tú, los miembros de tu familia y tus amigos el verano pasado. *(Write three sentences about what you, your family and friends did last summer.)*

modelo: Mis hermanos y yo fuimos a pescar.

1. *Answers will vary:* **Mis amigos y yo fuimos de compras.** _____

2. *Answers will vary:* **Mi mamá y mi papá fueron de excursión.** ____

3. *Answers will vary:* **Mis primos hicieron un viaje en avión.** _____

Integración: Hablar

Level 2, pp. 73-75
WB CD 01 track 11

Javier buscó por Internet algunos lugares para ir de vacaciones en Costa Rica. Viajó allí en febrero, y al regresar le contó de su viaje a su amiga. *(Javier searches the Internet for vacation spots in Costa Rica, travels there, and tells his friend about his trip.)*

Fuente 1 Leer

Lee los sitios web que encontró Javier. *(Read the web sites Javier finds.)*

> • **Playacampa:** Ofrecemos alojamiento al aire libre en la playa más bella de Costa Rica. Puede venir solo o en grupos de dos a doce personas. Cuesta $10 por noche por persona. De aquí puede ir a pescar y a dar caminatas por el mar Caribe. *www.playacampa.com*
>
> • **Hostal de la Familia:** Para un viaje tranquilo, usted debe venir a nuestro hostal en un bello parque nacional. Tenemos actividades para todos: puede montar a caballo, descansar y hacer excursiones a lugares naturales e interesantes. *www.hostalfamilia.com*
>
> • **Hotel Las Nubes:** Si quiere conocer San José, ¡nuestro hotel queda cerca de todo! Tenemos piscina y un restaurante excelente. Excursiones para ver las atracciones y visitar los museos de San José salen todos los días de la recepción. *www.hotellasnubes.com*

Fuente 2 Escuchar   *WB CD 01 track 12*

Escucha el mensaje telefónico de Javier a su amiga Susana y toma apuntes. *(Listen to Javier's phone message and take notes.)*

_____

_____

_____

_____

Hablar

De los lugares que encontró Javier por Internet, ¿cuáles visitó en su viaje? ¿Qué hicieron él y su familia allí? ¿Qué va a hacer en sus próximas vacaciones?

Modelo: Él visitó... Con su familia... Las próximas vacaciones...

Answers will vary: **Él visitó primero el Hotel Las Nubes en San José. Vio las atracciones**

e hizo una excursión con su mamá; su papá descansó en el hotel. Después, su familia y

él fueron al Hostal de la Familia en un parque nacional. Vieron animales y plantas, y sus

hermanos montaron a caballo. En sus próximas vacaciones va a acampar en la playa,

tal vez en Playacampa.

Integración: Escribir

Emilia fue de vacaciones con Lorena y su familia. Encontraron un hotel que ofrece muchas actividades. ¿Qué actividades hicieron las chicas? *(What did Emilia and Lorena do while on vacation?)*

Fuente 1 Leer

Lee el anuncio del hotel. *(Read the ad from the hotel.)*

Hotel "Alojamiento feliz"

EN NUESTRO HOTEL, USTED PUEDE PASAR UNAS VACACIONES MUY BUENAS.

Tenemos habitaciones individuales o dobles y cinco ascensores. Cuando llega al hotel, le servimos algo de beber y le damos su llave en la recepción.

Nuestro hotel tiene agentes de turismo que lo llevan a hacer excursiones, a dar caminatas o a visitar el mercado al aire libre.

Usted puede hacer su reservación por teléfono.
Puede pagar con dinero en efectivo o con tarjeta de crédito.

Fuente 2 Escuchar   *WB CD 01 track 14*

Escucha lo que le dice Emilia a su mamá en un video por Internet y toma apuntes. *(Listen to Emilia's Web video message and take notes.)*

_____

_____

_____

_____

Escribir

De las actividades que ofrecen los agentes de turismo del hotel, ¿cuáles hicieron Emilia y Lorena? *(Which activities offered did Emilia and Lorena do?)*

modelo: Emilia y Lorena fueron a... Ellas también...

Answers will vary: A Emilia y Lorena les dieron un jugo en la recepción del

hotel. Ellas fueron a un mercado al aire libre, y Emilia compró algunas

joyas. También hicieron una excursión a la playa.

_____

_____

_____

Escuchar A

> ¡AVANZA! **Goal:** Listen to find out what Laura and her family did on vacation.

1 Laura fue de vacaciones. Escucha lo que hizo ella en sus vacaciones. Lee cada frase y contesta **cierto** o **falso**. *(Answer true or false.)*

C (F) **1.** Laura fue de vacaciones a Francia.

(C) F **2.** Fueron de vacaciones la semana pasada.

(C) F **3.** Su padre hizo reservaciones en un hotel.

(C) F **4.** Ella se quedó en una habitación individual.

C (F) **5.** Les dieron las llaves en el ascensor.

2 ¿Qué hizo cada uno? Escucha la conversación. Haz una línea desde el dibujo del miembro de la familia al dibujo que describe lo que hizo. *(Listen and connect the person to his/her action.)*

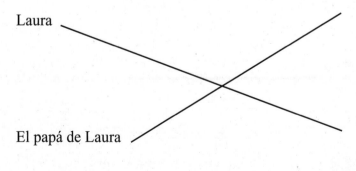

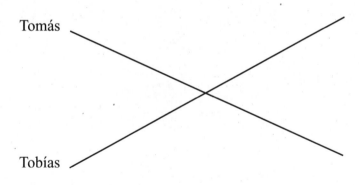

Tomás

Tobías

Laura

El papá de Laura

Escuchar B

┌───┐
│ ¡AVANZA! **Goal:** Listen to find out what Laura and her family did on vacation. │
└───┘

1 Escucha lo que hizo David durante sus vacaciones y luego, completa las oraciones. *(Listen and complete the sentences.)*

1. David fue de vacaciones con _____ su familia _____.

2. Viajaron a _____ España _____.

3. Pasaron la primera noche en _____ un hostal _____.

4. El grupo _____ visitó _____ un museo.

5. Su profesor _____ tomó fotos _____.

6. Los estudiantes españoles les dieron _____ recuerdos del viaje _____.

2 ¿Quién hizo qué? Escucha la conversación. Escribe el nombre del miembro de la familia debajo del dibujo correspondiente, y luego describe qué hizo en una oración completa. *(Who did each task?)*

1.

Tobías tomó muchas fotos.

_____

2.

Tomás compró un recuerdo.

_____

3.

El papá de Laura hizo

reservaciones en un hotel.

4.

Laura mandó tarjetas

postales a todos sus amigos.

Escuchar C

> **¡AVANZA!** **Goal:** Listen to find out what Laura and her family did on vacation.

1 Escucha lo que David y su familia hicieron en vacaciones y decide si las siguientes oraciones son ciertas o falsas. Corrige las falsas. *(Decide if the sentences are true or false, and correct the false ones.)*

1. La familia de David fue de vacaciones a Cancún, México, la semana pasada.

Cierta

2. El padre de David hizo reservaciones en un hotel del centro.

Falsa. Hizo reservaciones en un hotel en la playa.

3. David pasó las noches en una habitación doble.

Falsa. David, acampó en la playa.

4. David compró muchos recuerdos en el mercado.

Falsa. David, compró dos recuerdos.

5. Según David, todos los turistas toman muchas fotos.

Cierta

2 ¿Qué hizo cada uno? Escucha la conversación que describe las actividades de la familia de Laura. Toma apuntes y luego contesta las preguntas con oraciones completas. *(What did each person do?)*

1. ¿Por cuántos días fueron de vacaciones Laura y su familia?

Laura y su familia fueron de vacaciones por una semana.

2. ¿Adónde fue la familia de Laura?

La familia de Laura fue a Madrid, España.

3. ¿Qué lugar visitaron? ¿Qué vieron allí?

Visitaron el Museo de Bellas Artes. Vieron las atracciones.

4. ¿Quién tomó las fotos? ¿Cuántas?

El hermano de Laura tomó muchas fotos.

5. ¿Qué hicieron después?

Compraron recuerdos.

Leer A

 Goal: Read about vacation activities.

Hola Carlota:

Estoy de vacaciones en Costa Rica y te quiero hablar de las cosas
que hicimos anteayer. Pasé una tarde en San José con mi hermana y
compramos muchas cosas: vestidos, zapatos y joyas. Encontramos todo
a buen precio. Lo pagamos todo con dinero en efectivo. También vi un
collar muy bello, pero, ¡qué caro! No lo compré. Hicimos una excursión
con toda la familia. Después visitamos el Museo del Oro. Vimos otras
atracciones, dimos una caminata y tomamos muchas fotos. Luego, en el
hotel, subimos a la habitación en ascensor. ¡Me gustaría mucho volver a
San José!

Tu amiga, Sandra

¿Comprendiste?

Lee cada frase y contesta **cierto** o **falso**. *(Answer true or false.)*

Ⓒ F   **1.** Sandra fue turista en Costa Rica.

C Ⓕ   **2.** Sandra visitó un museo con su hermana.

C Ⓕ   **3.** Sandra compró un collar con tarjeta de crédito.

Ⓒ F   **4.** La familia de Sandra tomó el ascensor para llegar a la habitación.

¿Qué piensas?

1. Cuando estás de vacaciones, ¿prefieres acampar o dormir en un hotel? ¿Por qué?

Answers will vary: **Cuando estoy de vacaciones prefiero acampar porque**

me gusta estar al aire libre.

2. ¿Adónde fuiste de vacaciones el año pasado? ¿Qué atracciones viste? ¿Qué te gustó más? ¿Por qué?

Answers will vary: **El año pasado fui a México de vacaciones. Vi las ruinas de**

Tulum y el Zócalo de México D. F. Me encantó el Zócalo porque fue muy

interesante.

Leer B

> **¡AVANZA!** **Goal:** Read about vacation activities.

Elena:	Hola Carolina, ¿qué tal? ¿Cómo pasaste las vacaciones?
Carolina:	¡Hola! ¡Muy bien! Fuimos a la selva amazónica (*Amazon rainforest*).
Elena:	¿La selva amazónica? ¿Dónde queda?
Carolina:	Queda en Sudamérica. Tomamos un vuelo de Chicago a Lima. Luego tomamos otro vuelo de Lima al aeropuerto de Iquitos. De allí tomamos un barco a la selva. No hay mucho alojamiento, así que fuimos a un pequeño hostal de madera (*wood*). ¡Fue como acampar!
Elena:	¡Qué bueno! ¿Vieron muchas atracciones allí?
Carolina:	No hay muchas atracciones allí. Pero hice una excursión en canoa por el río (*river*) Amazonas y compré artesanías en un mercado. Mi padre regateó, así que las compramos a un buen precio. ¡Fue muy bello!

¿Comprendiste?

1. ¿Dónde queda la selva amazónica?

Queda en Sudamérica.

2. ¿Cómo llegó a la selva Carolina?

Tomó un vuelo de Chicago a Lima (Perú), otro de Lima a Iquitos y luego un barco.

3. ¿Qué hizo en canoa Carolina?

Hizo una excursión por el río.

4. ¿Qué hizo el padre de Carolina?

Regateó por un buen precio en el mercado al aire libre.

¿Qué piensas?

1. ¿Prefieres ir a la selva o a una ciudad cuando vas de vacaciones? ¿Por qué?

Answers will vary: **Prefiero ir de vacaciones a una ciudad porque me**

encanta ir de compras y visitar museos.

2. ¿Prefieres ir de compras a una tienda grande o a un mercado al aire libre? ¿Por qué?

Answers will vary: **Prefiero un mercado al aire libre porque me gusta regatear.**

¡AVANZA! **Goal:** Read about vacation activities.

¡Fueron unas vacaciones estupendas!

Me llamo Mariela. El mes pasado fui a Madrid de vacaciones y lo pasé muy bien. Es una ciudad fabulosa. Pasé una tarde en la Gran Vía con mis primas y compré vestidos, zapatos y joyas. Encontré todo a buen precio. Mis primas también compraron anillos y aretes. Lo pagamos todo con tarjeta de crédito. Vi un collar muy bello pero era demasiado caro, así que no lo compré. Luego dejé *(I left)* a mis primas y fui a un café al aire libre. Despues de un rato llegaron mi hermana, su novio y otro amigo. Empezamos a hablar y el amigo de mi hermana me invitó a salir con él aquella noche. Hicimos una excursión por el Viejo Madrid. Al día siguiente *(the next day)* fuimos todos juntos a visitar el Museo del Prado. Vimos otras atracciones, dimos una caminata y tomamos muchas fotos. Después de esa tarde estupenda, fuimos al hotel. Subimos a nuestras habitaciones en ascensor. En mi habitación individual empecé a escribir tarjetas postales; ¡mandé muchas a mis amigas! Me encantaría volver a Madrid.

¿Comprendiste?

Lee cada frase y contesta **cierto** o **falso**. *(Answer true or false.)*

Ⓒ   F   **1.** Mariela fue turista en España.

Ⓒ   F   **2.** Mariela visitó un museo con su hermana, el novio de su hermana y otro amigo.

C   Ⓕ   **3.** En el Viejo Madrid, Mariela compró un collar con tarjeta de crédito.

Ⓒ   F   **4.** Mariela tomó el ascensor para llegar a su habitación.

¿Qué piensas?

1. ¿Te gusta visitar museos en tus vacaciones? ¿Qué museo te gustaría visitar? ¿Por qué?

Answers will vary: **Sí, me encanta visitar museos de vacaciones.**

Quisiera visitar el Museo del Prado en Madrid porque tiene mucho arte

interesante.

2. ¿Cuáles son tus actividades favoritas cuando estás de vacaciones? ¿Por qué?

Answers will vary: **Me gusta mucho acampar porque me encanta estar al**

aire libre.

Escribir A

> **¡AVANZA!** **Goal:** Write about vacation activities.

Step 1

Escribe qué tipo de alojamiento prefieres. *(What type of lodging you prefer?)*

Tipo de alojamiento	Habitación	Con...
1. *Answers will vary:* **un hostal**	1. *Answers will vary:* **doble**	1. *Answers will vary:* **recepción**
2. **acampar**	2. **individual**	2. **ascensor**

Step 2

Escribe qué te gusta hacer durante las vacaciones. *(What do you like to do on vacation?)*

Answers will vary: **montar a caballo, dar una caminata, pescar, visitar un**

museo, ir de compras, tomar fotos

Step 3

Usa la información de arriba para escribir una tarjeta postal a un(a) amigo(a) contándole tus últimas vacaciones. Incluye, adónde fuiste, dónde te quedaste y qué hiciste. *(Write a postcard describing your last vacation.)*

_____ ,

Answers will vary: **La semana pasada fui de vacaciones a Miami con mis**

primos. Fuimos a un hostal. No tenía ascensor. Montamos a caballo,

visitamos un museo y fuimos a pescar. ¡Me gustaría volver!

_____

Step 4

Evaluate your writing using the information in the table.

Writing Criteria	Excellent	Good	Needs Work
Content	Your postcard includes many details.	Your postcard includes some details.	Your postcard includes little information.
Communication	Most of your postcard is clear.	Parts of your postcard are clear.	Your postcard is not very clear.
Accuracy	Your postcard has few mistakes in grammar and vocabulary.	Your postcard has some mistakes in grammar and vocabulary.	Your postcard has many mistakes in grammar and vocabulary.

Escribir B

 Goal: Write about vacation activities.

Step 1

Escribe sobre qué tipo de alojamiento hay en tu ciudad y las actividades que puede hacer un turista. Incluye detalles como la habitación, el hotel u hostal y si hay ascensor o no. *(What lodging and activities are there in your city?) Answers will vary:*

Tipo de alojamiento	
un hostal sin recepción	
zonas para acampar	
Las actividades	
hacer excursiones	ir de compras
visitar el Museo de Bellas Artes	tomar fotos

Step 2

Unos turistas visitaron tu región. Usa la información de arriba para escribir un resumen de cuatro oraciones sobre qué hicieron en tu ciudad. *(Write a summary of what tourists did in your area.)*

Answers will vary: **El profesor fue a un hotel con ascensor, pero los**

estudiantes fueron a las zonas para acampar. Hicieron

excursiones, visitaron museos y compraron muchos recuerdos.

Step 3

Evaluate your writing using the information in the table.

Writing Criteria	Excellent	Good	Needs Work
Content	Your summary includes all the information.	Your summary includes most of the information.	Your summary does not include the information.
Communication	Most of your summary is clear.	Parts of your summary are clear.	Your summary is not very clear.
Accuracy	Your summary has few mistakes in grammar and vocabulary.	Your summary has some mistakes in grammar and vocabulary.	Your summary has many mistakes in grammar and vocabulary.

Escribir C

¡AVANZA!	**Goal:** Write about vacation activities.

Step 1

Escribe lo que pueden hacer los turistas en tu ciudad. *(What activities can tourists do in your city?)*

Actividades al aire libre	Otras actividades
1. *Answers will vary:* **montar a caballo**	1. *Answers will vary:* **visitar un museo**
2. **dar una caminata**	2. **ir de compras**
3. **pescar**	3. **tomar fotos**

Step 2

Vas a entrevistar a una persona que acaba de pasar las vacaciones en tu región. Prepara una lista de preguntas en el pretérito sobre su alojamiento y sus actividades. Usa la forma **usted,** y la información en la tabla. *(Prepare interview questions for someone who vacationed in your city.)*

Answers will vary: ¿Fue usted a un hotel grande o pequeño? ¿Qué museos o

lugares históricos visitó? ¿Dio caminatas? ¿Dónde? ¿De qué tomó fotos?

¿Fue de compras? ¿Cuántos recuerdos compró?

Step 3

Evaluate your writing using the information in the table.

Writing Criteria	Excellent	Good	Needs Work
Content	Your interview has many questions and answers.	Your interview has some questions and answers.	Your interview has few questions or answers.
Communication	Most of your interview is clear.	Parts of your interview are clear.	Your interview is not very clear.
Accuracy	Your interview has few mistakes in grammar and vocabulary.	Your interview has some mistakes in grammar and vocabulary.	Your interview has many mistakes in grammar and vocabulary.

Cultura A

Level 2, pp. 80-81

| ¡AVANZA! | **Goal:** Review cultural information about Costa Rica and Chile. |

❶ Costa Rica y Chile Contesta las siguientes preguntas con las palabras correctas. *(Answer the questions.)*

1. ¿Dónde está Costa Rica? Costa Rica está en (Sudamérica / <u>Centroamérica</u>).

2. ¿Cómo es el clima de Chile? En Chile hay veranos (<u>cálidos</u> / fríos) e inviernos (<u>fríos</u> / cálidos) con lluvia y nieve.

3. ¿En qué país se puede esquiar o hacer snowboard? Se puede esquiar y hacer snowboard en (<u>Chile</u> / Costa Rica).

4. ¿Cuáles son las actividades que hacen los turistas en Costa Rica? Los turistas en Costa Rica pueden (<u>nadar</u> / esquiar) y también (<u>bucear</u> / hacer snowboard).

5. ¿Qué artista costarricense pintó un cuadro sobre una familia típica del campo *(countryside)*? Fue (<u>Jeannette Carballo</u> / Adrián Gómez).

❷ ¿En qué país? Alejandro fue de vacaciones a Costa Rica y a Chile con su familia. Di en qué país participaron en las siguientes actividades. *(Alejandro went to Costa Rica and Chile. Tell where they did each activity.)*

1. Mi familia y yo visitamos el Parque Nacional Volcán de la Vieja. ___Costa Rica___

2. Mi hermana Natalia esquió y yo hice snowboard en los Andes. ___Chile___

3. Mis padres montaron a caballo por los bosques tropicales. ___Costa Rica___

4. Yo observé animales como llamas, cóndores y pumas en el Parque Nacional Torres del Paine. ___Chile___

❸ Los parques nacionales de Costa Rica y Chile Escribe las actividades que se pueden hacer en los parques de Costa Rica y Chile y di si te gustaría hacerlas. *(Write what you would like to do in Chile and Costa Rica's national parks.)*

modelo: En los parques nacionales, puedo...

PARQUE NACIONAL VOLCÁN RINCÓN DE LA VIEJA	PARQUE NACIONAL TORRES DEL PAINE
ver un volcán, dar una caminata cerca de las cataratas, nadar en las aguas termales	acampar, pescar, montar en bicicleta, observar animales como llamas, cóndores y pumas

Answers will vary.

Cultura B

| ¡AVANZA! | **Goal:** Review cultural information about Costa Rica and Chile. |

1 **Costa Rica y Chile** Completa las siguientes oraciones. *(Complete the following sentences.)*

| acampar | volcán | dar una caminata | llamas |

1. En Costa Rica las personas pueden ver un _____volcán_____ en Arenal, Alajuela.

2. En el Parque Nacional Torres del Paine en Chile hay ____llamas____ .

3. Los turistas van al Parque Nacional Torres del Paine en Chile para ____acampar____ .

4. Las personas que visitan el Parque Nacional Volcán el Rincón pueden _dar una caminata_ cerca de las cataratas.

2 **La familia y las vacaciones** Natalia y su familia fueron de vacaciones a Chile. Su amiga Verónica quiere saber qué hicieron. Combina las preguntas y respuestas de cada columna para crear un diálogo. *(Create a dialogue combining the questions and answers from the two columns.)*

Verónica

¿Dónde viajaron?

¿Qué hicieron?

¿Qué animales vieron?

Natalia

Montamos a caballo.

Vimos cóndores, pumas y llamas en el parque nacional.

Viajamos a Chile.

3 Haz una lista de las actividades que se pueden hacer en Costa Rica y Chile. Luego escribe tres oraciones sobre qué actividades te gustaría hacer. Sigue el modelo. *(Make a list of activities you can do in Costa Rica and Chile. Then, write three sentences about which you would like to do.)*

modelo: Me gustaría bucear en las aguas cristalinas de Costa Rica.

Answers will vary: **Explorar los arrecifes, montar a caballo, nadar, esquiar,**

hacer snowboard, ver volcanes, ver mariposas. Me gustaría nadar en el mar

Caribe en Costa Rica. También me gustaría montar a caballo por la playa.

Me gustaría mucho hacer snowboard en las montañas de los Andes en Chile.

Cultura C

¡AVANZA! **Goal:** Review cultural information about Costa Rica and Chile.

1 **Costa Rica y Chile** Completa las siguientes oraciones sobre Costa Rica y Chile. *(Complete the following sentences about Costa Rica and Chile.)*

1. Los turistas pueden acampar y pescar en el Parque Nacional _Torres del Paine_ de Chile.

2. El _____invierno_____ en Chile es desde junio hasta septiembre.

3. El volcán activo de _____Arenal_____ se puede ver desde el resorte de Tabacón en Costa Rica.

4. La _____carreta_____ es la artesanía más conocida de Costa Rica.

2 **Las vacaciones** Escribe tres oraciones y di qué actividades puedes hacer cuando estás de vacaciones en Costa Rica y en Chile. Escribe tres oraciones para cada país. *(Write three sentences about activities you can do when on vacation in Costa Rica and in Chile. Write three sentences for each country.)*

modelo: En Costa Rica nado en el mar Caribe.
En Chile esquío en las montañas de los Andes.

COSTA RICA	CHILE
Answers will vary.	Answers will vary.

3 **Las vacaciones del verano pasado** El verano pasado tú y tu familia fueron de vacaciones a Chile. Escribe un párrafo de cinco oraciones y di qué hicieron. *(Write a five-sentence paragraph about a trip to Chile last summer.)*

Answers will vary. _____

_____

_____

_____

_____

Comparación cultural: De vacaciones...

Level 2, pp. 82-83

Lectura y escritura

After reading the paragraphs about where and how Laura, Lucas, and Francisco spent their vacations, write a paragraph about a vacation you took. Use the information on your mind map to write sentences, and then write a paragraph that describes your vacation.

Step 1

Complete the mind map describing as many details as you can about your vacation.

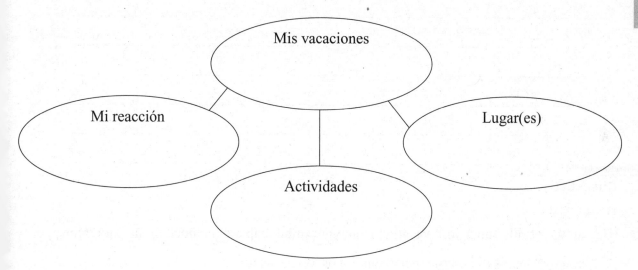

Step 2

Now take the details from the mind map and write a sentence for each topic on the mind map.

_____

_____

_____

_____

_____

_____

Comparación cultural: De vacaciones...

Lectura y escritura (continued)

Step 3

Now write your paragraph using the sentences you wrote as a guide. Include an introduction sentence and use verbs such as **hacer, ver, ir,** and **visitar** in the preterite tense.

_____

_____

_____

_____

_____

_____

_____

Checklist

Be sure that...

☐ all the details about your vacation from your mind map are included in the paragraph;

☐ you use details to describe what you did on your vacation;

☐ you include verbs in the preterite and new vocabulary words.

Rubric

Evaluate your writing using the rubric below.

Writing criteria	Excellent	Good	Needs Work
Content	Your paragraph includes all of the details about your vacation.	Your paragraph includes some details about your vacation.	Your paragraph includes few details about your vacation.
Communication	Most of your paragraph is organized and easy to follow.	Parts of your paragraph are organized and easy to follow.	Your paragraph is disorganized and hard to follow.
Accuracy	Your paragraph has few mistakes in grammar and vocabulary.	Your paragraph has some mistakes in grammar and vocabulary.	Your paragraph has many mistakes in grammar and vocabulary.

Comparación cultural:
De vacaciones...

Level 2, pp. 82-83

Compara con tu mundo

Now write a comparison about your vacation and that of one of the three students from page 83. Organize your comparison by topics. First, compare the places you visited, then what activities you did, and lastly what your reactions were like.

Step 1

Use the chart to organize your comparison by topics. Write details for each topic about your vacation and that of the student you chose.

	Mis vacaciones	Las vacaciones de _____
Lugar(es)		
Actividades		
Reacción		

Step 2

Now use the details from the chart to write a comparison. Include an introduction sentence and write about each category. Use verbs such as **hacer, ver, ir,** and **visitar** in the preterite tense to describe your vacation and that of the student you chose.

_____

_____

_____

_____

_____

_____

_____

_____

Vocabulario A

> ¡AVANZA! **Goal:** Talk about sporting events, athletes, and ways to stay healthy.

1 Los estudiantes organizaron un campeonato de fútbol. Marca con una X todas las palabras relacionadas con el fútbol. *(Mark the words related to soccer.)*

1. __x__ jugadores
2. _____ papas fritas
3. _____ ciclismo
4. __x__ pelota

5. __x__ partido
6. _____ pista
7. _____ bicicleta
8. __x__ gol

2 Observa las palabras de abajo y describe cómo son los jugadores del campeonato. *(Say what the players are like.)*

activo(a)	lento(a)	rápido(a)
atlético(a)	musculoso(a)	trabajador(a)

1. Andrea levanta pesas. Es _____musculosa_____ .

2. Jorge practica todos los días. Es _____trabajador_____ .

3. Yo no corro bien. Soy _____lento(a)_____ .

4. María y David juegan al fútbol y al tenis. Son _____atléticos_____ .

5. Tú vas a la escuela, trabajas, practicas y estudias. Eres _____activo(a)_____ .

6. Ellas corren bien. Son _____rápidas_____ .

3 Escoge la palabra o la frase que completa la oración para decir cómo tener buena salud. *(Choose the word or phrase that best completes the sentence.)*

1. Para competir en un campeonato, es bueno (estar empatado / <u>mantenerse en forma</u>).

2. Es importante comer comida (<u>saludable</u> / cara).

3. Si quieres participar en la Vuelta a Francia, hay que (visitar un museo / <u>hacer ejercicio</u>).

4. Para tener buena salud, es necesario (<u>seguir una dieta balanceada</u> / jugar en equipo).

Vocabulario B

> **¡AVANZA!** **Goal:** Talk about sporting events, athletes, and ways to stay healthy.

1 Los estudiantes organizaron un campeonato de fútbol. Empareja las palabras relacionadas. *(Match the words.)*

a. fútbol

b. locales

c. dieta balanceada

d. deportistas

e. ciclismo

_c_ comida saludable

_e_ bicicleta

_a_ pelota

_b_ visitantes

_d_ jugadores

2 El equipo de fútbol necesita ayuda. Dales consejos a los jugadores. *(Give advice to the players to help the team.)*

modelo: Los jugadores no están muy saludables. *Es necesario hacer ejercicio.*

1. El equipo está desorganizado. Es importante jugar en equipo.

2. Los jugadores no corren rápidamente.
Es necesario mantenerse en forma.

3. Ellos siempre estan cansados. Es bueno dormir más.

4. Quieren jugar en el campeonato.
Hay que competir en partidos.

5. Siempre beben refrescos y comen galletas.
Es importante seguir una dieta balanceada.

competir en partidos
dormir más
hacer ejercicio
jugar en equipo
mantenerse en forma
seguir una dieta balanceada

3 Contesta las siguientes preguntas con una oración completa. *(Answer the questions with complete sentences.)*

1. ¿Juegas partidos de fútbol? ¿Cuándo?

Answers will vary: **Sí, yo juego partidos de fútbol todas las semanas.**

2. ¿Haces ejercicio? ¿Por qué?

Answers will vary: **Sí, yo hago ejercicio porque quiero mantenerme en forma.**

3. ¿Te gusta el fútbol? ¿Por qué?

Answers will vary: **Sí, me gusta el fúbol porque me gusta mucho correr.**

Vocabulario C

> **¡AVANZA!** **Goal:** Talk about sporting events, athletes, and ways to stay healthy.

1 Los estudiantes organizaron un campeonato de fútbol. Subraya la palabra relacionada. Luego, escribe una oración completa con las dos palabras relacionadas. *(Underline the related word and write a sentence using both words.)*

1. Fútbol (<u>equipo</u> / pista)

   Answers will vary: **Mis amigos y yo tenemos un equipo de fútbol.**

2. Dieta balanceada (meter un gol / <u>comida saludable</u>)

   Answers will vary: **Yo como comida saludable porque sigo una dieta balanceada.**

3. Hacer ejercicio (<u>mantenerse en forma</u> / ganar el partido)

   Answers will vary: **Yo hago ejercicio para mantenerme en forma.**

2 Una deportista habla de su equipo de fútbol. Completa el párrafo con las frases apropiadas. *(Complete the paragraph with the appropriate phrases.)*

Tenemos un equipo fantástico. **1.** Las jugadoras

_____ hacen ejercicio _____ todos los días por una hora. **2.** El

equipo siempre _____ mete un gol _____ en los primeros cinco

minutos. **3.** Yo _____ sigo una dieta balanceada _____ y estoy en forma.

4. Si nosotras _____ jugamos en equipo _____ , vamos a ganar el

campeonato.

> hacer ejercicio
> jugar en equipo
> meter un gol
> seguir una dieta
> balanceada

3 Escribe un correo electrónico a tus amigos para invitarlos al campeonato de fútbol que hace tu escuela. *(Write an e-mail invitation to your friends to come to the soccer championship.)* Answers will vary:

> ¡Hola a todos!
>
> Mañana hay un **campeonato de fútbol** en la escuela. Cuando jugamos
>
> aquí, siempre metemos muchos goles. ¡Siempre ganamos!
>
> La competencia es muy dura / fuerte porque el otro equipo se mantiene
>
> en forma y hace mucho ejercicio. Pero mañana ¡ganamos nosotros!
>
> Mateo

Gramática A *Preterite verbs –er, –ir*

Level 2, pp. 95-99

> **¡AVANZA!** **Goal:** Use the preterite to talk about things you did.

1 La semana pasada fue el cumpleaños de Carmen y salió con amigos a celebrar. Escoge el verbo que completa mejor cada oración. *(Choose the verb form that best completes the sentence.)*

1. El viernes pasado, mis amigos y yo __d__ a celebrar mi cumpleaños.

    a. salieron   **b.** salió   **c.** saliste   **d.** salimos

2. Yo __b__ muchos regalos.

    a. recibieron   **b.** recibí   **c.** recibió   **d.** recibimos

3. El viernes, Jorge, Felipe y yo __c__ a un jugador de fútbol.

    a. conocemos   **b.** conocieron   **c.** conocimos   **d.** salimos

4. Nosotros __a__ papas fritas.

    a. comimos   **b.** comemos   **c.** comí   **d.** comieron

5. Los chicos del equipo de fútbol __d__ sus teléfonos en un papel.

    a. escribiste   **b.** escribí   **c.** escribió   **d.** escribieron

2 Unos estudiantes hablan de sus equipos favoritos. Di cómo compitieron los equipos en el campeonato ayer. *(Say how each team competed yesterday.)*

1. Los Tigres son inteligentes. <u>Compitieron inteligentemente.</u>

2. Las Águilas son divertidas. <u>Compitieron divertidamente.</u>

3. Las Tortugas son lentas. <u>Compitieron lentamente.</u>

4. Los Osos son serios. <u>Compitieron seriamente.</u>

5. Los Leones son fuertes. <u>Compitieron fuertemente.</u>

3 Contesta las siguientes preguntas con oraciones completas. *(Answer the questions with complete sentences.)*

1. ¿Qué hiciste en tu cumpleaños?

    Answers will vary: **Yo salí con amigos.**

2. ¿Qué recibiste en tu cumpleaños?

    Answers will vary: **Yo recibí una pelota.**

Gramática B *Preterite verbs –er, –ir*

Level 2, pp. 95-99

> **¡AVANZA!** **Goal:** Use the preterite to talk about things you did.

1 Sonia y Enrique hablan de lo que hicieron ayer. El diálogo de abajo está desordenado. Reescríbelo en orden lógico. *(Put the dialogue in order.)*

1. **Enrique:** __e__

2. **Sonia:** __b__

3. **Enrique:** __f__

4. **Sonia:** __c__

5. **Enrique:** __a__

6. **Sonia:** __d__

a. Comimos pollo con ensalada. Y tú, ¿qué bebiste ayer?

b. Hola, Enrique. Ayer salí con amigos. ¿Y tú?

c. ¿Qué comieron?

d. Yo bebí un refresco.

e. Hola, Sonia. ¿Qué hiciste ayer?

f. Yo comí con mis padres en un restaurante.

2 Luisa vio un partido de fútbol ayer y le dice a Diego cómo estuvo. Completa las oraciones con la forma correcta del pretérito y un adverbio. *(Complete the sentences with the preterite of the verb and an adverb.)*

1. Rafael (correr) (rápido). Rafael corrió rápidamente.

2. Santiago (meter) un gol (fácil). Santiago metió un gol fácilmente.

3. Yo (comer) papas fritas (nervioso). Yo comí papas fritas nerviosamente.

4. Los jugadores del otro equipo (perder) (enojado). Los jugadores del otro equipo perdieron enojadamente.

5. Nuestro equipo (recibir) el premio (feliz). Nuestro equipo recibió el premio felizmente.

6. Nosotros (salir) (alegre). Nosotros salimos alegremente.

3 Escribe una oración que describe qué hiciste en tu último cumpleaños. *(Write a sentence describing what you did on your last birthday.)*

Answers will vary: **El año pasado, yo salí con mis amigos**

y celebramos mi cumpleaños.

_____

Gramática C — Preterite verbs –er, –ir

Level 2, pp. 95-99

Nombre _____ **Clase** _____ **Fecha** _____

¡AVANZA! Goal: Use the preterite to talk about things you did.

1 Unos amigos salieron ayer. Completa el texto de abajo con los verbos apropiados de la lista. *(Complete the sentences with the correct verb forms.)*

Ayer, Mateo, Diego y yo **1.** _____salimos_____ con amigos.

Nosotros **2.** _____comimos_____ papas fritas y

3. _____bebimos_____ refrescos. También

4. _____conocimos_____ a un equipo de fútbol que ganó un

campeonato. Los chicos del equipo de fútbol

5. _____escribieron_____ sus teléfonos en un papel.

beber
salir
escribir
conocer
comer

2 Escribe oraciones completas sobre el cumpleaños de Luisa, que fue la semana pasada. Di lo que pasó, usando el pretérito y un adverbio. *(Say what happened at the party, using the preterite with and adverb.)*

yo	comer	refrescos	alegre
Dania y Rogelio	salir	casa	lento
Gerardo y yo	abrir	regalos	rápido
Luisa	beber	galletas	tranquilo

1. *Answers will vary:* **Dania y Rogelio bebieron unos refrescos lentamente.**

2. *Answers will vary:* **Luisa abrió los regalos rápidamente.**

3. *Answers will vary:* **Yo comí las galletas alegremente.**

4. *Answers will vary:* **Gerardo y yo salimos de la casa tranquilamente.**

3 Escribe tres oraciones para describir qué hiciste la semana pasada (con amigos, en la escuela, en casa). *(Write three sentences describing what you did last week.)*

1. *Answers will vary:* **Yo hice ejercicio.**

2. *Answers will vary:* **Mis amigos y yo salimos con chicas.**

3. *Answers will vary:* **Yo metí dos goles en el partido de fútbol de la escuela.**

UNIDAD 2 Lección 1 • Gramática C

¡Avancemos! 2
Cuaderno: Práctica por niveles

Unidad 2, Lección 1
Gramática C **55**

Gramática A *Demonstrative Adjectives and Pronouns* *Level 2, pp. 100-102*

> **¡AVANZA!** **Goal:** Use demonstrative pronouns and adjectives to describe where things are.

1 El sábado, Luisa fue de compras con amigas. Subraya la palabra que completa mejor la oración. *(Underline the word that best completes the sentence.)*

1. Me gustaron (esos / <u>esas</u>) camisas rojas que vi.

2. Pero compré (estas / <u>esta</u>) camisa azul.

3. (Esos / <u>Esa</u>) chaqueta marrón costó barata.

4. ¿No preferiste (<u>aquel</u> / aquellos) vestido blanco?

5. No, yo preferí (<u>estos</u> / este) jeans.

2 Unos amigos van a una tienda de artículos deportivos. Completa la misma oración con dos adjetivos demostrativos diferentes. Usa **ese(a)**, **este(a)** y **aquel(la)**. *(Complete the same sentence with different demonstrative adjectives.)*

1. (Cerca del objeto) Ayer, compré ___estas___ pelotas de fútbol.

2. (Lejos del objeto) Ayer, compré ___esas___ pelotas de fútbol.

3. (Lejos del objeto) También me gustó ___ese___ bate que compraste.

4. (Muy lejos del objeto) También me gustó ___aquel___ bate que compraste.

5. (Cerca del objeto) Yo prefiero ___esta___ raqueta de tenis.

6. (Muy lejos del objeto) Yo prefiero ___aquella___ raqueta de tenis.

3 Tu amigo y tú están en una tienda. Él está lejos de ti. Contesta sus preguntas con oraciones completas. Usa el pronombre demostrativo correspondiente. *(Answer your friend's questions, using the appropriate demonstrative pronoun.)*

1. Aquí hay jeans. ¿Cuáles te gustan?

   Answers will vary: **Me gustan ésos / me gustan éstos.**

2. ¡Qué chaqueta linda! ¿Cuál compraste?

   Answers will vary: **Compré ésta / compré ésa.**

3. ¡Mira las camisas! ¿Cuál prefieres?

   Answers will vary: **Prefiero aquélla / prefiero ésta.**

Gramática B *Demonstrative Adjectives and Pronouns* *Level 2, pp. 100-102*

> **¡AVANZA!** **Goal:** Use demonstrative pronouns and adjectives to describe where things are.

1 A las amigas de Luisa les encanta ir de compras. Describe la ropa que ven, usando la forma apropiada del adjetivo demostrativo. *(Describe the clothes with the correct demonstrative adjective.)*

Cerca	Lejos	Muy lejos
camisa	jeans	chaquetas
vestido	blusas	sombrero

1. Ayer, Celia compró _____ esta _____ camisa.

2. A ellas les gustaron _____ aquellas _____ chaquetas.

3. Las chicas encontraron _____ esos _____ jeans.

4. Cecilia recibió como regalo _____ este _____ vestido.

5. Yo prefiero _____ aquel _____ sombrero.

6. ¿Compraste _____ esas _____ blusas?

2 Unos amigos buscaron artículos deportivos de varias partes de la tienda. Escribe oraciones con adjetivos demostrativos para describir dónde los encontraron. *(Write sentences with demonstrative adjectives to say where the items were found.)*

1. las pelotas de aquí (yo) Answers will vary: **Encontré estas pelotas.**

2. la raqueta de allí (nosotros) Answers will vary: **Nosotros buscamos esa raqueta.**

3. el uniforme de lejos (tú) Answers will vary: **Compraste aquel uniforme.**

4. los bates de aquí (Lucas y Martín) Answers will vary: **Les gustaron estos bates.**

5. los cascos de lejos (Amada) Answers will vary: **Amada prefirió aquellos cascos.**

3 Tú estás en una tienda con un amigo. Escribe un texto de dos líneas con lo que compraron. Usa el pronombre demostrativo correspondiente. *(Say what you bought, using demonstrative pronouns.)*

modelo: Hay muchos cascos. Éstos son verdes, pero aquéllos son blancos.

Answers will vary: **En la tienda hay muchas raquetas. Mi amigo compró**

ésa, pero yo compré ésta.

Gramática C Demonstrative Adjectives and Pronouns   *Level 2, pp. 100-102*

> **¡AVANZA!** **Goal:** Use demonstrative pronouns and adjectives to describe where things are.

1 Unos amigos hablan de unos artículos deportivos que compraron. Su conversación está desordenada. Pon las oraciones en orden lógico. *(Put the conversation in order.)*

1. **Mateo:** _b_

2. **Diego:** _d_

3. **Mateo:** _c_

4. **Diego:** _a_

5. **Mateo:** _e_

a. Ese bate es un regalo. ¿Y ese uniforme?

b. Hola, Diego. ¿Cuándo compraste esas pelotas?

c. ¡Me gusta aquella raqueta! ¿Y este bate?

d. Ayer compré estas pelotas y encontré aquella raqueta.

e. Éste es el uniforme del equipo de fútbol. Es para mañana.

2 Luisa, Diego y Mateo están de compras y dicen qué ropa quieren según su ubicación en la tienda. Escribe qué quieren con adjetivos demostrativos. *(Write what clothes Luisa, Diego, and Mateo want according to where they are in the store.) Answers will vary:*

Pasillo 1 - Luisa	Pasillo 2 - Diego	Pasillo 3 - Mateo
pantalones	chaqueta	camisas
sombrero	zapatos	blusa

1. Luisa: blusa Quiero aquella blusa.

2. Diego: pantalones Prefiero esos pantalones.

3. Mateo: camisas Voy a comprar estas camisas.

4. Luisa: chaqueta Me gusta esa chaqueta.

5. Diego: zapatos Quiero estos zapatos.

6. Mateo: sombrero Prefiero aquel sombrero.

3 Escribe un diálogo entre dos personas que están en una tienda, lejos la una de la otra. Usa los pronombres demostrativos. *(Write a dialogue using demonstrative pronouns.)*

1. *Answers will vary:* Hay muchos bates. Me gusta éste...

2. *Answers will vary:* Yo prefiero aquél porque...

3. *Answers will vary:* Y necesitamos uniformes. Podemos comprar aquéllos... .

4. *Answers will vary:* O tal vez debemos comprar éstos...

5. *Answers will vary:* Pero aquéllos son azules, y ése...

Integración: Hablar

Dos equipos de fútbol jugaron un partido ayer. ¿Qué equipo ganó y por qué? *(Which team won yesterday's soccer game and why?)*

Fuente 1 Leer

Lee un artículo del periódico escolar. *(Read a school newspaper article.)*

EL CAMPEONATO DE FÚTBOL

Ayer, dos equipos jugaron un partido de fútbol muy difícil. Nos visitó el equipo de la escuela Muñoz. El equipo de nuestra escuela jugó muy bien. Nuestros jugadores están en muy buena forma porque hacen ejercicios y siguen una dieta balanceada. Además, todos nuestros jugadores ven deportes en la televisión y aprenden de otros jugadores.

Fuente 2 Escuchar   *WB CD 01 track 22*

Escucha lo que dice el capitán del equipo por el programa de radio de la escuela. Toma apuntes. *(Listen to the radio program and take notes.)*

_____

_____

_____

_____

Hablar

Explica cómo jugaron los dos equipos. ¿Qué equipo ganó y por qué? *(Explain how the teams played and say who won and why.)*

modelo: Ayer, el equipo de fútbol... El equipo de la escuela Muñoz...

Answers will vary: **Ayer, el equipo de fútbol de la escuela jugó un partido muy difícil y lo**

ganó. El equipo de la otra escuela, Muñoz, metió dos goles, pero nosotros metimos

tres. Jugamos bien porque nos mantenemos en forma.

Integración: Escribir

Lucas juega al fútbol en el equipo nacional de Argentina. El equipo de Lucas jugó muy bien en la Copa Mundial de fútbol. Lee el artículo del periódico y escucha a Lucas en la radio. Luego explica por qué el equipo de Argentina ganó poco antes de terminar un partido importante. *(The Argentinian soccer team won an important World Cup match.)*

Fuente 1 Leer

Lee el artículo sobre el equipo de Argentina que salió en una revista deportiva. *(Read the sports magazine article about the Argentinian soccer team.)*

Argentina ganó otra vez

Ayer, el equipo de fútbol de Argentina jugó el tercer partido de la Copa Mundial de fútbol. El partido comenzó a las 3:30 p.m. El equipo argentino entró en la cancha y metió un gol. Después, el otro equipo metió un gol también. Pero los jugadores de Argentina son muy activos y están en forma. Por eso, Lucas metió dos goles siete minutos antes de terminar y, ¡ganaron el partido!

Fuente 2 Escuchar   *WB CD 01 track 24*

Escucha lo que dijo Lucas en el programa de radio después de la Copa Mundial. Toma apuntes. *(Listen to what Lucas said on a radio show and take notes.)*

_____

_____

_____

Escribir

Explica por qué Lucas y el equipo de Argentina ganaron poco antes del final del partido. *(Explain why Lucas and his team eventually won the match.)*

modelo: Argentina ganó porque... Lucas metió dos goles cuando...

Answers will vary: **Argentina ganó porque sus jugadores son activos y**

están en forma. Lucas metió dos goles cuando los aficionados empezaron

a cantar «¡Dale, Lucas, dale!»

_____

Escuchar A

> **¡AVANZA!** Talk about sporting events and athletes.

1 Escucha lo que dice Diego. Luego, pon las oraciones sobre el partido en el orden en que pasaron. *(Put the events of the soccer game in order.)*

1. _e_

2. _a_

3. _d_

4. _c_

5. _b_

a. Los dos equipos estuvieron empatados.

b. El equipo de Diego recibió un premio.

c. El equipo de Diego ganó.

d. El equipo de Diego metió dos goles más:

e. El otro equipo metió un gol.

2 Escucha lo que dice Ana. Luego, completa las oraciones. *(Complete the sentences based on what Ana says.)*

1. Los amigos de Ana practican ciclismo para ___ganar el campeonato___ .

2. Ana va a la escuela en ___bicicleta___ .

3. Ana no quiere participar en ___la Vuelta a Francia___ .

Escuchar B

> **¡AVANZA!** **Goal:** Talk about sporting events and athletes.

1 Escucha lo que dice Mateo. Luego, lee cada oración y contesta **cierto** o **falso**. *(Answer true or false according to what Mateo says.)*

C (F) **1.** Este partido no fue importante.

C (F) **2.** El equipo de Mateo no hace mucho ejercicio.

(C) F **3.** El otro equipo metió un gol primero.

(C) F **4.** El equipo de Mateo ganó antes en la misma cancha.

C (F) **5.** Mateo prefiere la cancha de la otra escuela.

2 Escucha lo que dicen Félix y Darío. Luego, contesta las preguntas con oraciones completas. *(Answer the questions based on the conversation.)*

1. ¿El equipo de Darío va a jugar otro partido?

Sí, va a jugar otro partido, pero no va a competir por el premio.

_____

2. ¿El equipo de Darío gana pocas veces?

No, el equipo de Darío gana frecuentemente.

_____

3. ¿Qué cancha prefiere Darío?

Darío prefiere la cancha de su escuela.

_____

Escuchar C

> ¡AVANZA! **Goal:** Talk about sporting events and athletes.

1 Escucha lo que dice Luisa y toma apuntes. Luego, completa las oraciones. *(Complete the sentences according to what Luisa says.)*

1. Los chicos del equipo de Luisa siempre juegan bien porque

   _____ hacen ejercicio y siguen una dieta balanceada _____ .

2. Ayer, el equipo de Luisa metió _____ tres goles _____ .

3. Después del partido, los chicos _____ salieron a celebrar _____ .

4. Luisa y sus amigos comieron _____ comida saludable _____ .

5. Por la noche, Luisa y sus amigos _____ vieron deportes _____ en la televisión.

2 Escucha lo que dice Noelia y toma apuntes. Luego, contesta las preguntas con oraciones completas. *(Listen to Noelia and take notes. Then, answer the questions in complete sentences.)*

1. ¿Por qué ganó el equipo de la escuela de Noelia?

   El equipo de Noelia ganó porque todos los chicos jugaron en equipo.

   _____

2. ¿Cuántos juegos necesitan ganar para recibir el premio?

   Necesitan ganar cinco juegos.

   _____

3. ¿Cuándo fue el partido?

   El partido fue anteayer.

   _____

Leer A

> ¡AVANZA! **Goal:** Read about what Luisa likes.

Cuando la mamá de Luisa llegó de trabajar, encontró esta nota encima de la mesa.

Mami:

¡Gracias por los zapatos que me regalaste para mi cumpleaños! Son muy bonitos. Pero esta camisa que me compraste no me gusta mucho. Prefiero la que vimos el sábado. Ayer Cecilia y yo fuimos al centro comercial y vimos los jeans que me gustan. Están baratos. ¿Puedes ir a ver estas cosas? ¡Por favor!

Te quiero,

Luisa

¿Comprendiste?

Lee la nota que Luisa le escribió a su mamá. Luego, lee cada oración y contesta **cierto** o **falso**. *(Read Luisa's note and decide whether the statements are true or false.)*

Ⓒ F **1.** A Luisa le gustaron los zapatos que le regaló su mamá.

Ⓒ F **2.** Luisa recibió regalos por su cumpleaños.

C Ⓕ **3.** A Luisa le encantó la camisa que le compró su mamá.

Ⓒ F **4.** Luisa prefiere otra camisa.

C Ⓕ **5.** Los jeans que le gustan a Luisa están caros.

¿Qué piensas?

¿Piensas que los regalos de Luisa son lindos? ¿Por qué?

Answers will vary: **Sí, pienso que son regalos lindos porque me gustan**

mucho.

_____

_____

Leer B

> ¡AVANZA! **Goal:** Read about what the students think.

Cuando el equipo de la escuela ganó el último partido, los jugadores les preguntaron a sus amigos sobre el partido. Éstas son las respuestas.

Luisa: Pienso que el partido fue muy bueno. Me gustó cuando metieron el primer gol.

Cecilia: Los jugadores corrieron rápidamente. Me gustó mucho.

Lucas: Ustedes hicieron mucho ejercicio. El equipo ganó fácilmente.

Santiago: Los jugadores fueron rápidos y jugaron seriamente.

Andrea: Antes de ese partido, el equipo perdió dos veces. Estoy alegre porque ganó esta vez.

¿Comprendiste?

Lee todas las respuestas. Luego, completa las oraciones. *(Read the responses and complete the sentences.)*

1. Lucas piensa que el equipo ganó porque _____ hizo mucho ejercicio _____.

2. A Luisa le gustó cuando el equipo _____ metió el primer gol _____.

3. Santiago piensa que los chicos jugaron _____ seriamente _____.

4. Andrea está alegre porque antes _____ el equipo perdió dos veces _____.

5. Cecilia piensa que los jugadores _____ corrieron rápidamente _____.

¿Qué piensas?

¿Piensas que es importante estar en forma? ¿Por qué?

Answers will vary: **Sí, pienso que es muy importante estar en forma porque es importante vivir saludable.**

_____

_____

Leer C

> **¡AVANZA!** **Goal:** Read about a team that won a soccer game.

El equipo preferido de Mateo ganó el partido de fútbol más difícil del campeonato. Él lee esta noticia en una revista deportiva.

⚽ River casi es campeón

Ayer River Plate fue a la cancha de Boca Juniors y ganó un partido difícil. Durante los primeros minutos, los dos equipos corrieron detrás de la pelota nerviosamente. Los jugadores locales metieron el primer gol a los quince minutos, pero ese gol le hizo a River jugar más fuertemente. Cuando los aficionados empezaron a cantar «Soy de River soy / y de la cabeza siempre estoy...», el equipo recibió la ayuda que necesitó; metió su primer gol y empató con Boca. Entonces, a los treinta minutos, Boca perdió la pelota y esto le permitió a River meter otro gol y ganar el partido dos a uno.

Para recibir el premio del campeonato, River Plate tiene que ganar un partido más.

¿Comprendiste?

Contesta las siguientes preguntas con oraciones completas.

1. ¿Cómo sabes que Boca y River no jugaron bien durante los primeros minutos?

Porque los equipos corrieron nerviosamente detrás de la pelota.

2. ¿Cuál equipo metió el primer gol del partido? ¿Cuándo?

Boca Juniors metió el primer gol del partido a los quince minutos.

3. ¿Qué les pasó a los jugadores de River cuando los aficionados cantaron?

Ellos recibieron la ayuda que necesitaron y metieron su primer gol.

4. Al final, ¿cómo ganó River Plate el partido?

Boca perdió la pelota cerca de su red; River metió otro gol y ganó.

¿Qué piensas?

1. ¿Piensas que es importante saber cómo va tu equipo en un campeonato? ¿Por qué?

Answers will vary: **Sí, pienso que es muy importante saber cómo va mi**

equipo en un campeonato porque seguir a un equipo es parte del deporte.

Escribir A

> **¡AVANZA!** **Goal:** Write about what people do to be healthy.

Step 1

Haz una lista con las cosas que puedes hacer para vivir más saludable. *(Make a list of things you can do to live a healthy life.)* Answers will vary:

1. hacer ejercicio
2. seguir una dieta balanceada
3. correr en la pista
4. dormir más

Step 2

Escribe un texto de tres líneas sobre las cosas que tú hiciste el año pasado para estar saludable. *(Write three sentences saying what you did last year to be healthy.)*

Answers will vary: **El año pasado, yo hice ejercicio todos los días. Mis amigos y yo corrimos en la pista de la escuela. También seguí una dieta balanceada. Dormí ocho horas cada noche.**

Step 3

Evaluate your responses using the information in the table.

Writing Criteria	Excellent	Good	Needs Work
Content	You have stated at least three things you did last year to be healthy.	You have stated one or two things you did last year to be healthy.	You have not stated anything you did last year to be healthy.
Communication	Most of your response is clear.	Some of your response is clear.	Your response is not very clear.
Accuracy	You make few mistakes in grammar and vocabulary.	You make some mistakes in grammar and vocabulary.	You make many mistakes in grammar and vocabulary.

UNIDAD 2
Lección 1
•
Escribir A

Escribir B

Level 2, pp. 110-111

¡AVANZA! **Goal:** Write about what people do to be healthy.

Step 1

Los jugadores de tu equipo te preguntaron qué hiciste para mantenerte en forma el año pasado. Escríbeles una lista. (*Write a list about what you did to stay in shape last year.*) *Answers will vary:*

1. seguí una dieta balanceada

2. hice ejercicio

3. competí en partidos frecuentemente

4. comí comida saludable

Step 2

Usa la lista de arriba para escribirles un correo electrónico a los jugadores para decirle qué hiciste para mantenerte en forma. (*Write an email saying what you did to stay in shape.*)

Answers will vary: **Jorge:**

Para mantenerme en forma siempre seguí una dieta balanceada y comí comida saludable. También hice ejercicio y competí en partidos frecuentemente.

Con cariño,

Luisa

Step 3

Evaluate your writing using the information in the table.

Writing Criteria	Excellent	Good	Needs Work
Content	You have stated four ways you stayed in shape.	You have stated two to three ways you stayed in shape.	You have stated one or fewer ways you stayed in shape.
Communication	Most of your response is clear.	Some of your response is clear.	Your response is not very clear.
Accuracy	You make few mistakes in grammar and vocabulary.	You make some mistakes in grammar and vocabulary.	You make many mistakes in grammar and vocabulary.

Escribir C

> **¡AVANZA!** **Goal:** Write about what people do to be healthy.

Step 1

Mateo quiere ser un jugador de fútbol mejor. Haz una lista de preguntas que él le hace a un atleta que se entrenó para la Copa Mundial el año pasado. (*Make a list of questions for a soccer player who trained for the World Cup last year.*)

1. *Answers will vary:* **¿Hizo ejercicio frecuentemente?**

2. *Answers will vary:* **¿Cómo siguió una dieta balanceada?**

3. *Answers will vary:* **¿Es importante mantenerse en forma?**

Step 2

Escribe las respuestas del atleta a las preguntas de Mateo. (*Write the athlete's responses to Mateo' questions.*)

Answers will vary: **Bueno, hice ejercicio todos los días antes de jugar en la Copa Mundial. Siempre es importante seguir una dieta balanceada, pero yo la seguí muy seriamente durante seis meses. Para jugar en un campeonato es necesario mantenerse en forma, porque quieres jugar fuertemente durante el partido. Antes de la Copa, nosotros competimos en cinco competencias muy importantes.**

Step 3

Evaluate your responses using the information in the table.

Writing Criteria	Excellent	Good	Needs Work
Content	You have answered the questions completely.	You have answered most of the questions.	You have not answered the questions.
Communication	Most of your response is clear.	Some of your response is clear.	Your response is not very clear.
Accuracy	You make few mistakes in grammar and vocabulary.	You make some mistakes in grammar and vocabulary.	You make many mistakes in grammar and vocabulary.

Cultura A

> **¡AVANZA!** **Goal:** Review cultural information about Argentina.

1 **Argentina** Une con una línea las frases de la izquierda con su explicación que está a la derecha. (*Match the following columns.*)

1. Buenos Aires es   el idioma oficial de Argentina.

2. El español es   la moneda de Argentina.

3. Jorges Luis Borges es   un escritor argentino famoso.

4. El peso es   la capital de Argentina.

2 **Las actividades** Di las actividades que se hacen en cada lugar. (*Tell what activities people do in each location.*)

modelo: En la Copa Mundial los deportistas juegan al fútbol.

1. En el barrio la Boca las personas

     Answers will vary. **visitan museos, compran arte.**

2. En un partido de fútbol los aficionados argentinos

     Answers will vary. **cantan cantos deportivos.**

3. En la Patagonia los turistas

     Answers will vary. **practican deportes extremos, hacen kayac.**

3 **El equipo de fútbol** Escribe tres oraciones sobre la pintura *Club Atlético Nueva Chicago* de Antonio Berni. (*Write three sentences describing Antonio Berni's painting.*)

     Answers will vary: **Hay un equipo de fútbol en la pintura. Hay nueve chicos y**

     un entrenador. Los chicos llevan camisas rojas.

_____

_____

_____

_____

Cultura B

¡AVANZA! **Goal:** Review cultural information about Argentina.

❱ Completa las siguientes oraciones con una de las palabras de la caja. *(Complete the following sentences by choosing the correct answer from the word bank.)*

tango	cantos	la Boca	la Patagonia

1. En Argentina hay un barrio con muchos artistas y casas de muchos colores que se llama _____ la Boca _____ .

2. ____ La Patagonia ____ es una región donde los turistas hacen deportes extremos.

3. El _____ tango _____ es un baile de Argentina.

4. Los aficionados cantan _____ cantos _____ en los partidos de fútbol en Argentina.

❱ En Argentina no usan la forma **tú**. Lee el siguiente anuncio que usa el **vos**. Luego haz tu propia versión usando la forma **tú**. *(Change the vos in the ad to the tú form.)*

> Querés ver los partidos de la Copa Mundial porque tenés un equipo de fútbol favorito. Comprás boletos y mirás el partido en vivo. Todo lo hacés con tu tarjeta de crédito Buen Comercio.

Quieres ver los partidos de la Copa Mundial porque tienes un equipo de

fútbol favorito. Compras boletos y miras el partido en vivo. Todo lo haces

con tu tarjeta de crédito Buen Comercio.

3 Haz una lista de tres competencias mundiales. Luego escribe oraciones sobre qué deportes se practican en cada una. *(Make a list with different world sports competitions. Then write sentences about what sports are played at each event.)*

COMPETENCIAS	DEPORTES
Answers will vary.	Answers will vary.

Answers will vary.

_____

Cultura C

> **¡AVANZA!** **Goal:** Review cultural information about Argentina.

1 Completa las siguientes oraciones sobre la historia de la Copa Mundial de fútbol. *(Finish the following sentences about the history of the World Cup.)*

1. La primera edición de la Copa Mundial de fútbol se jugó en Uruguay en _____ 1932 _____ .

2. El nombre original del trofeo fue _Copa Jules Rimet_ .

3. Argentina ganó el trofeo _____ dos _____ veces antes del año 2002.

4. _____ Brasil _____ ganó la Copa Mundial cinco veces, la última vez fue en 2002 contra Alemania.

2 **Argentina** Contesta las siguientes preguntas con oraciones completas. *(Answer the following questions.)*

1. ¿Cómo se llama la pintura de un equipo de fútbol de Antonio Berni?

Se llama Club Atlético Nueva Chicago.

2. ¿Tienes un equipo de fútbol favorito? ¿Cuál?

Answers will vary: **Sí, mi equipo favorito es el Boca Junior, de Argentina.**

3. ¿Qué hay en el barrio de La Boca?

Answers will vary: **Hay casas de muchos colores, artistas, cantantes, arte**

y bailarines de tango.

4. ¿Qué se puede hacer en la región de la Patagonia?

Answers will vary: **En la Patagonia se puede acampar, hacer kayac,**

esquiar y hacer excursiones por la montaña.

3 Los cantos deportivos unifican a los miembros de una comunidad. Sigue el ejemplo de un canto del equipo argentino River Plate de la página 96. Escribe tu propio canto deportivo de cuatro líneas para un equipo de un deporte que te gusta. *(Write your own four-line sports chant for your favorite sports team.)*

Answers will vary.

_____

_____

_____

Vocabulario A

> ¡AVANZA! **Goal:** Talk about your daily routine.

1 Luisa tiene una rutina. Empareja las palabras relacionadas. *(Match the related words.)*

a. dedo

b. apagar la luz

c. encender la luz

d. bañarse

e. vestirse

_d_ jabón

_c_ levantarse

_b_ acostarse

_a_ uñas

_e_ ropa

2 Mateo se prepara para ir a la escuela. Completa las oraciones con las palabras de la caja. *(Complete the sentences with the words from the box.)*

1. Mateo se peina con _____el peine_____ .

2. Mateo usa ___crema de afeitar___ para afeitarse.

3. Él se seca con _____la toalla_____ .

4. Usa _____champú_____ para lavarse el pelo.

5. Se ducha con _____jabón_____ .

> champú
> la toalla
> jabón
> crema de afeitar
> el peine

3 Di qué rutina se debe hacer antes o después de la otra. *(Say which routine should be done before or after the other.)*

modelo: levantarse / afeitarse
Hay que levantarse antes de afeitarse. *o*
Hay que afeitarse después de levantarse.

1. bañarse / maquillarse

Hay que bañarse antes de maquillarse. o

Hay que maquillarse después de bañarse.

2. secarse / lavarse la cara

Hay que lavarse la cara antes de secarse. or

Hay que secarse después de lavarse la cara.

3. apagar la luz / dormirse

Hay que apagar la luz antes de dormirse. or

Hay que dormirse después de apagar la luz.

Vocabulario B

> **¡AVANZA!** **Goal:** Talk about your daily routine.

① Pon en orden lógico la rutina de Mateo. (*Put Mateo's routine in order.*)

1. ___c___   **a.** acostarse
2. ___b___   **b.** ducharse
3. ___e___   **c.** despertarse
4. ___a___   **d.** dormirse
5. ___d___   **e.** secarse

② Combina las palabras de cada columna para formar frases lógicas sobre las rutinas. (*Combine the words to make logical phrases about routines.*)

cepillarse	la cara	con una toalla
peinarse	las manos	con un peine
lavarse	el cuello	con pasta
secarse	los dientes	con crema
afeitarse	el pelo	con jabón

1. cepillarse los dientes con pasta
2. peinarse el pelo con un peine
3. lavarse el cuello con jabón *or* lavarse las manos con jabón
4. secarse las manos con una toalla *or* secarse el cuello con una toalla
5. afeitarse la cara con crema

③ Di con qué frecuencia haces las siguientes actividades, usando **nunca, a veces, frecuentemente** o **siempre**. (*Say how often you do these activities.*)

modelo: usar un secador de pelo   Nunca uso un secador de pelo.

1. tener prisa _____*Answers will vary:* **Nunca tengo prisa.**_____
2. encender la luz para leer ____*Answers will vary:* **A veces enciendo la luz para leer.**____
3. tener sueño _____*Answers will vary:* **Tengo sueño frecuentemente.**_____
4. apagar la luz de noche ____*Answers will vary:* **Siempre apago la luz de noche.**____

Vocabulario C

> **¡AVANZA!** **Goal:** Talk about your daily routine.

1 Luisa tiene su rutina. Completa el texto de abajo con las palabras del vocabulario. *(Complete the paragraph to describe Luisa's routine.)*

A Luisa le gusta **1.** _____ levantarse _____ a las seis cada mañana. Sale de la casa para

correr durante 20 minutos y después tiene que **2.** _____ bañarse / ducharse _____ . Normalmente

usa una **3.** _____ toalla _____ para secarse el pelo, pero si tiene prisa usa un

4. _____ secador de pelo _____ . Necesita **5.** _____ ponerse _____ la ropa

rápidamente porque no quiere llegar tarde a la escuela.

2 Subraya la palabra relacionada. Luego, escribe una oración completa con las dos palabras relacionadas. *(Choose the related word and write a sentence using both.)*

1. jabón (<u>bañarse</u> / acostarse)

Answers will vary: **Para bañarse, hay que usar jabón.**

2. dormirse (tener prisa / <u>tener sueño</u>)

Answers will vary: **Mateo empieza a dormirse porque tiene sueño.**

3. toalla (<u>secarse</u> / entrenarse)

Answers will vary: **Es importante secarse con una toalla.**

3 Tu amigo(a) tiene una entrevista de trabajo mañana, pero va a seguir una rutina normal para no estar demasiado nervioso(a). Escribe en tu diario qué va a hacer mañana antes de la entrevista. *(Describe your friend's routine tomorrow before the interview.)*

Answers will vary: **Diego está muy nervioso, pero va a hacer una rutina normal**

mañana. Él va a despertarse a las seis y va a ducharse primero. Después

de secarse bien, va a afeitarse y ponerse desodorante. Luego, va a ponerse

la ropa buena y peinarse el pelo. Para el desayuno, va a comer tres huevos

y beber jugo de naranja. Entonces, va a cepillarse los dientes. A veces tiene

prisa, pero tiene que apagar todas las luces de la casa antes de salir. Si

hace todas esas cosas, Diego va a pasar la mañana tranquilamente.

Gramática A *Reflexive Verbs*

> ¡AVANZA! **Goal:** Use reflexive verbs to talk about routines.

1 Cada persona tiene una rutina diferente. De las palabras entre paréntesis, subraya las palabras que completan cada oración. *(Choose the correct verb form that completes the sentence.)*

1. Luisa (<u>se maquilla</u> / me maquillo) todas las mañanas.

2. Mateo y yo (<u>nos entrenamos</u> / se entrenan) en el gimnasio.

3. Mateo (<u>se afeita</u> / se afeitan) antes de bañarse.

4. Yo (te secas / <u>me seco</u>) el pelo con el secador.

5. Tú (se peina / <u>te peinas</u>) muy bien.

2 Tú sabes los planes de todos. Contesta las preguntas de un(a) amigo(a) sobre qué piensa hacer cada persona antes de una fiesta. *(Say what each person plans to do before the party.)*

modelo: ¿Vanesa va a ponerse la ropa nueva?
          Sí, (No,) Vanesa (no) piensa ponerse la ropa nueva.

1. ¿Jorge va a arreglarse temprano?

   Sí, (No,) Jorge (no) piensa arreglarse temprano.

2. ¿Va a maquillarse Luisa antes de la fiesta?

   Sí, (No,) Luisa (no) piensa maquillarse antes de la fiesta.

3. ¿Tú vas a lavarte el pelo más tarde?

   Sí, (No,) yo (no) pienso lavarme el pelo más tarde.

4. ¿Ustedes van a cepillarse los dientes después de comer?

   Sí, (No,) nosotros (no) pensamos cepillarnos los dientes después de comer.

3 Escribe una oración que describa qué hace tu amigo(a) cuando se levanta. Usa verbos reflexivos. *(Write a sentence describing what your friend does when (s)he gets up.)*

   Answers will vary: **Mi amigo Diego se levanta temprano todos los días, se**

   baña, se afeita, se peina y va a la escuela.

Gramática B *Reflexive Verbs*

> **¡AVANZA!** **Goal:** Use reflexive verbs to talk about routines.

1 Esta familia tiene su rutina particular. Escoge el verbo que mejor complete cada oración. *(Choose the verb that best completes the sentence.)*

1. Mi mamá y mi papá __d__ temprano para ir a trabajar.

   a. se levanta   **b.** te levantas   **c.** me levanto   **d.** se levantan

2. Yo __a__ todas las mañanas antes de ir a la escuela.

   a. me ducho   **b.** te duchas   **c.** se ducha   **d.** se duchan

3. Mi mamá y yo __d__ juntas antes de salir.

   a. se maquillan   **b.** se maquilla   **c.** me maquillo   **d.** nos maquillamos

4. Mi hermano __c__ antes de ducharse.

   a. se afeitan   **b.** te afeitas   **c.** se afeita   **d.** se afeitan

2 Todos se van a arreglar para ir a la escuela. Di qué piensa hacer cada persona. *(Say what each person is planning to do.)* Answers will vary.

modelo: Jaime tiene el jabón.   Piensa lavarse la cara.

1. Luisa tiene una toalla. Piensa secarse el pelo.

2. Mateo y Diego tienen la pasta de dientes. Piensan cepillarse los dientes.

3. Tú tienes una camisa nueva. Piensas ponerte la camisa.

4. Nosotros tenemos los peines. Pensamos peinarnos el pelo.

5. Yo tengo sueño. Pienso dormirme.

3 Describe qué vas a hacer mañana antes de llegar a la escuela. *(Say what you will do tomorrow to get ready for school.)*

Answers will vary: **Mañana me voy a levantar a**

las siete. Primero voy a bañarme y luego pienso

cepillarme el pelo. Después me voy a poner la ropa.

| levantarse |
| bañarse |
| cepillarse |
| ponerse la ropa |

Gramática C *Reflexive Verbs*

Level 2, pp. 119-123

> **¡AVANZA!** **Goal:** Use reflexive verbs to talk about routines.

❶ Mateo y Luisa hablan de su rutina. El diálogo de abajo está desordenado. Pon su diálogo en orden. *(Put the dialogue in order.)*

a. ¿Por qué?

b. Después me baño, me afeito, me pongo desodorante y voy a la escuela.

c. Y después, ¿qué haces?

d. Yo también hago todo eso. Me seco el pelo con el secador y me maquillo.

e. Porque me levanto muy temprano.

f. Hola, Luisa. Hoy tengo mucho sueño.

1. Mateo: _f_

2. Luisa: _a_

3. Mateo: _e_

4. Luisa: _c_

5. Mateo: _b_

6. Luisa: _d_

❷ Hay una fiesta mañana y muchas personas van a ir. Escribe cómo ellos piensan arreglarse antes de salir de sus casas. *(Write how each person plans to get ready.)*

afeitarse	la cara	la toalla
cepillarse	el pelo	el espejo
lavarse	los dientes	el jabón
maquillarse	las piernas	el cepillo
secarse	el cuerpo	la crema

1. Celia *Answers will vary:* **piensa afeitarse las piernas con la crema de afeitar.**

2. Sergio y yo *Answers will vary:* **pensamos cepillarnos los dientes con los cepillos.**

3. Tú *Answers will vary:* **piensas secarte el pelo con la toalla.**

4. Yo *Answers will vary:* **pienso maquillarme la cara con el espejo.**

5. Cristóbal y Eligio *Answers will vary:* **piensan lavarse el cuerpo con jabón.**

❸ Tú y tu amigo(a) tienen rutinas muy diferentes. Describe tu rutina y compárala con la de tu amigo(a). Usa tres verbos reflexivos. *(Describe the differences between your routine and that of a friend, using three reflexive verbs.)*

Answers will vary: **Ana se despierta a las seis, pero yo me despierto más**

tarde. Ella se baña por la mañana, pero yo me baño por la noche. También,

se cepilla los dientes antes de comer, pero yo me cepillo después.

Gramática A *Present Progressive*

¡AVANZA!	**Goal:** Use the Present Progressive to say what you are doing.

1 Frecuentemente, los chicos están haciendo muchas cosas. De las palabras entre paréntesis, subraya las palabras que completan cada oración. *(Underline the correct words that finish the sentences.)*

1. Luisa y Diego (están leyendo / estás leyendo) un libro.

2. Luisa (se está entrenando / te estás entrenando) en el gimnasio.

3. Nosotros (están acostándose / estamos acostándonos) ahora.

4. Mateo y Diego (se está afeitando / se están afeitando) rápidamente.

5. Yo (estoy entrenándome / estás entrenándote) para el campeonato.

2 Di qué están haciendo estas personas. *(Say what each person is doing.)*

modelo: Dina / correr   Está corriendo.

1. Nosotros / lavarse _____ Estamos lavándonos _____ .

2. Tomás y David / dormir _____ Están durmiendo _____ .

3. Yo / leer _____ Estoy leyendo _____ .

4. Silvia / ducharse _____ Está duchándose _____ .

5. Tú / decir _____ Estás diciendo _____ .

3 Escribe una oración que describa qué estás haciendo ahora. *(Write a sentence describing what you are doing now.)*

Answers will vary: **Ahora estoy estudiando español.**

_____

_____

_____

_____

UNIDAD 2
Lección 2 • Gramática A

Gramática B *Present Progressive*

> **¡AVANZA!** **Goal:** Use the present progressive to say what you are doing.

1 Los chicos están haciendo muchas cosas. Escoge la forma correcta del presente progresivo. *(Choose the correct form of the present progressive.)*

1. Mis amigos __c__ por teléfono.

   a. está hablando   **b.** estás hablando   **c.** están hablando

2. Yo __a__ de la cama.

   a. estoy levantándome   **b.** están levantándote   **c.** estamos levantándonos

3. Luisa __b__ en la cancha.

   a. se están entrenando   **b.** se está entrenando   **c.** te estás entrenando

4. ¿Qué __c__ tú ahora?

   a. están leyendo   **b.** está leyendo   **c.** estás leyendo

2 Ayer la familia hizo planes para hoy, y ahora los cumple. Di qué está haciendo cada persona según lo que pensó hacer. *(Say what each person is doing now.)*

   modelo: Mi abuela pensó caminar. / Ahora está caminando.

1. Mis hermanas pensaron levantarse a las ocho. Ahora se están levantando.

2. Mi primo y yo pensamos entrenarnos en la cancha. Ahora estamos entrenándonos.

3. Mi tío pensó dormir una siesta. Ahora está durmiendo una siesta.

4. Tú pensaste leer un libro. Ahora estás leyendo un libro.

3 Forma oraciones para describir qué están haciendo las personas ahora. *(Write sentences saying what people are doing right now.)*

Yo	arreglarse	el partido
Diego y Mateo	decir	la fiesta
Paula y yo	entrenarse	las reglas

1. *Answers will vary:* **Yo me estoy arreglando para la fiesta.**

2. *Answers will vary:* **Diego y Mateo están entrenándose para el partido.**

3. *Answers will vary:* **Paula y yo estamos diciendo las reglas del juego.**

Gramática C *Present Progressive*

> **¡AVANZA!** **Goal:** Use the present progressive to say what you are doing.

1 Los chicos están haciendo cosas diferentes. Completa las oraciones con el presente progresivo del verbo entre paréntesis. *(Complete these sentences.)*

1. Mateo y Diego ____se están entrenando____ para el partido. (entrenarse)

2. Luisa y yo __nos estamos maquillando__ antes de salir. (maquillarse)

3. Yo ____me estoy levantando____ ahora. (levantarse)

4. Tú ____estás peinándote____ con mi peine. (peinarse)

5. Nosotros ____estamos secándonos____ el pelo. (secarse)

2 Generalmente los estudiantes siguen la misma rutina, pero a veces hacen algo raro. Describe qué están haciendo ahora que es diferente. *(Say what the students are doing now that is different.)*

modelo: Me acuesto tarde. / Ahora **me estoy acostando** temprano.

1. Luisa frecuentemente lee en su cuarto.

   Answers will vary: **Ahora está leyendo en la cocina.**

2. Celso siempre se seca el pelo con una toalla.

   Answers will vary: **Ahora se está secando el pelo con un secador.**

3. Diego y yo nos entrenamos en el gimnasio.

   Answers will vary: **Ahora estamos entrenándonos en la pista.**

4. Generalmente mi hermana duerme en la cama.

   Answes will vary: **Ahora está durmiendo en el sofá.**

3 Contesta las siguientes preguntas con oraciones completas. *(Answer with complete sentences.)*

1. ¿Qué estás haciendo?

   Answers will vary: **Estoy leyendo un libro interesante.**

2. ¿Cómo estás secándote el pelo?

   Answers will vary: **Estoy secándome el pelo con una toalla.**

Integración: Hablar

A Lucía le encanta mirar telenovelas en la televisión. Todos los días, a las cuatro ve *Vivir con ángeles*, una telenovela donde actúa su actriz favorita, María Vázquez. Compara la rutina de esta actriz famosa con la rutina de Lucía. *(Compare Lucía's routine with the actress's.)*

Fuente 1 Leer

Lee un artículo de revista donde la actriz favorita de Lucía habla de su rutina. *(Read the magazine article.)*

Habla María Vázquez

Ayer, María Vázquez dijo: *«Mi trabajo es difícil. Ahora estoy haciendo muchas cosas y casi no tengo tiempo. Todos los días, también sábados y domingos, me levanto a las cinco. Me arreglo y voy al gimnasio. Después, vuelvo a casa, me ducho, me maquillo y me pongo la ropa. Empiezo a trabajar a las siete. A veces, no tengo tiempo de salir con amigos. Cuando llego a casa por la noche, estoy muy cansada. Normalmente, me acuesto a las once y media. Siempre leo un libro antes de dormirme. Ahora estoy leyendo* Don Quijote de la Mancha*».*

Fuente 2 Escuchar   *WB CD 01 track 32*

Escucha el mensaje telefónico de Lucía a su amiga. Toma apuntes. *(Listen to Lucía's phone message and take notes.)*

_____

_____

_____

_____

Hablar

Describe qué cosas hace Lucía y qué cosas hace María Vázquez todos los días. Explica cuáles son las diferencias. *(Describe what Lucía and María do every day.)*

Modelo: Lucía y María se... También ellas... Pero Lucía...

Answers will vary: **Lucía y María se levantan temprano y van al gimnasio. Después**

vuelven a casa y se arreglan. También ellas leen libros. Pero Luisa no va

al gimnasio.

Integración: Escribir

Level 2, pp. 127-129
WB CD 01 track 33

Los chicos del equipo de voleibol siguen una rutina específica durante la semana y fin de semana. Lee el artículo y escucha el video por Internet. Luego, escribe cuáles son las cosas que los chicos del equipo de voleibol hacen todos los días. (*Write what do the volleyball players do everyday.*)

Fuente 1 Leer

Lee el artículo que salió en el periódico escolar. (*Read the article.*)

> ## ¿CÓMO ES LA RUTINA DE LOS JUGADORES DE NUESTRO EQUIPO DE VOLEIBOL?
>
> **Los chicos del equipo de voleibol tienen una rutina como los otros chicos pero...** De lunes a viernes, los jugadores del equipo de voleibol tienen una rutina igual a la de los otros chicos: se levantan a las siete, se duchan, se ponen la ropa y llegan a la escuela a las ocho. Tienen que estudiar y sacar buenas notas. También salen con amigos. Pero la rutina de los sábados y domingos es diferente y más difícil. Ellos corren una hora el sábado y se entrenan tres horas el domingo. ¡Es cómo se mantienen en forma!

Fuente 2 Escuchar   *WB CD 01 track 34*

Escucha lo que dice un jugador en un video que le mandó al editor del periódico. Toma apuntes. (*Listen to what a player says in a video and take notes.*)

_____

_____

_____

_____

Escribir

¿Cuáles son las cosas que los chicos del equipo de voleibol hacen todos los días? ¿Qué hacen durante el fin de semana? (*Write about what the volleyball players do during the week and on weekends.*)

modelo: Todos los días de la semana... Los sábados y domingos...

Answers will vary: **Todos los días de la semana, los chicos del equipo de**

voleibol se levantan a las siete, se duchan y llegan a la escuela a las

ocho. Los sábados y domingos se despiertan temprano y llegan a la

cancha a las ocho. A las tres, se duchan y van a la casa.

_____

Escuchar A

> **¡AVANZA!** **Goal:** Listen to find out about the routine of a person.

1 Escucha lo que dice Luisa. Luego, empareja las cosas que hace con el momento correspondiente. Algunas actividades tienen la misma respuesta. *(Listen to Luisa and match her activities with when she does them.)*

a. Por la mañana

b. Por la tarde

c. Por la noche

_b_ entrenarse

_c_ dormirse

_a_ levantarse

_b_ ponerse el uniforme

_a_ ducharse

2 Escucha lo que dice Rubén. Luego, completa las oraciones. *(Complete the sentences based on what Rubén says). Answers will vary.*

1. Rubén ayuda a su hermano a _____ arreglarse _____ .

2. Rubén _____ le pone _____ la ropa y _____ le cepilla _____ los dientes.

3. Un día, el hermano de Rubén va a _____ lavarse la cara _____ .

UNIDAD 2
Lección 2 · Escuchar A

Escuchar B

Level 2, pp. 134-135
WB CD 01 tracks 37-38

> ¡AVANZA! **Goal:** Listen to find out about the routine of a person.

1 Escucha lo que dice Mateo. Luego, lee cada oración y contesta **cierto** o **falso**. *(Listen to Mateo and decide whether the statements are true or false.)*

Ⓒ F **1.** Mateo se levanta temprano.

C Ⓕ **2.** Mateo se afeita después de ducharse.

Ⓒ F **3.** Mateo se baña con mucho jabón.

C Ⓕ **4.** Mateo no se lava con champú.

Ⓒ F **5.** Mateo es deportista y se entrena.

2 Escucha lo que dice Sandra. Luego, ordena las cosas que aprendió Tobías del 1 al 5, donde 1 es lo que aprendió primero. *(Listen to Sandra and put the activities in the order that Tobías learned them.)*

 3   **a.** peinarse

 2   **b.** secarse

 5   **c.** ponerse la ropa

 1   **d.** ducharse

 4   **e.** cepillarse los dientes

Escuchar C

| ¡AVANZA! | **Goal:** Listen to find out about people's routines. |

1 Escucha lo que dice la señora Martínez y toma apuntes. Luego, completa las oraciones. *(Listen to Sra. Martínez and complete the sentences.)*

1. Toda la familia _____se levanta_____ temprano.

2. Los padres _____se duchan_____ después de los hijos.

3. La madre y la hija _____se maquillan_____ cuando los hombres _____se están afeitando_____.

4. Todos _____se secan_____ el pelo rápidamente.

5. Por la noche, _____se acuestan_____ después de apagar la luz.

2 Escucha lo que dice Fernando y haz una lista de las cosas para su viaje. Luego, escribe oraciones sobre qué va a hacer con cada artículo. *(Listen to Fernando and write what he will do with each travel item.)*

cosas para arreglarse	**cómo las va a usar**
1. cepillo de dientes	Se va a cepillar los dientes.
2. peine	Se va a peinar el pelo.
3. champú	Va a lavarse el pelo.
4. crema de afeitar	Va a afeitarse la cara.
5. desodorante	Se va a poner desodorante.
6. jabón	Se va a lavar el cuerpo.
7. pasta de dientes	Va a cepillarse los dientes.
8. secador de pelo	Va a secarse el pelo.
9. toalla	Se va a secar el cuerpo.

Leer A

> **¡AVANZA!** **Goal:** Read about various routines.

Mantenerse saludable

Cuatro consejos de una persona de 90 años para mantenerse saludable:

- Es bueno levantarse temprano todos los días.
- Es bueno bañarse con agua fría.
- Es bueno cepillarse los dientes tres veces al día.
- Es bueno acostarse antes de las 8:00 de la noche.

¿Comprendiste?

Lee los consejos para mantenerse saludable. Luego, lee cada oración y contesta **cierto** o **falso**. *(Answer true or false based on the advice.)*

C ⓕ **1.** Es importante bañarse pocas veces.

ⓒ F **2.** Es bueno cepillarse los dientes varias veces al día.

C ⓕ **3.** Es bueno levantarse después de las 10:00 a.m.

C ⓕ **4.** Es necesario dormir cinco horas cada noche, nada más.

¿Qué piensas?

¿Piensas que puedes hacer estas cosas para mantenerte saludable? ¿Por qué?

Answers will vary: **No, pienso que no puedo hacer estas cosas porque es**

difícil tener una rutina nueva.

_____

_____

Leer B

¡AVANZA!	**Goal:** Read about some routines.

Cecilia escribió lo siguiente en su diario personal:

> Quiero mantenerme en forma, pero a veces es difícil. Después de
> levantarme por la mañana, salgo a entrenarme. ¡Estoy corriendo 3
> kilómetros cada día! Después, llego a casa a bañarme y a comer algo.
> Éste es el problema: me encanta la comida que no es saludable. ¡Tengo
> que seguir una dieta balanceada!
>
> Mi amiga Luisa está siguiendo una dieta muy buena. Ella se mantiene
> siempre en forma.

¿Comprendiste?

Lee el diario de Cecilia. Luego, completa las oraciones. *(Read Cecilia's diary and complete the sentences.)*

1. El problema de Cecilia es que le gusta la comida que no es saludable.

2. Cecilia está corriendo _____ 3 kilómetros cada día.

3. Cecilia quiere mantenerse en forma.

4. Cecilia tiene que seguir una dieta balanceada.

5. Luisa se mantiene en forma porque ella está siguiendo una dieta muy buena.

¿Qué piensas?

¿Estás manteniéndote en forma? ¿Por qué?

Answers will vary: **Sí, estoy manteniéndome en forma porque pienso que es**

importante estar saludable.

_____

_____

UNIDAD 2
Lección 2

Leer B

Leer C

> **¡AVANZA!** **Goal:** Read about some routines.

El equipo de fútbol de la escuela va a otra ciudad por una semana para jugar un campeonato. El entrenador escribió una carta con la rutina que tienen que seguir los jugadores.

Campeonato de fútbol en Tandil

A todos los jugadores que van a Tandil:

Vamos a un hotel. La rutina tiene que ser así:

Todos tienen que levantarse a las 6:20 de la mañana. Hay que hacer dos grupos. El primer grupo tiene que estar bañándose a las 6:30 de la mañana. Cuando este grupo se está bañando, el segundo grupo tiene que estar afeitándose y cepillándose los dientes. El segundo grupo se va a bañar a las 6:45 de la mañana. Cuando el segundo grupo se está bañando, el primer grupo va a afeitarse y cepillarse los dientes. Así, todos nos arreglamos rápidamente.

Después, todos se van a entrenar seis horas todos los días. El domingo es el partido: ¡Tenemos que ganar!

El entrenador

¿Comprendiste?

Contesta las siguientes preguntas con oraciones completas. *(Answer the questions with complete sentences.)*

1. ¿Qué va a hacer el primer grupo a las 6:45 de la mañana?

El primer grupo va a afeitarse y cepillarse los dientes.

2. ¿Qué tienen que estar haciendo todos a las 6:20 de la mañana?

A las 6:20 de la mañana todos tienen que estar levantándose.

3. ¿Cuánto tiempo se van a entrenar cada día?

Van a entrenarse seis horas cada día.

¿Qué piensas?

¿Piensas que la rutina que está diciendo el entrenador es buena? ¿Por qué?

Answers will vary: **Sí, pienso que esta rutina es muy buena porque todos**

pueden arreglarse rápidamente.

Escribir A

> **¡AVANZA!** **Goal:** Write about your routine.

Step 1

Los estudiantes están haciendo una lista sobre las rutinas personales. Haz tu propia lista con las cosas que haces antes de ir a la escuela. *(Make a list of things you do to get ready for school.) Answers will vary:*

1. Me despierto.
2. Me ducho.
3. Me cepillo los dientes.
4. Me peino.
5. Apago la luz.

Step 2

Escribe un párrafo con las horas de las cosas que tienes que hacer de tu lista para llegar a tiempo a la escuela. *(Write a paragraph saying what you must do to get to school on time.)*

Answers will vary: **Tengo que despertarme a las 7:00 a.m. y después tengo que ducharme. Me ducho a las 7:15 a.m. Me tengo que cepillar los dientes a las 7:30 a.m. Luego, me peino a las 7:35 a.m. y apago la luz antes de salir a las 7:45 a.m.**

Step 3

Evaluate your writing using the information in the table.

Writing Criteria	Excellent	Good	Needs Work
Content	You have mentioned five steps in your morning routine.	You have mentioned three to four steps in your morning routine.	You have mentioned two or fewer steps in your morning routine.
Communication	Most of your response is clear.	Some of your response is clear.	Your response is not very clear.
Accuracy	You make few mistakes in grammar and vocabulary.	You make some mistakes in grammar and vocabulary.	You make many mistakes in grammar and vocabulary.

Escribir B

> **¡AVANZA!** **Goal:** Write about your routine.

Step 1

Escribe oraciones completas sobre tu rutina. Usa la información de las cajas de abajo. *(Write sentences about your routine.)*

frecuentemente	por la mañana
a veces	por la tarde
nunca	por la noche

1. *Answers will vary:* **Frecuentemente, me entreno por la mañana.** _____
2. *Answers will vary:* **Nunca me baño por la tarde.** _____
3. *Answers will vary:* **A veces, leo por la noche.** _____

Step 2

Escribe en tu diario personal tres cosas que haces todos los días, cuándo las haces y con qué frecuencia. *(Write what you do, when, and how often.)*

Answers will vary: **Frecuentemente me baño por la noche, pero a veces**

me baño por la mañana. No me gusta bañarme por la tarde. Nunca me

entreno después de comer, pero frecuentemente me entreno después de

levantarme. Si no tengo mucho sueño, a veces leo por la noche.

Step 3

Evaluate your writing using the information in the table.

Writing Criteria	Excellent	Good	Needs Work
Content	You have explained when and how often you do three daily activities.	You have explained when and how often you do two daily activities.	You have not explained when and how often you do daily activities.
Communication	Most of your response is clear.	Some of your response is clear.	Your response is not very clear.
Accuracy	You make few mistakes in grammar and vocabulary.	You make some mistakes in grammar and vocabulary.	You make many mistakes in grammar and vocabulary.

Escribir C

> ¡AVANZA! **Goal:** Write about your routine.

Step 1

Para llegar a la escuela a tiempo, tienes que estar haciendo algunas cosas a diferentes horas. ¿Qué cosas estas haciendo? *(What are you doing at different times in order to get to school on time?)*

modelo: A las siete de la mañana estoy despertándome.

1. *Answers will vary:* **A las siete y quince de la mañana estoy bañándome.**

2. *Answers will vary:* **A las siete y media estoy afeitándome / maquillándome.**

3. *Answers will vary:* **A las ocho estoy saliendo de casa.**

Step 2

Contesta la siguiente pregunta con tres oraciones completas. *(Answer the question with three complete sentences.)*

¿Cuál es la rutina que tienes que seguir para llegar temprano a la escuela?

Answers will vary: **Para llegar temprano a la escuela tengo que**

estar bañándome a las siete y quince. Luego, necesito afeitarme /

maquillarme a las siete y media. Si no salgo de casa a las ocho, no llego a

la escuela temprano.

Step 3

Evaluate your writing using the information in the table.

Writing Criteria	Excellent	Good	Needs Work
Content	You have answered the question with at least three complete sentences.	You have answered the question with at least two complete sentences.	You have not answered the question with any complete sentences.
Communication	Most of your response is clear.	Some of your response is clear.	Your response is not very clear.
Accuracy	You make few mistakes in grammar and vocabulary.	You make some mistakes in grammar and vocabulary.	You make many mistakes in grammar and vocabulary.

Cultura A

> ¡AVANZA! **Goal:** Review cultural information about Argentina and Colombia.

1 **Argentina** Contesta las siguientes oraciones. *(Complete the following sentences.)*

1. Con más de 1.000.000 de millas cuadradas, Argentina es el país hispanohablante __b__

   a. más pequeño del mundo.   **b.** más grande del mundo.   **c.** más poblado del mundo.

2. La Patagonia es una región __a__ de Argentina.

   a. del sur   **b.** del norte   **c.** del oeste

3. El artista Xul Solar hizo obras de arte __c__

   a. blanco y negro.   **b.** realista.   **c.** abstracto.

2 **El gaucho y el cafetero** Completa las siguientes oraciones. *(Complete the following sentences.)*

1. El gaucho argentino vive (de la tierra / del mar).

2. En Colombia se cultiva el café en (el llano / las montañas).

3. Al llano argentino se le llama (las pampas / los Andes).

4. Algunos cafeteros en Colombia viajan en (mula / caballo).

3 **Las tiras cómicas** Las tiras cómicas representan la cultura de un país. Dibuja una tira cómica sobre la vida de un cafetero colombiano. Usa las oraciones que describen qué hace el cafetero. *(Draw a comic strip about the life of a Colombian coffeemaker. Use the sentences that describe what he does.)*

1. Me acuesto temprano y me despierto entre las dos y cuarto de la mañana.

2. Me pongo la ruana o poncho y el sombrero grande.

3. Voy en mula al trabajo.

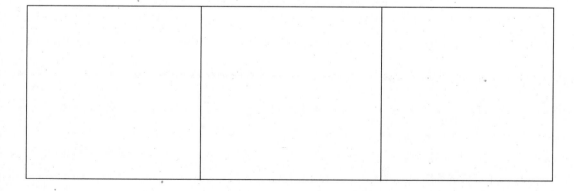

(sidebar) UNIDAD 2 Lección 2 • Cultura A

Cultura B

> ¡AVANZA! **Goal:** Review cultural information about Argentina and Colombia.

1 **Argentina** Completa las siguientes oraciones. (*Complete the following sentences.*)

1. El baile famoso de Argentina se llama _____ el tango _____ .

2. El deporte más popular de Argentina es _____ el fútbol _____ .

3. Una tira cómica famosa de Colombia es _____ Copetín _____ .

4. La moneda argentina es _____ el peso argentino _____ .

2 **El gaucho y el cafetero** En Argentina y en Colombia la agricultura es una parte importante de la economía. Lee las oraciones y decide quién de los dos hombres las dice. (*Read the following sentences and decide who says them.*)

El gaucho _____ Vivo y trabajo en las pampas.

El cafetero _____ Me levanto temprano todos los días.

El cafetero _____ Voy al campo en mula.

El gaucho _____ Mi sueldo es la carne y la piel del ganado que vendo.

3 **Copetín** Escribe oraciones en la tabla para describir a Copetín. ¿De dónde es? ¿Cómo es? (*Write sentences in the chart to describe Copetín. Where is he from? What does he look like?*) Answers will vary.

Copetín
Es un chico travieso y simpático.
Vive en Colombia.
Pasa mucho tiempo con sus amigos.

Cultura C

¡AVANZA! **Goal:** Review cultural information about Argentina and Colombia.

▶ **Argentina es muy variada** Escribe tres actividades que puedes hacer en un barrio popular de la ciudad de Buenos Aires. Luego escribe tres actividades que puedes hacer en la región de la Patagonia. *(Write three activities you can do in a popular Buenos Aires neighborhood and three you can do in La Patagonia.)*

LA BOCA (BUENOS AIRES)	LA PATAGONIA
Answers will vary: **ver a artistas en la calle**	*Answers will vary:* **hacer kayac en lagos con glaciares**
comprar arte y artesanías	**ir a la playa**
ver a bailarines de tango	**hacer excursiones a las montañas**

▶ **Las vacaciones** Estás de vacaciones en Colombia y visitas un campo de cultivo de café. Escribe una carta de cinco oraciones a tu familia para decirles cómo pasas tu día. *(You are visiting a coffee growing field in Colombia on vacation. Write a five-sentence letter to your family describing how you spend your day.)*

Answers will vary. _____

_____

_____

_____

_____

3 **Las tiras cómicas** Las tiras cómicas representan la cultura de un país. Usa la tira cómica de la página 126 de tu libro y dibuja tres cuadros más para continuar la historia. *(Use the comic strip from your book and draw three more panels. What does he do and say next?)*

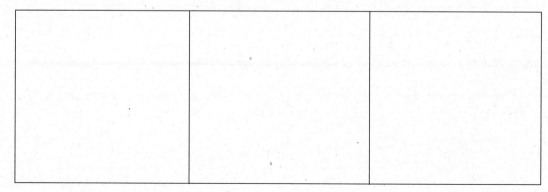

Comparación cultural: Rutinas del deporte

Lectura y escritura

After reading the paragraphs about the sports that Ricardo, Silvia, and Nuria practice, write a paragraph about a sport you practice. Use the information on your organizer to write sentences and then write a paragraph that describes your sport.

Step 1

Complete the organizer including as many details as possible about your sport.

Deporte	Lugar

Actividades	Persona famosa

Step 2

Now take the details from the organizer and write a sentence for each topic on the organizer.

_____

_____

_____

_____

_____

_____

_____

_____

Comparación cultural:
Rutinas del deporte

Lectura y escritura (continued)

Step 3

Now write your paragraph using the sentences you wrote as a guide. Include an introduction sentence and use the phrases **es importante...**, **es bueno...**, and **es necesario...** to write about your sport.

_____

_____

_____

_____

_____

_____

_____

Checklist

Be sure that…

☐ all the important information from your organizer is included in the paragraph;

☐ you use details to describe each aspect of the sport;

☐ you include phrases for giving advice and new vocabulary words.

Rubric

Evaluate your writing using the rubric below.

Writing criteria	Excellent	Good	Needs Work
Content	Your paragraph includes many details about your sport.	Your paragraph includes some details about your sport.	Your paragraph includes few details about your sport.
Communication	Most of your paragraph is organized and easy to follow.	Parts of your paragraph are organized and easy to follow.	Your paragraph is disorganized and hard to follow.
Accuracy	Your paragraph has few mistakes in grammar and vocabulary.	Your paragraph has some mistakes in grammar and vocabulary.	Your paragraph has many mistakes in grammar and vocabulary.

UNIDAD 2
Lección 2 • Comparación cultural

Comparación cultural: Rutinas del deporte

Compara con tu mundo

Now write a comparison about your sport and that of one of the three students from page 137. Organize your comparison by topics. First, compare the place you practice the sport, then any special events or activities, and lastly what your reactions were like.

Step 1

Use the chart to organize your comparison by topics. Write details for each topic about your sport and that of the student you chose.

	Mi deporte	**El deporte de** _____
Deporte		
Lugar(es)		
Actividades		
Persona famosa		

Step 2

Now use the details from the organizer to write a comparison. Include an introduction sentence and write about each category. Use the phrases **es importante...**, **es bueno...**, and **es necesario...** to talk about your sport and that of the student you chose.

_____

_____

_____

_____

_____

_____

_____

Vocabulario A

> **¡AVANZA!** **Goal:** Talk about clothes and places to shop

1 El sábado sales de compras con amigas. Une con flechas las palabras relacionadas. *(Connect items with the place to buy them.)*

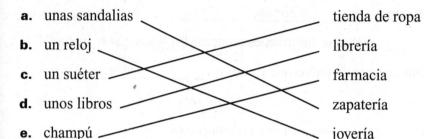

a. unas sandalias   tienda de ropa

b. un reloj   librería

c. un suéter   farmacia

d. unos libros   zapatería

e. champú   joyería

2 Estás de compras con tus amigos. Completa las oraciones para darles consejos. *(Give advice to your friends while shopping.)*

bien	de rayas	flojo	la talla	de moda
mal	apretadas	de cuadros	el número	

1. Si tus botas son demasiado pequeñas, entonces te quedan _____ apretadas _____ y
   necesitas _____ el número _____ más grande.

2. Si el abrigo es muy grande, te queda _____ flojo _____ y necesitas
   _____ la talla _____ más pequeña.

3. El rojo no es tu color. El chaleco _____ de rayas _____ rojas te queda
   _____ mal _____ .

4. Esas sandalias son perfectas para ti. Te quedan muy _____ bien _____ .

5. ¿Por qué quieres comprar la falda _____ de cuadros _____ amarillos y azules?
   No está _____ de moda _____ .

3 Escribe cuatro oraciones sobre ropa, zapatos o accesorios que tienes. Incluye tres cosas que te quedan bien. *(Write four sentences about clothes. Include three things that fit you well.)*

1. Tengo un suéter de cuadros que me queda apretado. _____

2. Tengo una pulsera de plata muy bonita. _____

3. Mi chaleco viejo es marrón. _____

4. Compré un traje bonito muy barato. _____

Vocabulario B

> **¡AVANZA!** **Goal:** Talk about clothes and places to shop

1 Completa las oraciones con los lugares donde se compran las cosas. *(Where can you buy these items?)*

1. Graciela siempre compra el pan en _____ la panadería _____ .

2. La _____ zapatería _____ está abierta: ¡puedes comprar las botas que te gustan!

3. Hay un libro muy interesante de historia universal. Vamos a _____ la librería _____

   a comprarlo.

4. Mi hermano me dio esta pulsera por mi cumpleaños. La compró en

   _____ la joyería _____ cerca de mi casa.

2 ¿Cómo me queda? Da tus opiniones y recomendaciones sobre la ropa que se ponen tus amigos en el almacén. *(Give your friends clothing advice).*

1. Necesitas _____ una talla _____ más pequeña. Ese traje te

   _____ queda flojo _____ .

2. No me gusta esa falda de rayas. Te _____ queda mal _____ .

3. ¡Ese abrigo es perfecto! ¡Te _____ queda bien _____ !

4. Esos pantalones me parecen demasiado pequeños. Te _____ quedan apretados _____ .

5. Las botas también me parecen pequeñas. Necesitas un _____ número _____ más

   grande.

3 ¿Qué piensas? Contesta las preguntas con **Creo que sí** o **Creo que no**. Luego, explica por qué con una oración. *(Answer the question; then explain why.)*

1. ¿Es buena idea comprar cosas por Internet? ¿Por qué?

   Answers Will vary: **Creo que no, porque es difícil saber si la ropa te queda bien.**

2. ¿Te parece que los chalecos están de moda? ¿Por qué?

   Answers Will vary: **Creo que no. Los estudiantes no se visten con chaleco.**

UNIDAD 3 • Vocabulario B
Lección 1

Unidad 3, Lección 1
Vocabulario B

100

¡Avancemos! 2
Cuaderno: Práctica por niveles

Vocabulario C

> **¡AVANZA!** **Goal:** Talk about clothes and places to shop

1 **¿Qué puedes comprar en...?** Completa las oraciones. *(Complete the sentences with the words from the box.)*

desodorante	suéteres	faldas	botas
gorras	abrigos	cinturones	trajes
relojes	sandalias	jabón	pulseras

1. En la zapatería puedes comprar botas y sandalias. _____

2. En la joyería puedes comprar pulseras y relojes. _____

3. En la farmacia puedes comprar jabón y desodorante. _____

4. En la tienda de ropa puedes comprar abrigos, trajes, cinturones, faldas, gorras

y suéteres. _____

2 Subraya la palabra relacionada. Luego, escribe una oración completa usando las dos palabras. *(Underline the related word and write a complete sentence.)*

1. sandalias (pulsera / <u>zapatos</u>)

Answers will vary: **Quiero comprar zapatos y sandalias en la zapatería.**

2. pulsera (<u>la joyería</u> / el traje)

Answers will vary: **Me gusta mucho una pulsera que vi en la joyería.**

3. talla (<u>flojo</u> / el abrigo)

Answers will vary: **El suéter no es de mi talla; me queda flojo.**

4. falda (<u>suéter</u> / el número)

Answers will vary: **La falda verde queda bien con el suéter marrón.**

3 Teresa quiere comprar ropa nueva. Necesita ayuda para encontrar la talla correcta. ¿Qué le recomiendas? Escribe tres oraciones. Sigue el modelo. *(Give your friend advice about finding the right size in clothes.)*

modelo: La ropa te queda bien si…

Answers will vary: **La ropa te queda bien si no te queda floja. También te**

queda bien si no te queda apretada. También tiene que ser de un color bonito.

Gramática A *Present Tense of Irregular* **yo** *verbs*

> **¡AVANZA!** **Goal:** Discuss what you do in contrast to what others do.

1 Tus amigos y tú hacen cosas diferentes durante la semana. Coloca la persona (**yo**, **tú** o **él**) delante de cada verbo. *(Write the correct pronoun in front of each verb.)*

1. _Yo_ conozco una nueva tienda.

5. _Yo_ doy muchos regalos.

2. _Él_ pone un DVD.

6. _Tú_ compras unas botas.

3. _Yo_ sé que es tarde.

7. _Yo_ traigo una carta.

4. _Yo_ digo la verdad.

8. _Yo_ veo la televisión.

2 ¿Qué haces los fines de semana? Escribe la forma apropiada del verbo entre paréntesis. *(Write the correct verb form.)*

1. Los sábados, yo _____salgo_____ de compras. Mi hermano no

_____sale_____ . (salir)

2. Los viernes, yo _____traigo_____ pizza a casa. Mis padres no la

_____traen_____ . (traer)

3. Los domingos, yo _____conozco_____ nuevos lugares. Ustedes no los

_____conocen_____ . (conocer)

4. Los sábados y domingos, yo _____veo_____ la televisión. Ellas no la

_____ven_____ . (ver)

5. Los domingos, yo me _____pongo_____ ropa floja y descanso. (poner)

3 Contesta las siguientes preguntas con oraciones completas. *(Answer the following question in complete sentences.) Answers will vary:*

1. ¿A ti te importa la moda? **No, no me importa la moda.**

2. ¿Te interesan más las joyerías o las panaderías? **A mi me interesan más**

las panaderías.

3. ¿Cuántas veces al año sales a comprar ropa? **Salgo tres veces al año a**

comprar ropa.

Gramática B *Present Tense of Irregular* **yo** *verbs*

> **¡AVANZA!** **Goal:** Discuss what you do in contrast to what others do.

1 Hay mucho que hacer los fines de semana. Usa la forma correcta del verbo para completar cada oración. *(Use the correct form of the verb to complete the sentence.)*

1. Yo siempre (hacer) _____ hago _____ deportes los fines de semana.

2. Yo nunca (ir) _____ voy _____ al centro comercial.

3. Yo no (saber) _____ sé _____ cuál es el nombre de la panadería.

4. Yo me (poner) _____ pongo _____ ropa de moda.

5. Yo (conocer) _____ conozco _____ ese almacén.

2 Escribe una oración completa y describe las cosas que haces los fines de semana pero que las otras personas no hacen. *(What do you do during the weekend that others don't do?)*

1. (Yo) ver / una película / hermano no

Yo veo una película pero mi hermano no la ve.

2. (Yo) conocer / a las personas nuevas / ustedes no

Yo conozco a las personas nuevas pero ustedes no las conocen.

3. (Yo) venir / a tu casa / ellos no

Yo vengo a tu casa pero ellos no vienen a tu casa.

4. (Yo) traer / los regalos para todos / tú no

Yo traigo los regalos para todos pero tú no los traes.

5. (Yo) dar / mi opinión / ella no

Yo doy mi opinión pero ella no da su opinión.

3 Contesta las siguientes preguntas sobre las compras con oraciones completas. *(Answer the questions about shopping.)* Answers will vary:

1. ¿Te importa la moda? ¿Por qué?

No, no me importa la moda, porque me gusta vestir diferente de la moda.

2. ¿Qué te interesa más: las zapaterías, las joyerías o las panaderías? ¿Por qué?

Me gustan más la joyerías porque me gustan mucho las joyas.

3. ¿Sales mucho a las tiendas de ropa? ¿Conoces muchas?

Sí, salgo mucho a las tiendas de ropa. Conozco muchas.

Gramática C *Present Tense of Irregular* **yo** *verbs*

¡AVANZA! **Goal:** Discuss what you do in contrast to what others do.

1 Escoge un verbo del la caja y completa las oraciones en primera persona. *(Choose a verb and complete sentences in the first person.)*

ver
saber
venir
salir
traer
conocer

1. Yo _____salgo_____ con amigos los viernes por la noche.

2. Yo nunca _____vengo_____ los sábados a este almacén.

3. Yo siempre _____veo_____ ropa muy buena en Internet.

4. Yo te _____traigo_____ un abrigo.

5. Yo no _____sé_____ qué talla necesito.

6. Yo _____conozco_____ una zapatería menos cara que ésta.

2 Contesta las siguientes preguntas con una oración completa. *(Answer the following questions in a complete sentence.)* Answers will vary:

1. ¿Siempre das tu opinión? ¿Qué le dices a un amigo si no te gusta su ropa?

   Sí, siempre doy mi opinión. Le digo a mi amigo si la ropa no le queda bien.

2. ¿Qué te pones para salir con amigos?

   Yo me pongo ropa de moda.

3. ¿Qué tienes en tu clóset?

   Tengo muchos zapatos en mi clóset.

3 Escribe cuatro oraciones sobre la ropa, la moda y las compras. Describe tus opiniones y actividades. Usa los verbos: **hacer**, **ir**, **vestir**, **saber**, **conocer**, **importar**, **interesar**, y **encantar**. *(Write four sentences about your shopping activities.)* Answers will vary:

1. **Una vez al mes voy de compras.**

2. **No me importa vestir de moda. Me interesa la ropa que me queda bien.**

3. **Conozco las tiendas menos caras.**

4. **Sé encontrar la ropa que me encanta.**

104 Unidad 3, Lección 1
Gramática C

Unidad 3, Lección 1
Gramática C

¡Avancemos! 2
Cuaderno: Práctica por niveles

UNIDAD 3 • Gramática C
Lección 1

Gramática A Pronouns after Prepositions

| ¡AVANZA! | **Goal:** Use pronouns after prepositions to talk about different activities. |

1 Todos traemos regalos. La persona que recibe el regalo está entre paréntesis. Une con flechas la preposición y el pronombre que corresponde a cada oración. *(Draw a line from the pronouns and prepositions to the sentences.)*

1. Norma trae un reloj __para ti__ . (tú)   para mí

2. Yo traigo una falda __para ella__ . (Laura)   para ti

3. Tú traes unas botas __para mí__ . (yo)   para ella

2 Completa las oraciones con el pronombre que corresponde. *(Complete the sentences with the correct pronoun.)*

1. El señor Ramírez compra sándwiches para _____ellos_____ (los estudiantes).

2. Aquí tengo un regalo de _____mí_____ (yo) para _____ti_____ (tú).

3. Compré la camisa más bonita de la tienda para _____ella_____ (mi hermana).

4. Julio habla todo el tiempo de _____ti_____ (tú) con_____migo_____ (yo).

5. Aprendí a vivir sin _____ti_____ (tú).

6. Ramón está de vacaciones con_____tigo_____ (tú).

3 Contesta las siguientes preguntas con oraciones completas. Usa el pronombre correspondiente. *(Answer the following questions in complete sentences.)*

1. ¿A ti te gusta vestir con ropa de moda?

Answers will vary: **Sí, a mí me gusta vestir con ropa de moda.**

2. ¿A ti te gusta vestir de negro, de blanco o de colores?

Answers will vary: **A mí, me gusta vestir de negro.**

Gramática B *Pronouns after Prepositions*

¡AVANZA!   **Goal:** Use pronouns after prepositions to talk about different activities.

---

1 Coloca las frases en la columna correspondiente a los pronombres y preposiciones en la tabla. *(Write the letter that corresponds to the phrases in the correct box.)*

a. Nos encanta	c. Le compro	e. Le dices
b. Me hablas	d. Nos recomienda	f. Me importa

A mí	A nosotros	A él
b	a	c
f	d	e

2 Reemplaza las personas con el pronombre correcto. *(Write complete sentences using pronouns for the people in parentheses.)*

modelo: Miriam trae un reloj para (su papá) / **Trae un reloj para él.**

1. Miriam compra una falda de cuadros para (su mamá)

Miriam compra una falda de cuadros para ella.

2. Miriam da una fiesta para (sus abuelos)

Miriam da una fiesta para ellos.

3. Miriam comparte su almuerzo con (yo)

Miriam comparte su almuerzo conmigo.

4. Miriam vive lejos de (tú)

Miriam vive lejos de ti.

3 Escribe un diálogo de tres oraciones.Usa **para, con, a, cerca de** y **lejos de** con los pronombres correctos. *(Write a three-sentence dialogue. Use the correct pronouns after the prepositions.)* Answers will vary:

1.   **Tú:**   ¿Quieres ir al centro comercial conmigo? Voy a compar un regalo

para Edwin.

2.   **Tu amigo:**   Sí, yo voy contigo; yo también quiero comprar un regalo para él.

3.   **Tú:**   El centro comercial está lejos de ti, ¿verdad?

Gramática C *Pronouns after Prepositions*

| ¡AVANZA! | **Goal:** Use pronouns after prepositions to talk about different activities. |

1 Completa las oraciones con el pronombre que corresponda al nombre o frase subrayados. *(Write the pronoun that best completes the sentence.)*

1. Marcos vive en la misma calle que <u>Ariana</u>. Marcos vive cerca de ____ella____ .

2. Es <u>mi cumpleaños</u>. Ana compra un regalo para ____mí____ .

3. <u>Manuel</u> no trae dinero en efectivo. Yo pago por ____él____ .

4. <u>Te</u> gustan los cuadros, ¿no? Yo compré una falda de cuadros para ____ti____ .

2 Describe en tres oraciones las cosas que hace Ernesto por las personas. Usa el vocabulario de las cajas. *(Write three sentences with the vocabulary from the boxes.)*

| Ernesto | comprar ropa
traer regalos
hablar | con
para
a | yo
tú
ellos |

1. *Answers will vary:* **Ernesto habla contigo.** _____

2. *Answers will vary:* **Ernesto compra ropa para ellos.** _____

3. *Answers will vary:* **Ernesto te habla a ti.** _____

3 En cuatro oraciones describe la ropa que le gusta a tu mamá y di qué le vas a comprar. Usa **a, para** y los pronombres correctos. *(Write four sentences describing the clothing that your mother likes, and what you are buying for her.)*

Answers will vary: **A ella le gustan las faldas de rayas y las sandalias**

negras. A mi mamá tambien le gustan los cinturones. A ella también le

gustan las joyas. Voy a comprar una pulsera para ella.

Integración: Hablar

A Mariana y a Carlos les encanta vestirse con ropa que está de moda. Este sábado van de compras al centro comercial. ¿Qué ropa nueva hay este año? *(What clothes are in style this year?)*

Fuente 1 Leer

Lee la publicidad de la tienda de ropa. *(Read the clothing store ad.)*

MODA DE HOY ¡LA MEJOR TIENDA DE ROPA!

¿Quieres saber qué está de moda este año?

Entonces tienes que venir ahora a la tienda Moda de Hoy en el Centro Comercial Macarena. Nosotros te decimos qué hay para este otoño y qué no está de moda ya. ¿Necesitas ropa nueva? Tenemos faldas de cuadros y suéteres de rayas para chicas. También hay botas y cinturones para chicos y mucho más.

Vamos a ayudarte a vestirte bien.

Fuente 2 Escuchar   *WB CD 02 track 02*

Escucha el anuncio que sale por el altoparlante. Toma apuntes. *(Listen to the announcement over the loudspeaker. Take notes.)*

_____

_____

_____

_____

Hablar

¿Qué ropa nueva hay este año para chicos? ¿Y para chicas? *(What new styles are available?)*

Modelo: Este año, para las chicas hay... Y para los chicos hay...

Answers will vary: **Para las chicas que quieren vestirse de moda este año, hay nuevas botas, faldas de cuadros y suéteres de rayas. Y para los chicos hay abrigos de cuadros, chalecos de rayas, botas y cinturones.**

Integración: Escribir

Level 2, pp. 157-159
WB CD 02 track 03

Virginia López es la gerente de la tienda de ropa «Ropa Loca». La tienda necesita vender más y Virginia piensa que un programa popular de televisión le puede ayudar. *(Virginia hopes a TV program can help her store sell.)*

Fuente 1 Leer

Lee el correo electrónico que le manda Virginia al productor del programa *¡Hoy! con Mirta. (Read Virginia's e-mail to the TV producer.)*

Estimado Señor Quintero:

Conozco bien su programa de televisión y veo que a ustedes les importa mucho la ropa que se pone la señora Mirta. Sé que usa zapatos de la zapatería «Pies Perfectos» y joyas de la joyería «Tesoros para ti», pero veo que usa diferentes tiendas de ropa. Parece que no encontraron una tienda perfecta, con toda la ropa más de moda. Señor Quintero, tengo una proposición para usted: Mañana les traigo ropa de mi tienda, y la señora Mirta y usted pueden decidir si «Ropa Loca» es la tienda para ustedes.

Atentamente,

Virginia López

Ropa Loca

555-4646

Fuente 2 Escuchar *WB CD 02 track 04*

Escucha a la señora Mirta hablando de la tienda en su programa de televisión. Toma apuntes. *(Listen to the TV program. Take notes.)*

_____

_____

_____

Escribir

¿Qué tiendas usa la señora Mirta, y qué lleva de cada tienda? ¿Piensas que Virginia va a vender más? *(What stores does Sra. Mirta mention and what does she wear? Will Virginia sell more?)*

Modelo: La señora Mirta lleva...

Answers will vary: **La señora Mirta lleva unas botas de la zapatería «Pies Perfectos», unos aretes y una pulsera de la joyería «Tesoros para ti» y una falda de rayas y un suéter flojo de la tienda «Ropa Loca». Creo que Virginia, va a vender más porque la señora Mirta está llevando la ropa de su tienda en la televisión.**

Escuchar A

¡AVANZA! **Goal:** Listen to find out about shopping.

1 Escucha a Pedro. Después, lee las oraciones y contesta **cierto** (true) o **falso** (false). *(Answer True or False.)*

C (F) **1.** A Pedro le gustan los trajes flojos.

C (F) **2.** A Pedro le gustan los trajes apretados.

C (F) **3.** A Pedro no le gusta su traje.

(C) F **4.** El hermano de Pedro puede recomendarle algo.

(C) F **5.** No es fácil encontrar un traje para Pedro.

2 Escucha a Luis. Luego, contesta las preguntas. *(Answer the questions.)*

1. A Luis le encanta la ropa _____ de moda _____ .

2. Esta tarde él va a comprar _____ un traje _____ .

3. Él va con su _____ hermano menor _____ .

4. Él sabe de trajes porque _____ se pone uno todos los días _____ .

5. Él puede recomendarle a Pedro _____ un almacén _____ .

6. También le puede decir qué traje _____ le queda bien _____ .

Unidad 3, Lección 1
Escuchar A

110

¡Avancemos! 2
Cuaderno: Práctica por niveles

UNIDAD 3 • Escuchar A
Lección 1

Escuchar B

> ¡AVANZA! **Goal:** Listen to find out about shopping.

1 Escucha a Carolina. Luego, lee las oraciones y ordénalas según cuándo pasaron. El 1 es lo que pasó primero. *(Put the sentences in the order they happened.)*

a. __5__ Van a la farmacia.

b. __4__ Carolina compra sandalias.

c. __3__ Van a la zapatería.

d. __6__ Compran jabones.

e. __1__ Van la tienda de ropa.

f. __2__ Inés compra un suéter.

2 Contesta las siguientes preguntas con oraciones completas. *(Answer the questions with complete sentences.)*

1. ¿Qué tiene ganas de comprar Inés? ¿Las encontró ayer?

Inés tiene ganas de comprar botas. No, no las encontró ayer.

2. ¿Cómo es el suéter de ella?

El suéter de ella es rojo.

3. ¿Cuándo se va a poner el suéter? ¿Con qué queda bien?

Se va a poner el suéter para la fiesta de cumpleaños de su hermano. El

suéter le queda bien con su falda negra.

4. ¿Qué compró para su hermano? ¿Por qué?

Inés compró un reloj para su hermano. Lo compró como regalo de cumpleaños

para él. También le gusta comprar regalos para él porque él es bueno con ella.

Escuchar C

> ¡AVANZA! **Goal:** Listen to find out about shopping.

1 Escucha a Leonor y toma notas. Luego, coloca en la columna de la izquierda las cosas que compró ella. En la columna de la derecha coloca las cosas que compró su amiga. *(Write what Leonor and her friend bought.)*

Compras de Leonor	Compras de la amiga de Leonor
una falda de cuadros	una falda negra
un cinturón	un suéter azul
un abrigo	un chaleco gris
unas botas altas	unas sandalias

2 Escucha a Diana y toma notas. Luego, contesta las preguntas. *(Answer the questions.)*

1. ¿Por qué no puede comprar más Diana?

   Diana no puede comprar más porque todo está

   cerrado ya.

2. ¿Qué es importante para Diana cuando compra ropa? ¿Y, qué le importa a su amiga?

   Para Diana es importante comprar la ropa que le queda

   bien. A su amiga le importa más la moda.

3. ¿Qué cosas le quedan mal a la amiga de Diana? ¿Qué piensa Diana de eso?

   A la amiga de Diana casi nada le queda mal. ¡Diana

   piensa que tiene suerte!

Leer A

¡AVANZA! **Goal:** Read about shopping.

Éste almacén te invita a comprar ropa.

Tienda «Ropita»

¡Vendemos la mejor ropa y a los mejores precios!

Toda la ropa de moda está en nuestra tienda y la vendemos menos cara que las otras tiendas. ¡Tienes que venir, ver y llevarte todo lo que quieres!

¡Rebajas *(sales)* de esta semana!

Para ella:

Faldas de cuadros	$10
Suéteres	$15
Cinturones	$7

Para él:

Abrigos	$35
Chalecos	$12
Gorras	$6

Puedes recomendarnos a tus amigos.

¡Los esperamos a todos!

¿Comprendiste?

Lee la publicidad. Luego, lee las oraciones y contesta **cierto** (true) o **falso** (false).

C (F) **1.** La tienda vende faldas de rayas.

(C) F **2.** Toda la ropa de moda está en la tienda «Ropita».

(C) F **3.** Las faldas cuestan más que las gorras.

C (F) **4.** Hay abrigos para chicas.

C (F) **5.** Hay ropa para chicos: los cinturones son para ellos.

¿Qué piensas?

1. ¿Te gusta salir a comprar ropa? ¿Por qué?

<u>*Answers will vary*: **Sí, me gusta salir a comprar ropa porque me encanta**</u>

estar a la moda.

2. ¿Qué te gusta comprar?

<u>*Answers will vary*: **Me gusta comprar zapatos, suéteres y gorras.**</u>

Leer B

| ¡AVANZA! | **Goal:** Read about shopping. |

Natalia salió de compras. A ella le gusta mucho estar de moda. Lee la carta que le escribió a su mejor amiga para decirle qué cosas compró.

> Hola Lucy:
>
> ¡Estoy muy contenta! Ayer, mi mamá y yo fuimos de compras. Me gusta ir con ella porque sabe mucho de moda. Para mí es muy importante comprar ropa que está de moda... ¡me encanta!
>
> Ayer, compré una falda de rayas muy linda. También me gustó una de cuadros pero los cuadros no están de moda. También compré un suéter que no me gustó mucho pero que veo siempre en la televisión. Compré muchas cosas más. ¿Por qué no vienes a mi casa para ver lo que compré?
>
> Natalia

¿Comprendiste?

Contesta las preguntas con una oración completa. (*Answer the questions in a complete sentence.*)

1. ¿Por qué está contenta Natalia?

Natalia está contenta porque fue de compras.

2. ¿Por qué le gusta a Natalia ir de compras con su mamá?

A Natalia le gusta ir de compras con su mamá porque ella sabe mucho

de moda.

3. ¿Qué es importante para Natalia?

Para Natalia es importante comprar ropa que está de moda.

4. ¿Natalia compró la falda de cuadros? ¿Por qué?

No, Natalia no compró la falda de cuadros porque no está de moda.

¿Qué piensas?

1. ¿Por qué piensas que Natalia compró el suéter que siempre ve en la televisión?

Answers will vary: **Natalia compró el suéter porque si está en la televisión**

está de moda.

2. ¿Piensas tú cómo Natalia?

Answers will vary: **No, no pienso como ella. A mí no me importa la moda.**

Unidad 3, Lección 1
Leer B
114
¡Avancemos! 2
Cuaderno: Práctica por niveles
UNIDAD 3 Lección 1 · Leer B

Leer C

> ¡AVANZA! **Goal:** Read about shopping.

Jimena cumple años. Su mejor amiga, Beatriz, les escribe un correo electrónico a todos sus amigos para hablar de la fiesta de Jimena.

¡Hola a todos!

Necesito hablarles del cumpleaños de Jimena. Ella no lo sabe, pero mañana voy a dar una fiesta para ella.

¿No saben qué comprarle? A Jimena le encanta un reloj rojo que venden en la joyería del centro comercial. También le gusta un suéter azul y una falda de rayas negras y azules que venden en la tienda «Ropita». Les recomiendo las botas altas de la zapatería «Zapatitos», que está abierta todo el día. También pueden encontrar un regalo perfecto en la librería. Ella casi no sale de esa tienda.

Mañana los espero a todos en mi casa a las 7:00 p.m.

Beatriz

¿Comprendiste?

Completa las siguientes oraciones. *(Complete the sentences.)*

1. ¿Por qué le escribe Beatriz a sus amigos? <u>Beatriz le escribe a sus amigos porque necesita hablar del cumpleaños de Jimena.</u>

2. ¿Qué hace Beatriz para Jimena? <u>Beatriz hace una fiesta para Jimena.</u>

3. ¿Qué pueden comprar los amigos de Jimena para ella? ¿En dónde? <u>Pueden comprarle un reloj en la joyería, un suéter y una falda de «Ropita» o botas en la zapatería.</u>

4. ¿A Jimena le gusta leer? ¿Cómo sabes? <u>Sí, le gusta leer. Beatriz dice que nunca sale de la librería.</u>

¿Qué piensas?

1. ¿Piensas que es importante dar regalos a tus amigos por sus cumpleaños? ¿Por qué?
   Answers will vary: **Sí, pienso que es importante dar regalos a los amigos por sus cumpleaños porque los regalos dicen cuánto los queremos.**

2. ¿Qué regalo quieres para tu cumpleaños? ¿Por qué?
   Answers will vary: **Quiero una gorra azul y unos jeans. Me encanta el color azul.**

Escribir A

> **¡AVANZA!** **Goal:** Write about fashion and shopping.

Step 1

Escribe una lista con la ropa que te gusta y que no te gusta. *(List the kind of clothing you like and don't like.) Answers will vary:*

1. las faldas
2. los suéteres
3. las sandalias
4. los jeans

Clasifica tu lista en la tabla. (*Classify your list in the table.*)

Me gusta	No me gusta
1. las faldas	1. los jeans
2. los suéteres	2. las sandalias

Step 2

Con la información de la tabla, escribe cuatro oraciones. Escribe sobre la ropa que te gusta comprar y la que no te gusta comprar. *(Write four sentences about the clothes you like and don't like to buy.) Answers will vary:*

A mí me gusta comprar faldas de cuadros y suéteres flojos porque están

de moda. Me encanta comprar ropa de moda. Pero prefiero no comprar

jeans porque nunca me quedan bien. No me gustan las sandalias; ¡prefiero

los zapatos cerrados!

Step 3

Evaluate your writing using the information in the table.

Writing Criteria	Excellent	Good	Needs Work
Content	You have fully described the clothes you like and don't like to buy.	You have somewhat describe the clothes you like and don't like to buy.	You have not described the clothes you like and don't like to buy.
Communication	Most of your paragraph is clear.	Some of your paragraph is clear.	Your paragraph is not very clear.
Accuracy	You make few mistakes in grammar and vocabulary.	You make some mistakes in grammar and vocabulary.	You make many mistakes in grammar and vocabulary.

Escribir B

> ¡AVANZA! **Goal:** Write about fashion and shopping.

Step 1

¿Qué compraste? Escribe en la tabla las tiendas que visitaste y las cosas que compraste allí el mes pasado. *(Write in the table the stores you went to and the things you bought last month.)*

¿Dónde Compraste?	¿Qué Compraste?
1. *Answers will vary:* **zapatería**	1. *Answers will vary:* **sandalias**
2. *Answers will vary:* **tienda de ropa**	2. *Answers will vary:* **falda**
3. *Answers will vary:* **librería**	3. *Answers will vary:* **libro**

Step 2

Escribe tres oraciones con la información de la tabla. Describe qué compraste, y dónde lo compraste. *(Say what you bought and where with the information from the chart.)*

Answers will vary: **El mes pasado fui a la zapatería cerca de mi casa y me compré unas sandalias muy bonitas. También fui a la librería y me compré un libro de ciencias. Antes de llegar a mi casa fui a una tienda de ropa y me compré una falda de cuadros que me gustó mucho.**

Step 3

Evaluate your writing using the information in the table.

Writing Criteria	Excellent	Good	Needs Work
Content	You have described what you bought and where.	You have escribed what you bought and where.	You have not described what you bought and where.
Communication	Most of your paragraph is clear.	Some of your paragraph is clear.	Your paragraph is not very clear.
Accuracy	You make few mistakes in grammar and vocabulary.	You make some mistakes in grammar and vocabulary.	You make many mistakes in grammar and vocabulary.

Escribir C

> ¡AVANZA! **Goal:** Write about fashion and shopping.

Step1

Completa la tabla. *(Complete the chart.)*

¿Qué compraste?	¿Dónde lo compraste?	¿Cómo es?
1. traje	1. tienda	1. negro
2. reloj	2. joyería	2. cara
3. gorra	3. tienda	3. azul
4. sandalias	4. zapatería	4. número nueve

Step 2

Usando la información de la tabla, describe en un párrafo de cuatro oraciones qué compraste en la tienda. Usa los verbos **importar** y **encantar**. También usa los pronombres y las preposiciones. *(Write a four-sentence paragraph.)* Answers will vary.

Ayer fui a la tienda de ropa y me compré un traje negro que me encantó.

A mí me importa mucho tener un traje. En esa tienda también me compré

una gorra azul que me queda bien con las sandalias que me compré en la

zapatería. Antes de ir a mi casa pasé por la joyería para comprarme un reloj.

Step 3

Evaluate your writing using the information in the table.

Writing Criteria	Excellent	Good	Needs Work
Content	You have fully described what you bought.	You have somewhat described what you bought.	You have not described what you bought.
Communication	Most of your paragraph is clear.	Some of your paragraph is clear.	Your paragraph is not very clear.
Accuracy	You make few mistakes in grammar and vocabulary.	You make some mistakes in grammar and vocabulary.	You make many mistakes in grammar and vocabulary.

Cultura A

¡AVANZA! **Goal:** Review cultural information about Puerto Rico.

1 **La cultura puertorriqueña** Une las palabras de la izquierda con la explicación de la derecha. *(Match the words or phrases with their explanations.)*

Timbaleros   Los españoles empezaron a construirlo en 1539

San Felipe del Morro   para defender la isla.

Tostones   Es una comida típica de Puerto Rico.

                              Son músicos que tocan los timbales.

2 **Ir de compras** Completa las siguientes oraciones. *(Complete the sentences.)*

restaurantes	Plaza las Américas	tiendas
cine	Jockey Plaza	

La _____Plaza las Américas_____ en Puerto Rico, es el centro comercial más

grande del Caribe. Tiene muchos almacenes y _____tiendas_____ para

comprar ropa. También se puede comer en sus _____restaurantes_____ .

_____Jockey Plaza_____ en Lima es el centro comercial más grande de Perú. Tiene un

_____cine_____ donde puedes ver películas.

3 **Puerto Rico y los puertorriqueños** Contesta las siguientes preguntas. *(Answer the following questions.)*

1. Los puertorriqueños se llaman «boricuas». ¿Por qué se llaman así?

   Answers will vary: **Se llaman así por el nombre taíno de la isla.**

2. ¿Qué es el Castillo de San Felipe del Morro hoy?

   Hoy es un museo turístico con artefactos históricos.

3. ¿Qué tipos de música puedes escuchar en Puerto Rico?

   Puedes escuchar plena, bomba, salsa y música folclórica.

Cultura B

> ¡AVANZA! **Goal:** Review cultural information about Puerto Rico.

1 **Puerto Rico** Contesta las preguntas. *(Answer the questions.)*

los timbales	Viejo San Juan	taínos	el Morro

1. ¿Cómo se llaman los indígenas de Puerto Rico? _____ taínos _____

2. ¿Cuál es el nombre del famoso castillo de Puerto Rico? _____ el Morro _____

3. ¿Qué instrumento de percusión es muy popular en Puerto Rico? _____ los timbales _____

4. ¿En qué parte de Puerto Rico se puede apreciar la arquitectura española?

   _____ en el Viejo San Juan _____

2 **El arte histórico** Completa el siguiente texto con la expresión correcta de la caja. *(Complete the text.)*

siglo XVIII	una persona	retratos
un artista	la ventana	

José Campeche es **1.** _____ un artista _____ puertorriqueño del

2. _____ siglo XVIII _____ . Él pintó muchos **3.** _____ retratos _____ de

figuras políticas. Este tipo de obra es un dibujo de **4.** _____ una persona _____ . En la

obra de la pàgina 150 del libro se puede ver parte de San Juan por

5. _____ la ventana _____ .

3 Describe el centro comercial Plaza Las Américas. ¿Qué puedes encontrar allí? Compara este centro comercial con un lugar donde te gusta ir de compras. *(Describe this mall and compare it with somewhere you like to shop.)*

_____ Answers will vary. _____

_____

_____

_____

_____

Cultura C

| ¡AVANZA! | **Goal:** Review cultural information about Puerto Rico. |

1 **Puerto Rico** Completa las siguientes oraciones con el vocabulario cultural apropiado. *(Complete the following sentences.)*

1. Los indios de Puerto Rico son los _____ taínos _____ .

2. En el Viejo _____ San Juan _____ hay mucha arquitectura de tipo español.

3. En Puerto Rico hay dos idiomas oficiales: _____ el español _____ y _____ el inglés _____ .

4. La plena, la bomba y la salsa son estilos de _____ música _____ .

5. Plaza las Américas es un _____ centro comercial _____ muy famoso en San Juan.

2 **El arte puertorriqueño** Contesta estas preguntas en oraciones completas. *(Answer in complete sentences.)*

1. ¿Qué tipo de arte hizo José Campeche?

   José Campeche hizo retratos de figuras políticas y obras religiosas.

2. ¿Qué hay en el retrato de la página 150 que pintó Campeche?

   Answers will vary.

3 **El centro comercial** Dibuja un mapa del centro comercial más cercano a tu casa. Incluye los diferentes tipos de tiendas como zapaterías, tiendas de ropa, etc. Después, compara este centro comercial con Plaza las Américas. Escribe dos o tres oraciones. *(Draw a map of a mall near you, labeling the different types of stores in Spanish. Then write sentences comparing it with Plaza las Américas.)*

Answers will vary.

_____

_____

_____

_____

UNIDAD 3
Lección 1 • Cultura C

Vocabulario A

¡AVANZA!	**Goal:** Talk about shopping in the marketplace.

1 Un amigo y tú visitan el mercado. De las dos palabras entre paréntesis, subraya la palabra que mejor completa cada oración. *(Underline the word that best completes the sentence.)*

1. Las esculturas hechas a mano son (<u>únicas</u> / baratas / finas).

2. (Los artículos / <u>Los retratos</u> / Las esculturas) son pinturas de personas.

3. Las artesanías bonitas y baratas son una (<u>ganga</u> / una pintura / de oro).

4. Aquí puedes comprar platos finos (de cuero / <u>de cerámica</u> / a mano).

5. Si regateas, puedes encontrar cosas (de piedra / <u>baratas</u> / gangas).

2 En el mercado, los vendedores hablan con muchas personas. Completa el diálogo con las palabras de la caja. *(Complete the dialogue.)*

madera	Con mucho gusto	Disculpe
No hay de qué	hecha a mano	Gracias

Jorge: ¡Buenos días! _____ Disculpe _____ , ¿podemos ver esa escultura?

Artesano: _____ Con mucho gusto _____ . Está _____ hecha a mano _____ .

Jorge: Es de _____ madera _____ muy fina. La voy a comprar.

Artesano: _____ Gracias _____ .

Jorge: ¡ _____ No hay de qué _____ !

3 ¿A ti te gustan las artesanías? Escribe una lista de las artesanías que te gustan. *(List the craft items you like.)* Answers will vary:

1. Me gustan las pulseras de plata.

2. Me gustan las esculturas de madera.

3. Me gustan las chaquetas de cuero.

Vocabulario B

> ¡AVANZA! **Goal:** Talk about shopping in the marketplace.

1 Nombra cuatro artículos que compras en el mercado. Para cada artículo escribe cómo es o de qué material es. *(Name four items you find at the market, and what they are made of.)*

1. un plato de cerámica

2. una escultura de piedra

3. una pulsera de plata

4. una pintura única

2 Ana habla de lo que vio en el mercado de artesanías. Completa las oraciones con las palabras del recuadro. *(Complete the sentences.)*

Hombre:	Disculpe , señora, ¿tiene usted esculturas de cerámica?
Vendedora:	Sí, Sí. Pase .
Hombre:	¿ Me deja ver aquélla?
Vendedora:	Con mucho gusto , señor. Aquí la tiene.
Hombre:	Es muy fina. Vi una como ésta en otro lugar.
Vendedora:	Pienso que no, señor. Ésta es única.
Hombre:	¡Perdóneme , señora! Tiene razón. Es más bella. ¿Cuánto cuesta?

Me deja ver
Disculpe
Con mucho
  gusto
Con permiso
Perdóneme
Pase

3 Estás en el mercado de artesanías. Escribe tres oraciones describiendo qué viste, usando el vocabulario de la lección. *(Describe what you saw at the handicrafts market.)*

Answers will vary: **En el mercado de artesanías vi artículos de piedra. Vi collares y pulseras de plata muy finas. También vi muchos artículos de cuero y de oro.**

UNIDAD 3
Lección 2 • Vocabulario B

Vocabulario C

¡AVANZA! **Goal:** Talk about shopping in the marketplace.

---

1 ¿Qué encontraste en el mercado? Escribe oraciones completas con las palabras de la caja. *(Write complete sentences with the words from the box.) Answers will vary:*

de madera	de plata	de cuero	de oro

1. un artículo **Encontré un artículo de madera muy bello.**

2. un collar **Compré un collar de plata para ti.**

3. unas sandalias **Vi unas sandalias de cuero pero no las compré.**

4. una pulsera **Compré una pulsera de oro para mi tía.**

2 Completa el texto. *(Complete the text.)*

Fui al mercado ayer con mi amiga. Encontré muchas _____gangas_____:

cosas muy bellas pero baratas. Compré una escultura fina hecha

_____a mano_____ por un buen artista. No hay otra como ésta: es

_____única_____. Otro artista pintó un _____retrato_____ de mi

amiga: ¡casi parece una foto de ella! ¡Tienes que venir al mercado!

3 Estás en un mercado de artesanías y quieres ver un artículo de plata. Escribe tu conversación con el vendedor. Usa las expresiones de cortesía. *(Write your conversation with a market seller using expressions of courtesy.)*

Tú: *Answers will vary:* **Disculpe, señor, ¿me deja ver esa pulsera**

de plata?

Vendedor: *Answers will vary:* **Con mucho gusto.**

Tu: *Answers will vary:* **Gracias por ayudarme. Es muy fina.**

Vendedor: *Answers will vary:* **De nada.**

Gramática A *Irregular Verbs in the Preterite*

> **¡AVANZA!** **Goal:** Discuss past events.

1 Luisa y unos amigos fueron al mercado de artesanías. Elige el verbo que mejor completa cada oración. *(Choose the verb that completes each sentence.)*

1. Luisa y yo (estuvieron / <u>estuvimos</u>) toda la tarde en el mercado de artesanías.

2. Luisa se (<u>puso</u> / puse) un suéter muy bonito.

3. Luisa y su hermana no (pudiste / <u>pudieron</u>) encontrar el collar que les gusta.

4. Tú también (tuve / <u>tuviste</u>) que ir a comprar un regalo.

5. Luisa y Miguel, ¿ustedes (pudieron / <u>supieron</u>) ayer de la fiesta?

) César y Andrea siempre hacen lo mismo que Inés, Gustavo y yo. Ayer fuimos al mercado de artesanías. Completa las oraciones. *(Complete the sentences.)*

1. Inés tuvo que irse temprano. César y Andrea también _____*tuvieron*_____ que irse

   temprano.

2. Inés, Gustavo y yo supimos cómo llegar. Andrea también _____*supo*_____ cómo llegar.

3. Inés se puso unos jeans azules. César y Andrea también ____*se pusieron*____ unos

   jeans azules.

4. Yo estuve muy contenta en el mercado de artesanías. César también _____*estuvo*_____

   muy contento en el mercado de artesanías.

5. Andrea pudo comprar una escultura, pero yo no _____*pude*_____ .

} Contesta las siguientes preguntas sobre tu vida con oraciones completas. *(Answer the following questions with complete sentences.)*

1. ¿Dónde estuvieron tú y tus amigos ayer?

   Answers will vary: **Estuvimos en la escuela ayer.**

2. ¿Pudiste hacer todas las tareas anoche?

   Answers will vary: **Sí (No, no) pude hacer todas las tareas anoche.**

3. ¿ Cuánto tiempo hace que tuviste un examen?

   Answers will vary: **Hace dos días que tuve un examen.**

Gramática B Irregular Verbs in the Preterite

> **¡AVANZA!** **Goal:** Discuss past events.

1 Completa el texto de abajo con las palabras de la caja. *(Complete the text.)*

Ayer, mi amiga Julia y yo **1.** __d__ juntas en un mercado de artesanías.

Ella **2.** __e__ que ir al mercado a comprarle un regalo a su madre. Yo

me **3.** __a__ una pulsera muy fina de oro pero no **4.** __c__ comprarla.

5. __b__ eso cuando el artesano me dijo el precio.

> a. puse
> b. supe
> c. pude
> d. estuvimos
> e. tuvo

2 Mis amigos y yo fuimos la semana pasada al mercado de artesanías. Escribe el verbo entre paréntesis en su forma correcta. *(Write the verb in parenthesis in its correct form.)*

1. Carlos _____estuvo_____ toda la tarde buscando un retrato de Cleopatra. (estar)

2. Carlos y Néstor no _____pudieron_____ caminar mucho. (poder)

3. Yo _____tuve_____ que regatear para comprarme una pulsera de plata. (tener)

4. Carlos y yo no _____supimos_____ qué regalo comprarle a Luis. (saber)

5. Carlos se _____puso_____ muy contento cuando encontró el retrato. (poner)

3 ¿Cuánto tiempo hace que ocurrieron estas cosas? Escribe oraciones completas. *(Write complete sentences.)*

modelo: Manuel / un año / ir al gimnasio

Hace un año que Manuel fue al gimnasio.

1. Carla y yo / tres meses / ir a Puerto Rico.

Hace tres meses que Carla y yo fuimos a Puerto Rico.

2. Tú / una semana / estar enfermo.

Hace una semana que tú estuviste enfermo.

3. Eduardo / cinco minutos / saber del examen.

Hace cinco minutos que Eduardo supo del examen.

4. Yo / dos horas / poner mi abrigo / cama

Hace dos horas que puse mi abrigo en la cama.

UNIDAD 3 • Gramática B
Lección 2

Gramática C *Irregular Verbs in the Preterite*

> ¡AVANZA! **Goal:** Discuss past events.

1 Usa la forma correcta del verbo en parentesis. *(Use the correct form of the verb to complete the sentences.)*

1. Nosotros no ___pudimos___ comer nada en todo el día. (poder)

2. Andrés no ___supo___ comprar una escultura para regalarle a Juan. (saber)

3. Por fin, ellos ___supieron___ dónde comprar pinturas bellas. (saber)

4. ¡Nosotros ___tuvimos___ que irnos porque era de noche! (tener)

2 Un detective le pregunta al señor López, un artesano, sobre lo que pasó hoy en el mercado. Completa la conversación con los verbos: **estar, poner, poder, tener** y **saber** en el pretérito. *(Complete the conversation.)*

Detective: Disculpe, señor, pero ¿dónde **1.** ___estuvo___ usted esta tarde?

Señor López: **2.** ___Estuve___ en casa. **3.** ___Tuve___ que limpiarla.

Detective: Entonces, ¿usted no **4.** ___tuvo___ que trabajar?

Señor López: No, no **5.** ___pude___ trabajar hoy. No, **6.** ___tuve___ el tiempo.

Detective: Y, **7.** ¿___supo___ usted lo que pasó en el mercado hoy?

Señor López: Sí, qué terrible. Una persona se **8.** ___puso___ una máscara, entró corriendo y escapó con mucho dinero del mercado. Los artesanos no **9.** ___pudieron___ ver su cara.

3 Contesta las preguntas en oraciones completas. *(Answer the questions in complete sentences.)*

1. ¿Cuánto tiempo hace que fuiste a tu primera clase de arte?

Answers will vary: **Hace seis años que fui a mi primera clase de arte.**

2. ¿Cuánto tiempo hace que pudiste salir solo(a) por primera vez?

Answers will vary: **Hace cinco años que pude salir solo(a) por primera vez.**

3. ¿Estuviste en la clase de español ayer?

Answers will vary: **No, ayer no estuve en la clase de español.**

Gramática A Preterite of –ir Stem-Changing Verbs

Level 2, pp. 178-180

> **¡AVANZA!** **Goal:** Use the preterite to talk about things that the teens did.

1 Cada uno de los tres amigos hizo tres cosas este fin de semana. Coloca los nombres correspondientes para completar cada oración. *(Match the names and the sentences.)*

a. Miguel

b. Marcelo y Silvia

<u> b </u> pidieron pizza.

<u> b </u> prefirieron estar en casa.

<u> a </u> se vistió con el uniforme del equipo.

<u> b </u> se durmieron temprano.

<u> a </u> compitió en el campeonato.

<u> a </u> pidió un autógrafo a su jugador preferido.

2 Todos tuvimos cosas que hacer la semana pasada. Escribe la forma apropiada del verbo entre paréntesis. *(Write the correct form of the verb in parenthesis.)*

1. Lucas _____ prefirió _____ ir a ver artesanías. (preferir)

2. Clara y Marcos _____ siguieron _____ estudiando para el examen. (seguir)

3. Mis amigos _____ sirvieron _____ pescado en la cena. (servir)

4. A Lucio no le gustó la cena y _____ pidió _____ una pizza. (pedir)

5. El domingo pasado, Olga se _____ durmió _____ temprano. (dormir)

3 Escribe dos oraciones con lo que un amigo tenía que hacer la semana pasada y no hizo. Luego, escribe lo que prefirió hacer. *(Write what your friend preferred to do instead.)*

<u>Answers will vary</u>: **Pedro tenía que hacer ejercicio la semana pasada, pero no**

fue al gimnasio. Él prefirió ir a la cafetería. Pedro también tenía que ir a la

fiesta, pero no fue. Se durmió.

Gramática B   Preterite of –ir Stem-Changing Verbs

> **¡AVANZA!** **Goal:** Use the preterite to talk about things the teens did.

1 Completa las oraciones con la forma correcta del verbo. *(Complete the sentences with the appropiate form of the verb.)*

1. En la cena, Ana _____pidió_____ pescado. (pedir)

2. El camarero le _____sirvió_____ pollo. (servir)

3. Yo no _____dormí_____ bien anoche. (dormir)

4. Gisela y yo _____nos vestimos_____ de rojo ayer. (vestirse)

5. ¿Ustedes _____compitieron_____ en el campeonato? (competir)

6. Ellos _____siguieron_____ el camino. (seguir)

2 Cuenta lo que hicieron estas personas. Usa el pretérito de los verbos. *(Describe what they did using the preterite.)*

1. Martina y Nicolás / dormirse temprano.

   Martina y Nicolás se durmieron temprano.

2. Jaime / vestirse para salir con Sonia.

   Jaime se vistió para salir con Sonia.

3. Rafael y Santiago / competir en el campeonato de fútbol.

   Rafael y Santiago compitieron en el campeonato de fútbol.

4. María y Ernesto / servir pescado en su cena.

   María y Ernesto sirvieron pescado en su cena.

3 Escribe dos cosas que tus amigos(as) tenían que hacer la semana pasada y no hicieron. Luego, escribe lo que prefirieron hacer. *(Write what your friends had to do but did not do. Then write what they preferred to do instead.)*

1. *Answers will vary:* **Juan y Alejandra tenían que estudiar pero no estudiaron. Ellos prefirieron salir de compras.**

2. *Answers will vary:* **Rubén y Sonia no compitieron en el campeonato. Ellos prefirieron ver la televisión.**

Gramática C *Preterite of –ir Stem-Changing Verbs*

Level 2, pp. 178-180

> **¡AVANZA!** **Goal:** Use the preterite to talk about things that the teens did.

❶ Completa el siguiente texto con la forma correcta de los verbos. *(Complete the text with the correct form of the verb.)*

A Aníbal y Camila les encanta salir, pero el sábado pasado ellos

1. _____prefirieron_____ estar en casa. Ellos se

2. _____vistieron_____ para dormir, **3.** _____pidieron_____

una pizza y vieron unas películas. Después se

4. _____durmieron_____ temprano.

pedir
vestir
preferir
dormir

❷ Escribe oraciones completas sobre las cosas que hicieron los chicos. Usa las palabras de los recuadros. *(Write complete sentences using the words from the boxes.)*

Andrés y Teresa	preferir	partido de fútbol
Lucas	pedir	doce horas
Yo	seguir	dieta balanceada
Tú	dormir	pizza

1. *Answers will vary:* **Andrés y Teresa pidieron una pizza.** _____

2. *Answers will vary:* **Lucas prefirió un partido de fútbol.** _____

3. *Answers will vary:* **Yo seguí una dieta balanceada.** _____

4. *Answers will vary:* **Tú dormiste doce horas ayer.** _____

❸ Escribe cuatro oraciones con las cosas que tus amigos(as) hicieron la semana pasada. Debes usar los verbos de la caja. *(Write four sentences using these verbs.)*

vestirse	pedir	competir	dormir	preferir

1. *Answers will vary:* **Mario y Raquel le pidieron un favor a Antonio.** _____

2. *Answers will vary:* **Elena se vistió con unos jeans negros muy lindos.** _____

3. *Answers will vary:* **Tara durmió en su cuarto pero yo preferí el sofá.** _____

4. *Answers will vary:* **Miguel y Yasnanhia compitieron en un juego de Scrabble.** _____

Integración: Hablar

En la ciudad donde vive Jorge hay un mercado de artesanías. A Jorge le encantan los artículos de artesanía. Pudo ir un día para comprar regalos para su familia. *(Jorge loves handicrafts and went to a market to buy gifts.)*

Fuente 1 Leer

Lee la publicidad del mercado de artesanías. *(Read the craft market ad.)*

Mercado de artesanías

♫

¿Quieres comprar las artesanías más bellas y más baratas de San Juan?

Tienes que venir al gran mercado de artesanías.

Puedes comprar esculturas, pinturas, retratos, anillos, pulseras y collares. ¡Todo es hecho a mano! Los precios son muy buenos: ¡todo es una ganga! Este sábado está abierto. Puedes comprar regalos para tu familia y tus amigos.

¡Te va a encantar!

Fuente 2 Escuchar   *WB CD 02 track 12*

Escucha el mensaje que le dejó Jorge a su hermana en el celular. Toma apuntes. *(Listen to Jorge's message and take notes.)*

_____

_____

_____

_____

Hablar

¿Qué artículos compró Jorge para su familia? ¿Tuvo que pagar mucho? ¿Por qué? *(What did Jorge buy?)*

Modelo: Para su abuela Jorge compró... Para su hermana prefirió...

Answers will vary: **Para su abuela compró una pulsera de plata bella y única. Para su hermana prefirió comprar unos aretes de plata. No tuvo que pagar mucho porque pudo regatear.**

Integración: Escribir

A Victoria y Fátima les gustan mucho las artesanías. Mientras estaban de vacaciones en diferentes países, compraron muchas artesanías. Al regresar, se enviaron mensajes para hablar de las cosas que encontraron. *(Victoria and Fátima exchange messages about the handicrafts they bought while on their vacations.)*

Fuente 1 Leer.

Lee el correo electrónico que Victoria le escribió a Fátima. *(Read the e-mail.)*

De: Victoria   A: Fátima

Tema: Compras de artesanías

Querida Fátima,

Durante mis vacaciones fui con mi hermana al mercado de artesanías de San Juan. Siempre quiere ir cuando estamos allí. Por eso, se durmió temprano en la noche y pudo levantarse a las seis de la mañana; a ella le gusta ir de compras temprano al mercado. Hay muchos lugares donde puedes comprar diferentes cosas. Yo compré una escultura de metal hecha a mano. La compré muy barata; ¡fue una ganga! También pude comprar unas sandalias de cuero, pero tuve que regatear mucho. Son únicas y hechas a mano. También compré un collar, una pulsera y un anillo muy bonitos.

¿Y tú? ¿Fuiste también al mercado?

Victoria

Fuente 2 Escuchar   *WB CD 02 track 14*

Escucha el mensaje que le dejó Fátima a Victoria. Toma apuntes. *(Listen to Fátima's message and take notes.)*

_____
_____
_____

Escribir

¿Qué cosas compraron Fátima y Victoria? ¿Pudieron regatear? *(What did they buy, and could they bargain?)*

modelo: Las dos compraron... Pero Victoria compró unas...

Answers will vary: **Las dos compraron un anillo, una pulsera y un collar.**

Pero Victoria tuvo que regatear para comprar unas sandalias de cuero

únicas, hechas a mano. Fátima también pudo regatear para sus artículos.

Compró muchos regalos, como artículos de cerámica y un retrato.

Escuchar A

> **¡AVANZA!** **Goal:** Listen to people talk about purchases in a crafts market.

1 Escucha a Carmen. Luego, marca con una cruz las cosas que ella compró. (*Check the things Carmen bought.*)

_x_ una escultura de metal	____ una pintura
____ un artículo de cerámica	____ una pulsera de oro
____ unas sandalias de cuero	_x_ un collar de piedras
_x_ una pulsera de plata	_x_ un retrato

2 Escucha a Blanca. Luego, contesta las preguntas. (*Answer the questions.*)

1. ¿Qué le dio la hija de Blanca a su mamá?

La hija de Blanca le dio una escultura.

2. ¿Cuánto tiempo hace que Blanca quiere una nueva escultura?

Hace muchos años que la mamá de Carmen quiere una nueva escultura.

3. ¿Dónde puso Blanca la escultura de metal?

Blanca puso la escultura en el piso, delante de la ventana.

4. ¿Pidió la mamá de Carmen ese regalo?

No, ella no pidió ese regalo. Fue una sorpresa.

Escuchar B

> ¡AVANZA! **Goal:** Listen to people talk about purchases in a crafts market.

1 Escucha a Norma. Luego, lee las oraciones y contesta **cierto** o **falso**. *(Answer true or false.)*

C (F)   **1.** A Norma no le gusta ir al mercado de artesanías.

(C) F   **2.** Hace cinco años que Norma va al mercado.

C (F)   **3.** La amiga de Norma se durmió muy tarde.

(C) F   **4.** Norma no pudo llegar temprano al mercado, pero su amiga sí.

C (F)   **5.** Norma vive cerca del mercado de artesanías.

2 Escucha a Alicia. Luego, contesta las preguntas. *(Listen and answer the questions.)*

1. ¿Qué no tuvo que hacer Alicia? ¿Por qué?

Alicia no tuvo que pagar mucho porque encontró precios bajos.

2. ¿A qué tipo de artículo es difícil ponerle precio?

Es difícil ponerle precio a un artículo único, hecho a mano.

3. ¿Cuál fue la ganga que encontró Alicia?

Alicia encontró una hermosa pulsera de plata a un precio bajo.

4. ¿Cuánto tiempo hace que Alicia conoce al vendedor?

Hace más de siete años que Alicia lo conoce.

Unidad 3, Lección 2
Escuchar B

134

¡Avancemos! 2
Cuaderno: Práctica por niveles

UNIDAD 3 • Escuchar B
Lección 2

Escuchar C

> ¡AVANZA! **Goal:** Listen to people talk about purchases in a crafts market.

1 Escucha a Ramiro y decide si las siguientes oraciones son ciertas o falsas. Corrige las falsas. *(Decide if the statements are true or false, then correct the false statements.)*

1. Ramiro vende artesanías en el mercado. C _____

_____

2. Hace más de treinta años que empezó a trabajar allí. C _____

_____

3. Estudió con un maestro. F   Su papá le enseñó. _____

_____

4. Primero aprendió a hacer esculturas de piedra. F   Primero aprendió a hacer

esculturas de madera. _____

5. Después empezó a hacer artículos de cuero. C _____

_____

6. Su hija lo ayuda. C _____

_____

7. ¡Su hija ya lo hace todo mejor que él! F   Un día va a hacerlo todo mejor.

2 Escucha el diálogo entre Ramiro y un cliente. Luego, contesta las preguntas con oraciones completas. *(Answer the questions in complete sentences.)*

1. ¿Conoce Ramiro a la chica? ¿Cómo sabes?

No, no la conoce. Le dice «Señorita» (no sabe su nombre) y usa la forma

de usted.

2. ¿Qué hizo la chica? ¿Cuándo lo supo?

Ella salió de la tienda con una gorra de cuero y no pagó. Lo supo cuando

llegó a casa.

3. ¿Por qué volvió la chica a la tienda? ¿Por qué no volvió ayer?

Volvió para darle el dinero al vendedor. No tuvo tiempo ayer.

4. ¿Piensas que está enojado Ramiro? ¿Por qué?

Creo que no, porque la chica fue honesta y le pagó el dinero.

Leer A

> **¡AVANZA!** **Goal:** Read about things that happened at the crafts market.

Éste es un correo electrónico que Mónica escribió a sus amigos.

¡Hola chicos!

Hace tres semanas que supe que hay un mercado de artesanías cerca de mi casa. ¿Quién supo esto antes que yo? ¿Por qué no dijeron nada?

Finalmente, pude ir ayer con mi prima. ¡No saben todo lo que compré!

Hay un señor que vende unas pulseras muy finas. Tiene de oro y de plata, pero yo preferí de plata... me gusta más. También compré ropa hecha a mano.

Anoche, me puse todo para la fiesta de Lucas. Pero vi que muchas chicas se vistieron como yo. Me parece que las artesanías están de moda.

Besos,

Mónica

¿Comprendiste?

Lee el correo de Mónica. Luego, contesta **cierto** o **falso**. *(Answer true or false.)*

C (F) **1.** Mónica supo siempre que hay un mercado de artesanías cerca de su casa.

C (F) **2.** Mónica fue con amigas al mercado.

(C) F **3.** Mónica prefirió las joyas de plata.

(C) F **4.** Es posible comprar ropa en el mercado de artesanías.

(C) F **5.** Muchas chicas compraron ropa hecha a mano.

¿Qué piensas?

1. ¿Alguna vez tuviste ropa única?

   Answers will vary: **Sí, hace dos años compré ropa de artesanía.**

2. ¿Te gustan las artesanías? ¿Por qué?

   Answers will vary: **Sí, me gustan las artesanías. Porque me gusta tener**

   cosas que son únicas.

Leer B

> ¡AVANZA! **Goal:** Read about things that happened at the crafts market.

Un vendedor salió por unos minutos. Cuando volvió, encontró esta nota.

Señor vendedor:

Perdóneme. Hace diez minutos que quiero hablar con usted, pero usted no vuelve y yo tengo que ir a casa. Entré a ver sus esculturas y no encontré a nadie. No vi la escultura de cerámica detrás de la mesa y la moví con los pies cuando entré. ¡Se rompió! (it broke.)

Por favor, perdóneme. Aquí está mi teléfono. Yo le doy el dinero de la escultura y quiero comprar muchas más.

Señor Ordóñez

787-555-0000

¿Comprendiste?

Contesta las preguntas con oraciones completas. *(Answer the questions in complete sentences.)*

1. ¿Cuánto tiempo hace que el señor Ordóñez espera al vendedor?

   Hace diez minutos que el señor Ordóñez espera al vendedor.

2. ¿Para qué esperó el señor Ordóñez al vendedor?

   El señor Ordóñez esperó al vendedor para hablar con él personalmente.

3. ¿Cómo movió el señor Ordóñez la escultura?

   El señor Ordóñez no vio la escultura y la movió con los pies.

4. ¿Qué quiere dar el señor Ordóñez al vendedor?

   El señor Ordóñez quiere darle al vendedor el dinero de la escultura.

¿Qué piensas?

1. ¿Alguna vez tus padres tuvieron esculturas únicas en casa? ¿Por qué?

   Answers will vary: **Sí, mis padres siempre tuvieron esculturas únicas porque les gustan las cosas hechas a mano.**

2. ¿Qué material piensas que es mejor para hacer una escultura?

   Answers will vary: **Creo que el mejor material para hacer una escultura es el metal.**

Leer C

> ¡AVANZA! **Goal:** Read about things that happened at the crafts market.

Esta es una carta de un vendedor.

Un artesano pide ayuda

Queridos amigos:

Mi nombre es Raúl,y soy un vendedor del mercado de artesanías. Hace veinte años que vendo mis artículos únicos en el mercado.

Muchas veces, las personas me pidieron mi ayuda, pero ahora soy yo el que les pide ayuda.

Hace unos meses que no vendo mucho, y ahora tengo que cerrar.

Yo les pido a todos esta ayuda: puse todos los artículos de joyería muy baratos. Si van a comprar, con mucho gusto vendo dos al precio de uno. ¡Es una ganga!

¡Gracias!

Raúl

¿Comprendiste?

Lee la carta de Raúl. Luego, completa las siguientes oraciones: *(Complete the sentences.)*

1. ¿Qué hace Raúl en el mercado de artesanías? <u>Raúl es un vendedor en el mercado.</u>

2. ¿Cuánto tiempo tiene Raúl trabajando en el mercado de artesanías? <u>Raúl tiene</u>

   <u>veinte años trabajando en el mercado de artesanías.</u>

3. ¿Por qué Raúl tiene que cerrar? <u>Raúl tiene que cerrar porque hace</u>

   <u>mucho tiempo que no vende mucho.</u>

4. ¿Qué artículos puso Raúl baratos? <u>Raúl puso todos los artículos de joyería baratos.</u>

¿Qué piensas?

1. ¿Piensa que todos los vendedores tuvieron problemas? ¿Por qué? *Answers will vary:*

   <u>Sí, pienso que todos los vendedores tuvieron problemas porque la gente</u>

   <u>nunca supo el precio verdadero de las artesanías.</u>

2. En tu opinión, ¿que tienen que hacer las personas para ayudar a los vendedores?

   <u>Pienso que las personas tienen que comprar más artículos de artesanía.</u>

Escribir A

> **¡AVANZA!** **Goal:** Write about the crafts market.

Step 1

Escribe una lista de artesanías que te interesan. *(Write a list of crafts.)* Answers will vary:

1. escultura

3. joyas

2. pulsera

4. pintura

Clasifica tu lista en la tabla. *(Classify your list.)*

de madera	de metal	hecho a mano
1. escultura	1. pulsera	1. pintura
2. silla	2. joyas	2. cerámica

Step 2

Usando la lista de arriba, escribe tres oraciones sobre las artesanías que prefieres. Usa **barato, fino, único**. *(With the list above, write three sentences.)* Answers will vary:

Yo prefiero las esculturas de madera porque son baratas.

Yo prefiero las joyas de plata porque son finas.

Yo prefiero las pinturas hechas a mano porque son únicas.

Step 3

Evaluate your writing using the information in the table.

Writing Criteria	Excellent	Good	Needs Work
Content	You have listed your favorite handicrafts.	You have listed your somewhat favorite handicrafts.	You have not listed any of your favorite handicrafts.
Communication	Most of your response is clear.	Some of your response is clear.	Your response is not very clear.
Accuracy	You make few mistakes in grammar and vocabulary.	You make some mistakes in grammar and vocabulary.	You make many mistakes in grammar and vocabulary.

Escribir B

> **¡AVANZA!** **Goal:** Write about the crafts market.

Step 1

Completa la tabla. (*Complete the chart.*)

Artesanías para mirar	Artesanías para ponerse
1. escultura	1. pulsera
2. pintura	2. chaqueta
3. retrato	3. sandalias
4. cerámica	4. aretes

Step 2

Escribe un texto de cuatro oraciones para decir qué hiciste y qué compraste en el mercado de artesanías. Usa la tabla y verbos en el pretérito. (*Write about what you did when you went to a handicrafts market.*) Answers will vary:

Hace un año que fui a un mercado de artesanías y compré pulseras de oro,

de plata y de piedras. También compré unas sandalias y una chaqueta de

cuero muy bonitas. Compré dos pinturas únicas, una para mí y otra para mi

mamá. Tuve que regatear mucho: ¡preferí no pagar los precios originales!

Step 3

Evaluate your writing using the information in the table.

Writing Criteria	Excellent	Good	Needs Work
Content	You completely described what you did and bought at the market.	You somewhat described what you did and bought at the market.	You did not describe what you did and bought at the market.
Communication	Most of your response is clear.	Some of your response is clear.	Your response is not very clear.
Accuracy	You make few mistakes in grammar and vocabulary.	You make some mistakes in grammar and vocabulary.	You make many mistakes in grammar and vocabulary.

Escribir C

> **¡AVANZA!** **Goal:** Write about the crafts market.

Step 1

Completa la tabla con las cosas que compraron todos en un mercado de artesanías. *(Write about what everyone bought.)* *Answers will vary:*

Tu familia	Tus amigos	Tú
1. platos de cerámica	1. chaqueta de cuero	1. sombrero de cuero
2. esculturas de piedra	2. pulsera de piedras	2. pulsera de oro
3. joyas de plata	3. sandalias de cuero	3. collares de plata

Step 2

En un texto de cinco oraciones describe qué compraron tu familia, tus amigos, y tú en un mercado de artesanías. Usa la tabla y verbos del pretérito. *(Write about the crafts you bought.)* *Answers will vary:*

Hace una semana fuimos a un mercado de artesanías cerca de mi casa.

Vimos artículos muy bonitos y muy baratos. Compré collares de plata,

una pulsera de oro y un sombrero de cuero. Mi familia compró platos de

cerámica, esculturas de piedra y joyas de plata. Mis amigos prefirieron

comprar pulseras de piedras, chaquetas y sandalias de cuero.

Step 3

Evaluate your writing using the information in the table.

Writing Criteria	Excellent	Good	Needs Work
Content	You described in detail what everyone bought.	You somewhat described what everyone bought.	You did not describe what everyone bought.
Communication	Most of your response is clear.	Some of your response is clear.	Your response is not very clear.
Accuracy	You make few mistakes in grammar and vocabulary.	You make some mistakes in grammar and vocabulary.	You make many mistakes in grammar and vocabulary.

Cultura A

| ¡AVANZA! | **Goal:** Review cultural information about Puerto Rico. |

1 **Puerto Rico** Lee las siguientes oraciones sobre la cultura puertorriqueña y contesta **cierto** o **falso**. *(Circle true or false.)*

Ⓒ F **1.** Puerto Rico es una isla del Caribe.

Ⓒ F **2.** En Puerto Rico hay muchos festivales y desfiles donde puedes escuchar diferentes estilos de música.

Ⓒ F **3.** Las máscaras de los vejigantes son ejemplos de artesanías puertorriqueñas.

C Ⓕ **4.** Las parrandas navideñas son desfiles durante el verano.

C Ⓕ **5.** Los timbaleros son músicos que tocan la guitarra.

2 **Los vejigantes** Completa las siguientes oraciones. *(Complete the following sentences.)*

1. Los vejigantes aparecen en los (carnavales / estadios) de Puerto Rico.

2. Los vejigantes llevan (máscaras / sombreros).

3. Las máscaras pueden ser de papel maché o de (cáscaras de plátano / cáscaras de coco).

4. Durante los desfiles de vejigantes los músicos tocan la (salsa / bomba).

3 **Celebraciones de Puerto Rico** Escribe por lo menos tres oraciones sobre cómo se parecen o se diferencian las parrandas y las fiestas de vejigantes. *(Write at least three sentences comparing* **parrandas** *and* **vejigante** *celebrations.)*

Answers will vary: **En las fiestas de los vejigantes tocan mucha música y bailan. En las parrandas también tocan música y cantan, pero son canciones navideñas. Los vejigantes desfilan por las calles y dan miedo a las personas; en las parrandas hay grupos de personas que hacen asaltos navideños a casas de familias.**

Cultura B

> **¡AVANZA!** **Goal:** Review cultural information about Puerto Rico.

1 **Puerto Rico** Completa las oraciones sobre Puerto Rico y su cultura. *(Complete the sentences about Puerto Rico and its culture.)*

1. La capital de Puerto Rico es _____ San Juan _____ .

2. Una comida típica de Puerto Rico son _____ *Answers will vary:* **los tostones** _____ .

3. Una artesanía que identifica a Puerto Rico es _____ *la máscara del vejigante* _____ .

4. La bomba es un baile puertorriqueño de origen _____ *africano* _____ .

2 **Las parrandas** Las parrandas son una tradición puertorriqueña y se celebran durante la Navidad. Explica en orden cronológico qué pasa desde que empieza hasta que termina. *(Explain, in order, what happens during a Puerto Rican* **parranda**.*)*

Primero *Answers will vary:* **las personas forman un grupo** .

Luego *caminan por las calles y tocan y cantan canciones navideñas* .

Entonces *van a la casa de un amigo para hacer un asalto* .

También *celebran y comen con la familia de la casa* .

Después *todos salen para hacer otro asalto navideño* .

3 **Las artesanías de Puerto Rico y Panamá** Describe con oraciones completas las artesanías de Puerto Rico y Panamá. Luego describe un tipo de artesanía de los Estados Unidos. *(Describe with complete sentences the Puerto Rican and Panamanian crafts. Then, describe a handicraft from the United States.)*

PUERTO RICO las casitas	PANAMÁ las molas	ESTADOS UNIDOS _____

Cultura C

> **¡AVANZA!** **Goal:** Review cultural information about Puerto Rico.

1 **Los vejigantes** Completa estas oraciones. (*Complete the sentences.*)

1. Las máscaras de los vejigantes son una _____ artesanía _____ típica de Puerto Rico.

2. Las·máscaras son hechas de papel maché o de _cáscaras de coco_ .

3. Durante los desfiles, los vejigantes tratan de dar _____ miedo _____ a las personas.

4. La música que se toca con los vejigantes se llama _____ bomba _____ .

2 **Las artesanías** Estás de vacaciones en Puerto Rico y quieres comprar regalos únicos para tres personas que conoces. Escribe cinco oraciones y describe un viaje al Viejo San Juan para comprar artesanías. Compras una **máscara de vejigante**, una **talla** y una **casita**. Describe cada una. ¿Cuánto cuesta cada una? ¿Para quién es? ¿Por qué? (*You are in* Viejo San Juan *and want to buy three traditional handicrafts to give as gifts. Describe your trip and each item. Tell whom you give the items to and why.*)

Answers will vary.

_____

_____

_____

_____

_____

_____

3 **Las parrandas** Las parrandas se celebran durante la Navidad en Puerto Rico. Inventa una canción original para una parranda. Escribe como mínimo cinco líneas. Recuerda que las canciones deben despertar a una familia y con ella pueden pedir comida y bebida. (*Write your own* **parranda** *song with at least five lines.*)

Answers will vary.

_____

_____

_____

_____

_____

Comparación cultural:
¡Me encanta ir de compras!

Level 2, pp. 190-191

Lectura y escritura

After reading the paragraphs about the shopping trips of Marcos, Juanita, and Valeria, write a paragraph about your shopping trip. Use the information on your flow chart to write sentences, and then write a paragraph that describes your shopping trip.

Step 1

Complete the flow chart describing as many details as you can about your shopping trip.

Dónde → Qué / para quién → Resultado

Step 2

Now take the details from the flow chart and write a sentence for each topic on the flow chart.

_____

_____

_____

_____

_____

Comparación cultural:
¡Me encanta ir de compras!

Level 2, pp. 190-191

Lectura y escritura (continued)

Step 3

Now write your paragraph using the sentences you wrote as a guide. Include an introduction sentence and use the verbs **gustar, encantar,** and **quedar** to write about your shopping trip.

_____

_____

_____

_____

_____

_____

_____

Checklist

Be sure that…

☐ all the details of your shopping trip from your flow chart are included in the paragraph;

☐ you use details to describe each aspect of your shopping trip;

☐ you include new vocabulary words and the verbs **gustar, encantar,** and **quedar**.

Rubric

Evaluate your writing using the rubric below.

Writing criteria	Excellent	Good	Needs Work
Content	Your description includes many details about your shopping trip.	Your description includes some details about your shopping trip.	Your description includes few details about your shopping trip.
Communication	Most of your description is organized and easy to follow.	Parts of your description are organized and easy to follow.	Your paragraph is description and hard to follow.
Accuracy	Your description has few mistakes in grammar and vocabulary.	Your description has some mistakes in grammar and vocabulary.	Your description has many mistakes in grammar and vocabulary.

146
Unidad 3
Comparación cultural: ¡Me encanta ir de compras!

¡Avancemos! 2
Cuaderno: Práctica por niveles

Comparación cultural: ¡Me encanta ir de compras!

Level 2, pp. 190-191

Compara con tu mundo

Now write a comparison about your shopping trip and that of one of the three students from page 191. Organize your comparison by topics. First, compare the places you shopped, then what you bought and for whom, and lastly the reactions or results of your purchases.

Step 1

Use the chart to organize your comparison by topics. Write details for each topic about your shopping trip and that of the student you chose.

	Mi día de compras	El día de compras de _____
Lugar(es)		
Compras		
¿Para quién(es)?		
Reacciones / resultados		

Step 2

Now use the details from the chart to write a comparison. Include an introduction sentence and write about each topic. Use the verbs **gustar, encantar,** and **quedar** to describe your shopping trip and that of the student you chose.

_____

_____

_____

_____

_____

_____

UNIDAD 3 • Comparación cultural
Lección 2

Vocabulario A

| ¡AVANZA! | **Goal:** Narrate past events and activities in a story. |

1 Las leyendas son muy divertidas. Subraya la palabra que mejor completa cada oración. *(Underline the correct word.)*

1. Vamos a contar (una leyenda / una montaña / un dios).

2. Había una vez una princesa, (la narración / la guerra / la heroína) de nuestra historia.

3. El ejército pelea en (un mensaje / una batalla / un volcán).

4. El héroe está (valiente / enamorado / ejército) de la heroína.

5. El enemigo (transforma / lleva / pelea) con el guerrero.

2 Pedro habla de una leyenda. Completa las oraciones con la palabra correcta de la caja. *(Complete the sentences.)*

se casan	pelea	la guerra	tiene celos
cuenta	los personajes	hermosa	valiente

1. Una narración _____ cuenta _____ una historia.

2. La gente en una narración se llama _____ los personajes _____ .

3. La princesa es muy _____ hermosa _____ ; ella es bella.

4. El guerrero es muy _____ valiente _____ .

5. El enemigo _____ tiene celos _____ del guerrero.

6. Entonces, el enemigo _____ pelea _____ con el ejército del emperador.

7. _____ La guerra _____ termina cuando un ejército gana la batalla final.

8. Al final, el héroe y la heroína _____ se casan _____ .

3 Contesta las siguientes preguntas con tu propia opinión en una oración completa.

1. ¿Cómo debe ser un guerrero?

   Answers will vary: **Un guerrero debe ser valiente.** _____

2. ¿Por qué?

   Answers will vary: **Porque un guerrero siempre pelea en batallas.** _____

Unidad 4, Lección 1
Vocabulario A

148

¡Avancemos! 2
Cuaderno: Práctica por niveles

UNIDAD 4 • Vocabulario A
Lección 1

Vocabulario B

┌───┐
│ ¡AVANZA! **Goal:** Narrate past events and activities in a story. │
└───┘

1 Todos los personajes tienen distintas características. Coloca en la columna de la izquierda las cosas positivas y en la derecha las negativas. *(Classify the positive and negative items.)*

enemigo	celos	morir	pelear
valiente	hermosa	heroico	queridos

Lo positivo

1. *Order will vary:* **valiente**
2. *Order will vary:* **heroico**
3. *Order will vary:* **hermosa**
4. *Order will vary:* **queridos**

Lo negativo

1. *Order will vary:* **enemigo**
2. *Order will vary:* **morir**
3. *Order will vary:* **celos**
4. *Order will vary:* **pelear**

2 Las leyendas nos llevan a lugares fantásticos. Escribe la palabra correcta para cada definición. *(Write the correct word for each definition.)*

1. Una narración histórica: _____ una leyenda _____
2. El héroe, la heroína y el enemigo de una leyenda: _____ los personajes _____
3. Lo que aprendes al final de la narración: _____ el mensaje _____
4. Volver: _____ regresar _____
5. Donde viven las personas nobles y ricas: _____ el palacio _____
6. Lo hace una persona cuando está triste: _____ llorar _____

3 Escribe dos oraciones completas para decir cuál es tu héroe preferido y por qué. *(Describe your favorite hero.)*

Answers will vary: **Mi héroe preferido es Superman porque es**

fuerte, rápido y heroico. Pelea con muchos enemigos muy peligrosos.

_____

_____

_____

Vocabulario C

> **¡AVANZA!** **Goal:** Narrate past events and activities in a story.

1 ¿Conoces alguna leyenda? Subraya la palabra que no está relacionada con cada serie. (*Underline the word that doesn't belong.*)

1. la guerra / el ejército / <u>hace muchos siglos</u> / la batalla / el guerrero

2. la heroína / <u>el palacio</u> / la princesa azteca / querida / la joven

3. una narración histórica / una leyenda / había una vez / contar / <u>llevar</u>

4. los personajes / el héroe / valiente / <u>los volcanes</u> / un guerrero

2 Antes de escuchar una leyenda, tienes que saber qué significa cada cosa. Completa las oraciones. (*Complete the definitions.*)

1. Un palacio es *Answers will vary*: **el lugar donde vive el emperador.**

2. Un guerrero es *Answers will vary*: **un hombre que pelea en las batallas.**

3. Un héroe es *Answers will vary*: **el personaje principal de una leyenda.**

4. Un dios es *Answers will vary*: **alguien con mucho poder que puede transformar a las personas o las cosas.**

5. Un emperador es *Answers will vary*: **el padre de la princesa.**

3 En tres oraciones completas describe un personaje de tu cuento favorito. (*Describe someone from your favorite story.*)

Answers will vary: **En mi leyenda favorita hay una princesa muy hermosa. Ella vive en el palacio con sus padres. También hay un héroe muy valiente, y ella está enamorada de él.**

UNIDAD 4 • Vocabulario C
Lección 1

Unidad 4, Lección 1
Vocabulario C

150

¡Avancemos! 2
Cuaderno: Práctica por niveles

Gramática A *The Imperfect Tense*

┌───┐
│ **¡AVANZA!** **Goal:** Use the imperfect tense to describe continuing events in the past. │
└───┘

1 Usa los participios pasados de los verbos para describir a las personas y cosas en las siguientes oraciones. *(Use the past participles of the verbs in bold as adjectives.)*

Modelo:: Por la noche yo siempre **encendía** una pequeña luz en mi cuarto.
Siempre tenía una luz _____**encendida**_____.

1. Siempre **cerraban** las tiendas a las ocho. Después de las ocho, las tiendas estaban

   _____cerradas_____.

2. Antes, los libros de leyendas me **aburrían.** Para mí, eran libros _____aburridos_____.

3. Me **divertía** cuando jugaba en el parque. ¡Qué _____divertido_____ era el parque!

4. Mi mamá siempre **apagaba** la televisión los sábados por la tarde. Salíamos de la casa para

   jugar porque la televisión estaba _____apagada_____.

5. La princesa siempre se **enamoraba** de héroes diferentes. Ella siempre estaba

   _____enamorada_____.

6. Las batallas siempre **cansaban** al guerrero. Durante la guerra, el guerrero siempre estaba

   _____cansado_____.

2 ¿Cómo empieza *La Bella Durmiente*? Completa esta versión con el imperfecto de los verbos de la caja. *(Complete the beginning of* Sleeping Beauty *with the imperfect form of the correct verbs.)*

Había una vez una princesa. Ella **1.** _____era_____ muy hermosa

y muy inteligente. Ella **2.** _____vivía_____ en un palacio grande

con sus padres. Sus padres **3.** _____daban_____ muchas fiestas,

pero no siempre **4.** _____invitaban_____ a todos.

┌──────────┐
│ invitar │
│ dar   │
│ vivir   │
│ ser   │
└──────────┘

3 Completa la siguiente oración según tu vida cuando eras niño o niña. Sigue el modelo.

modelo: Todos lo sábados, mi familia y yo íbamos a un restaurante italiano.

1. Todos los domingos, *Answers will vary:* **Mi papá miraba fútbol en la televisión.**

2. Todas las mañanas, *Answers will vary:* **caminaba a la escuela con mi mejor amiga.**

Gramática B *The Imperfect Tense*

> **¡AVANZA!** **Goal:** Use the imperfect tense to describe continuing events in the past.

1 Completa la primera oración con el imperfecto del verbo entre paréntesis. Luego, usa el participio pasado como adjetivo. *(Complete the first sentence in the imperfect. Then, use a past participle to form an adjective.)*

1. Todos los días el guerrero se _____*dormía*_____ (dormir) tarde. Siempre estaba

_____*cansado*_____ (cansar).

2. El emperador frecuentemente _____*peleaba*_____ (pelear). Era un hombre

_____*enojado*_____ (enojar).

3. Unos héroes del ejército siempre _____*venían*_____ (venir) a cenar al palacio. Eran

muy _____*queridos*_____ (querer) en la casa del emperador.

4. Mi hermano y yo nunca _____*leíamos*_____ (leer) leyendas. Siempre estábamos

demasiado _____*ocupados*_____ (ocupar) con otras cosas.

5. A veces la maestra nos _____*contaba*_____ (contar) narraciones sobre guerras

históricas. Para mí eran _____*aburridas*_____ (aburrir).

2 Escribe oraciones sobre las cosas que hacían estas personas. *(Write sentences about what these people used to do.)*

1. María / siempre / caminar a la escuela.

María siempre caminaba a la escuela.

2. Mi abuela / muchas veces / contarnos leyendas.

Mi abuela muchas veces nos contaba leyendas.

3. María / todos los jueves / narrar historias.

María todos los jueves narraba historias.

4. Cuando / Pedro / tener ocho años, / escribir muchos cuentos

Cuando Pedro tenía ocho años, escribía muchos cuentos.

3 Escribe dos oraciones completas describiendo qué hacían tus padres para hacerte dormir cuando eras muy joven. *(What did your parents use to do to put you to sleep?)*

Answers will vary: **Mis padres siempre me cantaban una canción.**

Mis padres también me leían cuentos.

Gramática C *The Imperfect Tense*

> **¡AVANZA!** **Goal:** Use the imperfect tense to describe continuing events in the past.

1 Completa las primeras oraciones con el verbo correcto en.el imperfecto. Luego completa las segundas con un adjetivo formado del participio pasado del mismo verbo. *(Complete the first sentences with the imperfect, then the second sentences with the past participle.)*

decorar
cerrar
interesar
preferir

1. a. Juan _____prefería_____ ir a ese hotel.

b. Era su hotel _____preferido_____ .

2. a. A Leticia no le _____interesaban_____ las leyendas.

b. Yo le conté una, pero ella no estaba _____interesada_____ .

3. a. Cada mes, la princesa _____decoraba_____ el palacio nuevamente.

b. El palacio siempre estaba bien _____decorado_____ .

4. a. En un lugar que visité, los restaurantes siempre _____cerraban_____ los lunes.

b. Los lunes, los restaurantes estaban _____cerrados_____ .

2 Mira los dibujos. Luego, escribe oraciones completas para describirlos. Usa el imperfecto. *(Describe the drawings using complete sentences.)*

1.  **2.**  **3.**  **4.**

1. Ella montaba en bicicleta.

2. Ellos comían un sándwich de jamón y queso al mediodía.

3. Él miraba la televisión.

4. La mamá le leía un libro.

3 Escribe tres oraciones completas con las cosas que nunca hacías cuando eras niño. *(Write about three things you never did as a child.)*

1. *Answers will vary*: **Yo nunca leía un libro.**

2. *Answers will vary*: **Yo nunca caminaba sin zapatos.**

3. *Answers will vary*: **Yo nunca contaba leyendas.**

Gramática A *The Preterite and the Imperfect*

Level 2, pp. 208-210

> **¡AVANZA!** **Goal:** Use both tenses to narrate past events.

1 Cande habla con su amiga sobre las cosas que hacían y que hicieron. Escoge el verbo correcto para completar cada oración. *(Choose the correct verb.)*

1. El verano pasado (íbamos / <u>fuimos</u>) de viaje a Guatemala.

2. Mis padres y yo siempre (<u>íbamos</u> / fuimos) los domingos a la casa de mi abuela.

3. Cuando yo (tuve / <u>tenía</u>) dos años, (lloré / <u>lloraba</u>) mucho.

4. ¿(<u>Lloraste</u> / llorabas) tú cuando (<u>viste</u> / veías) esa película el otro día?

2 Los chicos casi siempre hacían las mismas actividades en la escuela y después de la escuela. Pero el día de la excursión, todo fue diferente. Completa las oraciones con los verbos entre paréntesis en el tiempo apropiado. *(Complete the sentences.)*

Todos los días, **1.** _____estudiábamos_____ cuentos históricos pero el día de la excursión no

2. _____estudiamos_____ nada. (estudiar) Siempre **3.** _____salíamos_____ de la

escuela a las 3:00 p.m. pero después de la excursión **4.** _____salimos_____ a las 5:00

p.m. (salir) Después de las clases, siempre nos **5.** _____íbamos_____ a casa de Melva

pero ese día nos **6.** _____fuimos_____ a nuestras casa cansados. (ir) Ese día

7. _____comimos_____ en un parque cerca de las montañas, pero normalmente

8. _____comíamos_____ el almuerzo en la cafetería. (comer) Antes, Ignacio

9. _____estaba_____ enamorado de Celia pero ese día **10.** _____estuvo_____

enamorado de la guía del museo. (estar)

3 ¿Conoces el cuento de Blancanieves? Escribe una oración para decir qué hacía Blancanieves cuando pasó otra cosa. *(Write a sentence to say what happened while Snow White was doing something).*

<u>Answers will vary: **Blancanieves limpiaba la casa cuando llegó**</u>

<u>**su madrastra.**</u>

_____

_____

Unidad 4, Lección 1
Gramática A

154

¡Avancemos! 2
Cuaderno: Práctica por niveles

UNIDAD 4
Lección 1 • Gramática A

Gramática B *The Preterite and the Imperfect*

¡AVANZA!	**Goal:** Use both tenses to narrate past events.

1 Antes, Lucas y sus amigos hacían muchas cosas. Después hicieron otras. Completa las oraciones con los verbos entre paréntesis. *(Complete the sentences.)*

1. Lucas siempre _____corría_____ por la noche, pero un día _____empezó_____ a correr por la mañana. (correr / empezar)

2. Los hermanos de Elena _____eran_____ los menos divertidos en las fiestas, pero ayer _____fueron_____ los más divertidos de la fiesta. (ser / ser)

3. Lucas _____era_____ un buen amigo de Inés. Ella _____fue_____ una vez de viaje con él y su familia. (ser / ir)

4. Lucas siempre _____iba_____ a la biblioteca los sábados. Una vez _____sacó_____ 20 libros de leyendas en un día. (ir / sacar)

2 Completa las siguientes oraciones con la forma correcta de los verbos de la caja. *(Complete the sentences with the correct form of the imperfect or preterite.)*

pelear
llorar
estar
vestirse

1. Cuando tenía cinco años, Ana _____se vestía_____ de princesa. Ahora ya no, pero el otro día _____se vistió_____ muy elegante.

2. Cuando eran pequeños, Aníbal y Ana _____peleaban_____ mucho en los viajes. Ayer en la excursión no _____pelearon_____ nada. ¡Qué bueno!

3. Cuando eras muy joven, tú _____llorabas_____ mucho, ¿no? ¿_____Lloraste_____ tu primer día de escuela?

4. Luis y Mariela _____estaban_____ enamorados hace un año, pero ya no. Ayer _____estuvieron_____ los dos en la fiesta, pero ella no le habló.

3 Escribe sobre dos cosas que hacías con tu familia cuando eras joven y dos cosas que hiciste con ellos ayer. *(Write about what you used to do and what you did yesterday.)*

1. *Answers will vary:* **Yo peleaba mucho con mis hermanos.**

2. *Answers will vary:* **Mis padres me llevaban al zoológico.**

3. *Answers will vary:* **Ayer visité a mi abuela.**

4. *Answers will vary:* **Ayer todos comimos en un restaurante.**

Gramática C   The Preterite and the Imperfect

> **¡AVANZA!**   **Goal:** Use both tenses to narrate past events.

1 ¿Pretérito o imperfecto? Completa las siguientes oraciones con las formas correctas de los verbos indicados. *(Complete the sentences with either the preterite or imperfect.)*

1. La princesa hermosa _____dormía_____ (dormir) cuando su héroe _____entró_____ (entrar) al palacio.

2. Antes, casi siempre _____iba_____ (ir) al cine los sábados con mis padres. Una vez _____vimos_____ (ver) *Blancanieves.*

3. Cuando Blancanieves se _____comió_____ (comer) la manzana, su enemiga, vestida de mujer vieja, la _____miraba_____ (mirar).

4. ¿A ti te _____gustó_____ (gustar) esa película? Nosotros siempre _____preferíamos_____ (preferir) las películas más cómicas.

5. El ejército enemigo _____llegó_____ (llegar) por la mañana, pero el emperador _____estaba_____ (estar) preparado.

2 Di qué hiciste tú cuando ocurrían las siguientes cosas. *(Say what you did while these things were happening.)*

1. La maestra leía una historia cuando yo *Answers will vary*: **fui al baño.**

2. Mi amigo estaba en la fiesta cuando yo *Answers will vary*: **lo llamé**

3. Yo escuchaba una leyenda cuando yo *Answers will vary*: **me dormí.**

4. Mis padres hablaban de mí cuando yo *Answers will vary*: **entré a la casa.**

5. Andrea caminaba por el pasillo cuando yo *Answers will vary*: **la encontré.**

3 Escribe tres oraciones sobre algo que pasaba en la escuela y sobre algo que pasó para interrumpirlo. *(Write about something happening at school and something that interrupted it.)*

1. *Answers will vary*: **La maestra hablaba de leyendas antiguas y Juan le preguntó el significado de la palabra «emperador».**

2. *Answers will vary*: **Yo escuchaba en clase y mi escritorio se rompió.**

3. *Answers will vary*: **Mis amigos jugaban fútbol y empezó a llover.**

UNIDAD 4 • Gramática C
Lección 1

156   **Unidad 4, Lección 1**
Gramática C

¡Avancemos! 2
Cuaderno: Práctica por niveles

Integración: Hablar

Buscas una leyenda para contar en tu clase de español. Encuentras una leyenda en un sitio web interactivo. Después de leer y escuchar esta leyenda, habla sobre qué piensas que el personaje de la princesa debe hacer. (*You find a legend on a Web site. Read and listen to the legend and then tell what you think the princess should do.*)

Fuente 1 Leer

Lee la leyenda del sitio web. (*Read the legend from the Web site.*)

Los dos emperadores

Había una vez un emperador joven que estaba en guerra con un emperador viejo y no sabía por qué. Todos los días, los dos llevaban su ejército a pelear. Sus guerreros ya estaban cansados. Un día, la hija del emperador viejo llegó al campo de batalla donde un guerrero enemigo la vio. El guerrero era muy valiente, pero no sabía que esta princesa era la hija del emperador viejo. Le dijo a la princesa que estaba enamorado de ella...

Para saber cómo termina la historia, haz clic en el icono «escuchar leyenda»

Fuente 2 Escuchar   *WB CD 02 track 22*

Escucha la continuación de la leyenda en el sitio web. Toma apuntes. (*Listen to the continuation of the legend. Take notes.*)

_____

_____

_____

_____

Hablar

¿En tu opinión con quién debe casarse la princesa: con el guerrero o con el emperador joven? Da razones de por qué debe escoger a uno y por qué no debe escoger al otro. (*Explain whom the princess should choose. Give reasons why.*)

modelo: La princesa debe casarse con… porque…   No debe casarse con… porque…

Answers will vary: **La princesa debe casarse con el guerrero porque es muy valiente. No debe casarse con el emperador joven porque es enemigo de su padre y porque el dinero no es muy importante.**

Integración: Escribir

Ves un anuncio en el periódico sobre una clase de escritura creativa. Lee el anuncio y escucha un mensaje telefónico de la maestra de la clase. Después, escríbele un email a un(a) amigo(a) para describir la clase e invitarle a ir contigo. *(Read an ad for a creative writing class and listen to a phone message from the teacher. Then write to a friend, describing the class and inviting him/her to go.)*

Fuente 1 Leer

Lee el anuncio del periódico. *(Read the newspaper ad.)*

> ## ¿Quieres aprender cómo escribir mejor?
> **Ven al Centro Académico a una clase de escritura creativa.**
>
> Vas a aprender:
> - cómo crear personajes interesantes
> - cómo transformar tus palabras
> - cómo escribir narraciones hermosas
> - ¡y mucho más!
>
> ---
> *La clase empieza el lunes, de las 6:00 hasta las 8:00 p.m.*
> *Llama al Centro para más información.*

Fuente 2 Escuchar   *WB CD 02 track 24*

Escucha el mensaje telefónico. Toma apuntes. *(Listen to the phone message from the teacher. Take notes.)*

_____

_____

_____

Escribir

Escríbele un email a un(a) amigo(a) para invitarle a tomar la clase. Dile por qué es buena idea ir. Describe la clase y las cosas que ustedes pueden aprender. También, dale la información necesaria para llegar a la clase. *(Write an email inviting a friend to the class. Describe the class and tell why he/she should go. Also provide the details he/she needs to get to the class.)*

modelo: ¡Hola Emilia! ¿Quieres tomar una clase conmigo? Podemos aprender…
Debes ir porque… Para llegar a la clase, hay que…

Answers will vary: ¡Hola Lucas! ¿Quieres ir a una clase de escritura

conmigo? La clase es muy divertida. Podemos escribir una leyenda con

personajes interesantes. ¡Y podemos ganar premios en la clase! Hay que

venir al Centro Académico el lunes a las seis. La sala de clase está en el

primer piso.

Integración:
Escribir

UNIDAD 4
Lección 1

Escuchar A

> ▶AVANZA! **Goal:** Listen to narratives about past events.

1 Escucha a Jaime. Luego, subraya las oraciones correspondientes a lo que dice. *(Underline the sentences having to do with what Jaime says.)*

1. Jaime escuchaba muchas leyendas cuando era niño.

2. Todos los días, los estudiantes contaban una leyenda.

3. Jaime siempre termina sus leyendas.

4. Jaime conocía muchas leyendas porque las estudiaba.

5. Un día, los chicos hablaron sobre leyendas en la clase de Jaime.

2 Escucha la conversación de Graciela y Pablo. Luego, completa las oraciones. *(Complete the sentences based on the conversation.)*

1. A Pablo le gustó la leyenda sobre los guerreros que peleaban en una batalla sin fin.

2. A Graciela le gustó la leyenda sobre la princesa que tenía celos del espejo.

3. A Pablo nunca le gustan las leyendas en las que las princesas lloran.

4. Graciela piensa que a Pablo le gustaría una leyenda sobre una princesa guerrera.

Escuchar B

Level 2, pp. 218-219
WB CD 02 tracks 27-28

> ¡AVANZA! **Goal:** Listen to narratives about past events.

1 Escucha lo que dice Laura. Luego, pon en orden correcto los eventos de la leyenda que ella cuenta. *(Put the events of the legend in order.)*

1. _b_   **a.** El ejército ganó la batalla.
2. _d_   **b.** La princesa peleó vestida como hombre.
3. _a_   **c.** Los guerreros estuvieron enamorados de la princesa.
4. _e_   **d.** La princesa ayudó a pelear con el enemigo.
5. _c_   **e.** Los guerreros supieron quién era la princesa.

2 Escucha a Jorge y toma apuntes. Luego, contesta las preguntas con oraciones completas. *(Answer the questions based on Jorge's story.)*

1. ¿Por qué la hermana de Jorge piensa que es una princesa?

   Porque su abuela siempre le contaba historias de princesas.

2. ¿Qué hizo la hermana de Jorge el año pasado?

   Ella compró un vestido de princesa y fue vestida así a una fiesta.

Unidad 4, Lección 1
Escuchar B
160
¡Avancemos! 2
Cuaderno: Práctica por niveles
UNIDAD 4 Lección 1 • Escuchar B

Escuchar C

| ¡AVANZA! | **Goal:** Listen to narratives about past events. |

1 Escucha al señor Ortiz y toma apuntes. Luego, contesta las siguientes preguntas con oraciones completas. *(Answer the questions with complete sentences.)*

1. ¿Por qué contaban leyendas las personas?

Las personas contaban leyendas para compartir la historia de su cultura.

2. ¿Qué quiere decir que las leyendas eran compartidas oralmente?

Quiere decir que una persona le contaba la leyenda a otra y ésta se la

contaba a otra y así se conocían las leyendas.

3. ¿Qué empezaron a hacer diferentemente con las leyendas?

Empezaron a escribirlas para no perderlas.

4. ¿Piensas que es importante compartir las historias con otras personas? ¿Por qué?

Answers will vary: **Sí, es importante, porque las generaciones del futuro**

deben conocer su historia.

2 Escucha la conversación entre Claudia y Noemí. Toma apuntes. Luego, con tres oraciones completas, cuenta de qué hablaba la leyenda que leyó Claudia. *(Write three sentences describing the legend that Claudia tells.)*

Answers will vary: **La leyenda habla de dos buenos amigos enamorados**

de la misma chica. La chica estaba enamorada de uno de ellos. El otro

salió para siempre cuando todos dormían.

Leer A

> **¡AVANZA!** **Goal:** Read legends and stories.

María quiere escribir cuentos y leyendas. Cuando era niña escribía sus leyendas en un cuaderno de historias fantásticas.

Hace muchos siglos, vivía un emperador bueno al que no le gustaban las guerras. Un día, un guerrero enemigo llegó a su puerta con un gran ejército porque quería su palacio y su oro. La familia del emperador tenía miedo, pero el emperador no quería batalla. No quería ver a sus guerreros morir y las mujeres llorar. Su hija salió enojada del palacio para hablar con el enemigo. Le dijo (told): «Mi padre es viejo y no puede pelear, pero yo soy joven y fuerte. Si usted quiere entrar aquí, tiene que pelear conmigo». El guerrero no sabía qué hacer. Vio que esa mujer era buena, valiente y heroica, y él no quería hacerle sufrir (suffer). Ya no tenía ganas de pelear. Así es cómo la princesa transformó a un enemigo en un amigo. El emperador compartió su oro con ellos, y todos vivieron felices y sin guerra.

¿Comprendiste?

Lee la leyenda de María y decide si las siguientes oraciones son **ciertas** o **falsas**. *(True or false?)*

C Ⓕ **1.** Los guerreros enemigos estaban celosos del dinero del emperador.

C Ⓕ **2.** Al emperador le gustaba mucho pelear.

C Ⓕ **3.** El emperador salió del palacio para hablar con el enemigo.

Ⓒ F **4.** La princesa era muy valiente.

Ⓒ F **5.** El enemigo fue transformado en un amigo.

C Ⓕ **6.** El enemigo estaba enamorado de la princesa.

¿Qué piensas?

1. ¿Piensas que las leyendas son historias que pasaron de verdad?

Answers will vary: **Pienso que unas leyendas son historias que pasaron**

de verdad.

2. ¿Por qué?

Answers will vary: **Porque muchas leyendas tienen personajes históricos.**

_____

Unidad 4, Lección 1
Leer A
162
¡Avancemos! 2
Cuaderno: Práctica por niveles

UNIDAD 4
Lección 1

Leer A

Leer B

| ¡AVANZA! | **Goal:** Read legends and stories. |

Leticia le escribe un correo electrónico a sus amigos para contarle una leyenda que leyó.

Había una vez una guerra terrible entre el ejército de un emperador y unos enemigos que querían su palacio y su oro. Muchos murieron, y el emperador estaba triste porque no ganaba. Un día su hija entró a su cuarto y vio que lloraba.

—No quiero perder todo, mi hija —le dijo *(said)*. Ella contestó, —Padre, soy muy valiente y sé pelear. ¡Te puedo ayudar!
—No, mi hija. Las guerras son para los hombres. ¡Es demasiado peligroso!

Al otro día empezó una batalla seria. Un guerrero misterioso peleó valientemente por el emperador. Cada enemigo que peleó con él perdió, y al final del día, todos tuvieron miedo y salieron corriendo. El emperador estaba muy contento y quería hablar con el héroe que le ayudó a ganar la guerra. Cuando éste llegó, el emperador le quitó *(took off)* el casco y vio que... era una *guerrera:* ¡su hija! Al final, la princesa llegó a ser una heroína muy querida por todos.

¿Comprendiste?

Lee la leyenda. Luego contesta las preguntas. *(Answer the questions about the legend.)*

1. ¿Qué quería hacer la princesa? ¿Por qué no podía?

Answers will vary: **Quería pelear en la batalla, pero su padre no lo quería.**

2. ¿Por qué estaba triste el emperador?

Answers will vary: **Él estaba triste porque quería ganar pero no podía.**

3. ¿Piensas que estaba enojado el emperador cuando supo la verdad? ¿Por qué?

Answers will vary: **Pienso que no estaba enojado, porque ganaron la guerra.**

¿Qué piensas?

1. ¿Cuál piensas que fue el mensaje de esta leyenda?

Answers will vary: **El mensaje es que las mujeres pueden ser valientes y**

hacer todo lo que hacen los hombres.

2. ¿Te gusta el mensaje? ¿Por qué?

Answers will vary: **Sí, me gusta, porque pienso que es cierto.**

Leer C

> **¡AVANZA!** **Goal:** Read legends and stories.

Emilia Drago escribió un libro de leyendas. Una revista escribe sobre este libro.

Leyendas de otros siglos, reinventadas

La semana pasada, salió a la venta *(was released)* el nuevo libro de Emilia Drago. La conocemos por sus libros de misterio, pero en esta antología, ella cuenta muchas leyendas de hace muchos siglos con una nueva interpretación. Hay princesas enamoradas, guerreros celosos, emperadores enojados y muchos personajes más. Ella estudiaba estas historias para una novela cuando pensó en escribir versiones nuevas para nosotros.

Es un libro muy interesante que transforma las leyendas básicas que todos conocemos en historias frescas y divertidas. Otro estudioso de leyendas, Víctor Manrique, recomendó mucho este libro. Él es un gran maestro de historia y sabe mucho de las historias del pasado. Escribió: «La narración de Drago es inteligente, cómica y original. Este libro es una joya».

¿Comprendiste?

1. ¿Por qué es conocida Emilia Drago?

   Es conocida por los libros de misterio que escribió.

2. ¿Cómo son diferentes las leyendas que escribió Emilia Drago en este libro?

   Son versiones nuevas de leyendas viejas. Son más cómicas.

3. ¿En qué momento pensó Emilia en escribir el libro?

   Ella pensó en escribir el libro cuando estudiaba las historias para una novela.

4. ¿Por qué recomendó el libro Víctor Manrique? ¿Por qué lo describe como «una joya»?

   Lo recomendó porque es original e inteligente. Dice que es una joya porque es

   un libro muy bueno y no hay muchos libros como éste.

¿Qué piensas?

1. ¿Te gustaban los libros de leyendas viejas cuando eras muy joven?

   Answers will vary: **No, no me gustaban los libros de leyendas viejas.**

2. ¿Por qué?

   Answers will vary: **Porque a los personajes siempre les pasaba lo mismo.**

Escribir A

> **¡AVANZA!** **Goal:** Write about stories and legends.

Step 1

Vas a escribir una leyenda corta. Primero, escoge a tres personajes de la lista. *(Choose three characters from the list.)*

Una princesa	Un(a) guerrero/a	Un(a) joven	Un héroe
Un(a) enemigo/a	Un emperador	Un(a) dios(a)	Una heroina

Ahora, pon los personajes en la tabla, dales nombres, y describe qué hicieron en tu historia. *(In the table, describe your characters and what they did in the story.)* Answers will vary:

Personaje	Qué hizo
un héroe: José	pelear
una enemiga: Roxana	transformar
un joven: Juanito	ayudar, morir

Step 2

Ahora escribe tu leyenda en cuatro oraciones usando la información de la tabla. Usa el imperfecto y el pretérito. *(Write your legend using the information from the table.)*

Answers will vary: **Había una vez un héroe, José. Tenía una enemiga, Roxana, que podía transformar las piedras en animales peligrosos. Un amigo de José, Juanito le ayudó a pelear con Roxana, y ellos le ganaron, pero al final Juanito murió.**

Step 3

Evaluate your writing using the information in the table.

Writing Criteria	Excellent	Good	Needs Work
Content	You have included all the information from the chart and imperfect and preterite verbs.	You have included most information from the chart and some imperfect and preterite verbs.	You have some information from the chart and a few imperfect and preterite verbs.
Communication	Most of your response is clear.	Some of your response is clear.	Your response is not very clear.
Accuracy	You make few mistakes in grammar and vocabulary.	You make some mistakes in grammar and vocabulary.	You make many mistakes in grammar and vocabulary.

UNIDAD 4
Lección 1

Escribir A

Escribir B

> **¡AVANZA!** **Goal:** Write about stories and legends.

Step 1

Escribe unas características o acciones para cada columna de la caja. *(Write positive and negative qualities or actions in the chart.)* Answers will vary:

Positivo	Negativo
1. valiente	1. celoso
2. hermoso	2. morir
3. estar enamorado(a)	3. pelear
4. heroico	4. llorar

Step 2

Con cuatro oraciones completas y cinco palabras de la caja, escribe una pequeña leyenda. *(Write a legend using five words from the table.)*

Answers will vary: **Había una vez una princesa y dos guerreros que estaban enamorados de ella. Los dos guerreros eran heroicos y valientes, por eso la princesa no sabía con cuál casarse. Un día su padre le dijo que los dos guerreros iban a pelear en la guerra. Entonces la princesa supo con quién quería casarse, pero ya era tarde y lloró mucho.**

Step 3

Evaluate your writing using the information in the table.

Writing Criteria	Excellent	Good	Needs Work
Content	You have used five words from the chart plus preterite and imperfect verbs.	You have used four words from the chart and some preterite and imperfect verbs.	You have used fewer than three words from the chart and few preterite and imperfect verbs.
Communication	Most of your response is clear.	Some of your response is clear.	Your response is not very clear.
Accuracy	You make few mistakes in grammar and vocabulary.	You make some mistakes in grammar and vocabulary.	You make many mistakes in grammar and vocabulary.

UNIDAD 4 • Escribir B
Lección 1

Unidad 4, Lección 1
Escribir B

166

¡Avancemos! 2
Cuaderno: Práctica por niveles

Escribir C

> ¡AVANZA! **Goal:** Write about stories and legends.

Step 1

Piensa en una leyenda que conoces o que inventas. Escribe en la tabla tres personajes, un adjetivo para describirlos y un verbo para describir sus acciones. *(Describe three characters from your legend in the table.)* Answers will vary:

Personaje	Características	Acciones
princesa	buena, valiente	estar enamorada, pelear
enemiga	celosa, hermosa	casarse
guerrero	hermoso pero malo	llevar, morir

Step 2

Ahora escribe tu leyenda en seis oraciones usando la información de la tabla. *(Write your legend using the information from the table.)*

Answers will vary: **Había una vez una princesa buena y valiente que se llamaba Gloria. Estaba enamorada de un guerrero hermoso, pero tenía una enemiga: Vania, otra princesa hermosa y muy celosa. Ella quería ser la más bella y querida, y se casó con el guerrero. Un día el guerrero llevó a Vania a un volcán y en ese momento ella supo que era malo. Pero Gloria llegó, peleó con el guerrero, y él murió. Después, Gloria y Vania fueron amigas y vivieron felices.**

Step 3

Evaluate your writing using the information in the table.

Writing Criteria	Excellent	Good	Needs Work
Content	You have used five words from the chart plus preterite and imperfect verbs.	You have used at least four words from the chart and some preterite and imperfect verbs.	You have used fewer than three words from the chart and little preterite and imperfect verbs.
Communication	Most of your response is clear.	Some of your response is clear.	Your response is not very clear.
Accuracy	You make few mistakes in grammar and vocabulary.	You make some mistakes in grammar and vocabulary.	You make many mistakes in grammar and vocabulary.

Cultura A

| ¡AVANZA! | **Goal:** Review cultural information about Mexico. |

1 **México** Completa las siguientes oraciones sobre México. *(Complete the following sentences.)*

1. Uno de los idiomas que se habla en México es el _b_ .

    a. inglés   **b.** maya   **c.** portugués

2. Una comida típica mexicana son los _a_

    a. tamales   **b.** tostones   **c.** perniles

3. Una ciudad grande de México es _c_

    a. Maracaibo   **b.** Madrid   **c.** Monterrey

2 **Hechos** Completa las oraciones. *(Complete the sentences.)*

1. En el estado de Oaxaca el (50% / 20%) de la población es indígena.

2. El (Zócalo / Paricutín) es el centro histórico de México D. F.

3. En México se celebra el día de la independencia el 15 de (mayo / septiembre).

4. La bandera mexicana es roja, blanca y (amarilla / verde).

3 **La historia mexicana** Contesta estas preguntas. *(Answer these questions.)*

1. ¿Quiénes son dos pintores famosos de México?

Answers will vary: **Frida Kahlo y Diego Rivera.** _____

2. ¿Dónde se celebra el Grito de la Independencia?

El Grito se celebra en el Zócalo, la plaza principal de la Ciudad de México. _____

3. ¿Dónde fue la erupción del volcán Paricutín?

Fue en San Juan de Parangaricutiro, México. _____

UNIDAD 4
Lección 1

Cultura A

168

Unidad 4, Lección 1
Cultura A

¡Avancemos! 2
Cuaderno: Práctica por niveles

Cultura B

> ¡AVANZA! **Goal:** Review cultural information about Mexico.

▶ **Hechos** Completa las siguientes oraciones con la palabra correcta de la lista. *(Complete the following sentences.)*

Oaxaca	México D. F.	Texas	Tenochtitlán

México es un país grande que tiene un poco menos del triple de las millas

cuadradas de **1.** _____ Texas _____ . En México se habla español y algunas

lenguas indígenas. Por ejemplo, en la ciudad de **2.** _____ Oaxaca _____ cerca

del 50% de la población habla un idioma indígena. La capital de México es

3. _____ México D. F. _____ . Hace 500 años, los aztecas, una civilización antigua,

fundaron su capital allí con el nombre de **4.** _____ Tenochtitlán _____ .

▶ **Los artistas mexicanos.** Frida Kahlo y Diego Rivera son dos artistas mexicanos muy famosos. Decide qué artista dice las siguientes oraciones. *(Indicate which artist would say each statement.)*

1. Yo pinto muchos autorretratos. _____ Frida Kahlo _____

2. Mi obra tiene elementos surrealistas. _____ Frida Kahlo _____

3. Mis murales tienen temas políticos y culturales. _____ Diego Rivera _____

❸ En México y Nicaragua Contesta las preguntas con oraciones completas. *(Answer with complete sentences.)*

1. ¿Qué es el Zócalo y qué celebran los mexicanos allí? El Zócalo es la plaza principal

de México D. F. Los mexicanos celebran el Grito de la Independencia allí.

2. ¿Qué animal trajo el fuego a los mazatecas, según la leyenda? El tlacuache

trajo el fuego.

3. ¿Qué hay en San Juan Paragaricutiro? Hay las ruinas de una iglesia.

4. ¿Qué son las Huellas de Acahualinca en Nicaragua? Son huellas antiguas de

un grupo de personas que caminaba a un lago hace más 6000 años.

¡Avancemos! 2
Cuaderno: Práctica por niveles

Unidad 4, Lección 1
Cultura B **169**

UNIDAD 4
Lección 1 • Cultura B

Cultura C

> **¡AVANZA!** **Goal:** Review cultural information about Mexico.

1 **México** Contesta las siguientes preguntas sobre México con oraciones completas. *(Answer the following questions with complete sentences.)*

1. ¿Cuál es otro nombre para la Ciudad de México? _Otro nombre para Ciudad de_ _México, es México D. F._

2. ¿Cúales son los idiomas de México? _Los idiomas de México son el español,_ _el maya y otros idiomas indígenas._

3. ¿Qué hace el tlacuache en la leyenda mazateca? _El tlacuache les trae el fuego_ _a los mazatecas._

2 **¿Qué tres lugares históricos puedes visitar en México?** Completa esta tabla y escribe por qué es importante visitar estos lugares. *(Complete this chart.)*

El Zócalo	El estado de Oaxaca	San Juan Parangaricutiro
Answers will vary: **Era el centro de Tenochtitlán, la capital del imperio azteca.**	*Answers will vary:* **Tiene sitios arqueológicos importantes.**	*Answers will vary:* **Allí hay las ruinas de una iglesia.**

3 **Los viajes** Escribe un párrafo para una agencia de viajes. Explica por qué los turistas deben visitar San Juan Parangaricutiro. *(Write a paragraph for a travel agency explaining why tourists should visit San Juan Parangaricutiro.)*

modelo: San Juan Parangaricutiro es un sitio arqueológico de México muy importante.

Answers will vary.

_____

_____

_____

_____

UNIDAD 4
Lección 1

Cultura C

Unidad 4, Lección 1
Cultura C

170

¡Avancemos! 2
Cuaderno: Práctica por niveles

Nombre _____ Clase _____ Fecha _____

Vocabulario A

Level 2, pp. 222-226

¡AVANZA! **Goal:** Talk about ancient and modern cities.

1 Coloca las cosas antiguas en una columna y las modernas en la otra. *(Put the words in the correct column.)*

ruinas	calendario azteca	acera
semáforo	rascacielos	pirámides

Cosas antiguas

1. ruinas
2. pirámides
3. calendario azteca

Cosas modernas

4. semáforo
5. rascacielos
6. acera

2 Escribe la palabra apropiada que completa el párrafo sobre México. *(Complete the paragraph with words from the box.)*

ciudades	los toltecas	excavaciones
ruinas	herramientas	civilizaciones

Los aztecas y **1.** _____los toltecas_____ fueron dos **2.** _____civilizaciones_____

antiguas de México. Sin la ayuda de **3.** _____herramientas_____ modernas, estos grupos

construyeron grandes **4.** _____ciudades_____ , como Tula y Tenochtitlán. Gracias a las

5. _____excavaciones_____ que hacen los arqueólogos de esos lugares, podemos estudiar

sus **6.** _____ruinas_____ , como los templos, las pirámides y los monumentos. Todos

nos enseñan mucho sobre el pasado de México.

3 Contesta la siguiente pregunta. Usa **doblar a la derecha/izquierda** y **seguir derecho**. *(Answer the question about directions.)*

1. ¿Cómo llegas desde tu salón de clases hasta la cafetería?

Answers will vary: **Yo sigo derecho y después doblo a la izquierda.**

_____

_____

UNIDAD 4 • Lección 2 • Vocabulario A

Vocabulario B

> **¡AVANZA!** **Goal:** Talk about ancient and modern cities.

1 Completa las oraciones con la palabra más lógica. *(Complete the sentences.)*

1. Las religiones antiguas tenían _____ templos _____ . (rascacielos / templos / tumbas)

2. Las civilizaciones antiguas contaban los días con un _____ calendario _____ .

(monumento / barrio / calendario)

3. Las civilizaciones modernas tienen ciudades con _____ rascacielos _____ .

(agricultura / rascacielos / ruinas)

4. Un ejemplo de civilizaciones antiguas son _____ los toltecas _____ .

(las herramientas / unas estatuas / los toltecas)

5. _____ Los agricultores _____ cuidaban las plantas, pero también cazaban animales.

(Los objetos / Los templos / Los agricultores)

2 ¿Qué soy? Lee estas adivinanzas y escribe la palabra del vocabulario que las contesta mejor. *(Answer the riddles with vocabulary words.)*

1. Con colores verde, amarillo y rojo, te digo si vas y te digo si no.

_____ un semáforo _____

2. Yo puedo ser alto y puedo ser bajo; me visita la gente para hacer su trabajo.

_____ un edificio _____

3. Me ves en los mapas bien estudiados; me mantengo en forma con mis cuatro lados.

_____ una cuadra _____

4. Te ayudo a saber la fecha, el mes; busca un número, como uno, dos, tres.

_____ un calendario _____

5. Dentro de nosotros vive la gente; una ciudad hacemos organizadamente.

_____ los barrios _____

3 Escribe dos oraciones completas para describir cómo llegas desde tu casa hasta la plaza más cercana. *(Describe how to get from your house to the nearest plaza.)*

Answers will vary: **Yo sigo derecho, después doblo a la derecha y después**

sigo derecho otra vez. Camino cuatro cuadras y la plaza está al frente.

UNIDAD 4 • Vocabulario B
Lección 2

172
Unidad 4, Lección 2
Vocabulario B

¡Avancemos! 2
Cuaderno: Práctica por niveles

Vocabulario C

> **¡AVANZA!** **Goal:** Talk about ancient and modern cities.

1 Juan le escribe una nota a su mamá sobre su viaje a México. Completa el texto con las palabras de la caja. *(Complete the text about Juan's trip.)*

herramientas	construir	avanzada	objetos
rascacielos	excavaciones	calendario	plazas
tumba	templos	ruinas antiguas	barrios

Fuimos a México y visitamos **1.** las _____excavaciones_____ donde se encontraron

unas **2.** _____ruinas antiguas_____ ¡No sé cómo hicieron para **3.** _____construir_____

edificios tan complicados! Es verdad que tenían **4.** _____herramientas_____ ,

pero no la tecnología **5.** _____avanzada_____ de hoy. ¿Sabes que tenían

un **6.** _____calendario_____ para contar los días del año? Habían muchos

7. _____templos_____ donde practicaban su religión. Algunos son tan altos que

parecen **8.** _____rascacielos_____ . Uno de ellos era una **9.** _____tumba_____

de un emperador, decorada con **10.** _____objetos_____ religiosos. También

visitamos las partes modernas de la ciudad; sus **11.** _____barrios_____ y

12. _____plazas_____ . Al final, estábamos muy cansados.

2 Completa las oraciones sobre las civilizaciones antiguas. *(Complete the sentences.)*

1. Las pirámides son *Answers will vary:* **monumentos antiguos.**

2. Las civilizaciones antiguas *Answers will vary:* **construyeron templos para los dioses.**

3. Las ruinas nos enseñan *Answers will vary:* **cómo vivían las civilizaciones antiguas.**

3 Contesta las preguntas con oraciones completas. *(Answer with complete sentences.)*
Answers will vary:

1. ¿Cómo llegas desde tu casa hasta la tienda más cerca de tu casa? **Salgo de mi**

casa y doblo a la derecha; camino dos cuadras, y está en la esquina.

2. ¿Cómo llegas desde tu casa hasta la escuela más cerca de tu casa? _____

Yo sigo derecho y camino cinco cuadras; luego doblo a la izquierda.

Gramática A *Preterite of –car, –gar, and –zar Verbs*

> **¡AVANZA!** **Goal:** Use the preterite of –**car**, –**gar**, and –**zar** verbs to say what
> you did.

1 Jaime describe su viaje a México. De los dos verbos entre paréntesis, encierra en un círculo el que mejor completa la oración. *(Circle the correct verb.)*

1. Yo (llego / lleguĕ) al aeropuerto y tomé un autobús hasta el hotel.

2. Fui a ver unos templos y (saqué / saco) muchas fotos.

3. Dos días después (empecé / empiezo) la excursión a Tulum.

4. Allí yo (busco / busqué) las ruinas que quería ver.

2 La visita a México me dio hermosos recuerdos. Usa el verbo entre paréntesis para completar cada frase en el pretérito. *(Complete the sentences in the preterite.)*

1. Yo _____lleguĕ_____ a México en verano. (llegar)

2. _____Almorcé_____ en un restaurante cerca de la catedral. (almorzar)

3. Luego, _____cru025cé_____ la avenida para subir al autobús. (cruzar)

4. _____Pagué_____ el boleto y fui a Chichen Itzá. (pagar)

3 Escribe oraciones completas en el pretérito. Usa el modelo. *(Write complete sentences in the preterite.)*

modelo: (yo) / almorzar / antes de visitar / ruinas antiguas
Yo almorcé antes de visitar las ruinas antiguas.

1. (yo) / practicar el español/ largas horas / visitar Tulum

Yo practiqué el español por largas horas cuando visité Tulum.

2. (tú) / empezar / lista de monumentos / visitar / México

Tú empezaste una lista de los monumentos que visitaste en México.

3. (nosotros) / pagar / por el viaje a las ruinas antiguas

Nosotros pagamos por el viaje a las ruinas antiguas.

4. (ustedes) / almorzar / en un hotel / dos cuadras de la plaza

Ustedes almorzaron en un hotel a dos cuadras de la plaza.

174

Unidad 4, Lección 2
Gramática A

¡Avancemos! 2
Cuaderno: Práctica por niveles

UNIDAD 4
Lección 2

Gramática A

Gramática B *Preterite of –car, –gar, and –zar Verbs*

Level 2, pp. 227-231

> ¡AVANZA! **Goal:** Use the preterite of –**car**, –**gar**, and –**zar** verbs to say what you did.

1 Mi familia y yo viajamos a México el año pasado. Completa cada oración para describir qué hicimos. *(Completet the sentences with the preterite.)*

1. Yo _____llegué_____ al Aeropuerto Internacional Benito Juárez. (llegar)

2. Mi hermano menor _____construyó_____ una pequeña pirámide de papel. (construir)

3. Mi hermana y yo _____cruzamos_____ toda la ciudad. (cruzar)

4. Mis padres _____leyeron_____ el mapa antes de llegar. (leer)

5. Yo _____practiqué_____ mi español con unos mexicanos en la plaza. (practicar)

) ¿Qué pasó en el almuerzo? Escribe tres oraciones con la información de la caja. *(Write three sentences using the cues in the box.)*

Yo	buscar	temprano
Carina y Pablo	pagar	un restaurante
Carina, Pablo y yo	almorzar	la cuenta

1. *Answers will vary:* **Carina, Pablo y yo almorzamos temprano**.

2. *Answers will vary:* **Yo busqué un restaurante**.

3. *Answers will vary:* **Carina y Pablo pagaron la cuenta**.

) Contesta las preguntas con oraciones completas. *(Answer with complete sentences.)*

1. ¿Pagaste tú la cuenta la última vez que comiste en un restaurante?

   Answers will vary: **No, no pagué la cuenta**.

2. ¿Sacaste muchas fotos en las últimas vacaciones?

   Answers will vary: **No, no saqué muchas fotos**.

Gramática C *Preterite of –car, –gar, and –zar Verbs*

┌───┐
│ **¡AVANZA!** **Goal:** Use the preterite of –**car**, –**gar**, and –**zar** verbs to say what you did. │
└───┘

1 Completa el texto con los verbos de la caja en el pretérito. *(Complete the text.)*

El año pasado, regresé a México. Yo **1.** _____comencé_____ el viaje

con una visita a unos lugares antiguos. **2.** _____Busqué_____

templos y pirámides. No pude verlos todos porque no tuve tiempo.

Después, **3.** _____llegué_____ a la ciudad moderna en autobús. Yo

4. _____crucé_____ una gran avenida para llegar hasta un barrio

histórico. Allí, yo **5.** _____almorcé_____ con mi amigo Martín en

un restaurante que estaba en un edificio antiguo. Los españoles lo

6. _____construyeron_____ en el siglo XVIII.

┌──────────────┐
│ cruzar   │
│ almorzar   │
│ comenzar   │
│ llegar   │
│ buscar   │
│ construir   │
└──────────────┘

2 Completa las oraciones con las cosas que hicieron los amigos en un viaje a Mazatlán. Usa el pretérito. *(Write sentences about what these friends did in Mazatlán.)*

1. (yo) / jugar ulama / juego de pelota muy antiguo

Yo jugué ulama, un juego de pelota muy antiguo.

2. (nosotros) / buscar / monumentos y edificios antiguos / zona histórica

Nosotros buscamos monumentos y edificios antiguos en la zona histórica.

3. Dora y Javier / leer / historia de México / la playa

Dora y Javier leyeron un libro sobre la historia de México en la playa.

4. (yo) / pescar / océano Pacífico

Yo pesqué un pez grande en el océano Pacífico.

3 Escribe un texto de cinco oraciones sobre lo que hiciste tú en las últimas vacaciones. Usa el pretérito de los verbos **pagar**, **cruzar**, **llegar**, **almorzar**, **tocar** y **buscar**. *(Write five sentences about what you did on vacation.)*

Answers will vary: Llegué a México al mediodía. Busqué mi hotel y luego

crucé la avenida para ir al restaurante frente al parque. Almorcé

rápido porque quería ir a visitar un museo. Pagué la cuenta con pesos

mexicanos. Esa noche, fui a un restaurante y toqué el tambor con un

grupo de músicos jóvenes.

Gramática A *More Verbs with Irregular Preterite Stems* Level 2, pp. 232-234

> **¡AVANZA!** **Goal:** Use irregular preterite verbs.

1 Laura fue de viaje a México con unos amigos. Une con flechas las personas con lo que hicieron. *(Match the people with their activities.)*

1. Laura
2. Laura y Alejandro
3. Laura y yo
4. Yo
5. Tú

   a. quisimos ver las ruinas.
   b. dijiste que cruzaste la avenida con cuidado.
   c. trajo el mapa para llegar a la plaza.
   d. vine al restaurante.
   e. quisieron un taxi para ir a los monumentos.

2 Las vacaciones fueron muy divertidas. Usa el pretérito del verbo entre paréntesis para completar las oraciones. *(Complete the sentences with the preterite.)*

1. Tú _____ viniste _____ conmigo a las excavaciones. (venir)

2. Lucas y yo no _____ quisimos _____ ir a la catedral. (querer)

3. Lucas no _____ dijo _____ nada todo el viaje. (decir)

4. Armando y Carolina no _____ trajeron _____ la cámara para sacar fotos. (traer)

3 Tú y tus amigos viajaron a diferentes lugares. Usa las pistas para escribir cuatro oraciones en el pretérito. *(Use the cues to write sentences in the preterite.)*

1. Matías / no querer / pagar la entrada al museo

   Matías no quiso pagar la entrada al museo.

2. Marcelo y María / venir / conmigo / la excavación

   Marcelo y María vinieron conmigo a la excavación.

3. Yo / decirte / el nombre / la ciudad antigua

   Yo te dije el nombre de la ciudad antigua.

4. ¿Tú / traerme / objeto cerámica / México?

   ¿Me trajiste un objeto de cerámica de México?

¡Avancemos! 2
Cuaderno: Práctica por niveles

UNIDAD 4 • Gramática A
Lección 2

Unidad 4, Lección 2
Gramática A **177**

Gramática B *More Verbs with Irregular Preterite Stems*

┌───┐
│ **¡AVANZA!**   **Goal:** Use irregular preterite verbs.   │
└───┘

1 Cecilia y Rafael están perdidos en las ruinas. Completa su conversación. *(Complete the conversation with the words from the word bank.)*

Rafael:	¡Cecilia! ¿ _____ trajiste _____ el mapa?	┌──────────┐
Cecilia:	No, no lo _____ traje _____ . Tú	│ trajiste │
	_____ dijiste _____ que no los necesitábamos.	│ vinimos │
Rafael:	¡Ay! Pero, ¿cómo salimos de aquí?	│ quisiste │
Cecilia:	Tenemos que regresar por donde _____ vinimos _____ .	│ quise │
Rafael:	Ay, pero no sé como llegamos aquí...	│ dijiste │
Cecilia:	Yo sí sé. Doblamos a la derecha y seguimos derecho. ¡Yo	│ traje │
	_____ quise _____ decirte, pero no me	└──────────┘
	_____ quisiste _____ escuchar!	

2 Los chicos hicieron un viaje. Escribe oraciones completas con el pretérito de **querer**, **traer**, y **venir**. *(Write complete sentences in the preterite.)*

1. Julio y yo / querer ir a lugares modernos / pero no poder

Julio y yo quisimos ir a lugares modernos pero no pudimos. _____

2. Mis otros amigos / venir desde muy lejos.

Mis otros amigos vinieron desde muy lejos. _____

3. Julio / traer el calendario

Julio trajo el calendario. _____

3 Escribe cuatro oraciones con lo que hicieron tú y tus amigos el año pasado. Usa el pretérito de los verbos **querer**, **venir**, **traer** y **decir**. Sigue el modelo. *(Write four sentences using verbs in the preterite.)*

modelo: Yo quise ir hasta el piso más alto de un rascacielos pero no llegué.

1. *Answers will vary:* **Mis amigos vinieron desde su casa.**

2. *Answers will vary:* **Yo traje un dulce a la fiesta de mis amigos.**

3. *Answers will vary:* **Yo le dije a mi mamá que iba al centro comercial.**

4. *Answers will vary:* **Rafael quiso mirar la película pero no pudo.**

UNIDAD 4
Lección 2 • Gramática B

178

Unidad 4, Lección 2
Gramática B

¡Avancemos! 2
Cuaderno: Práctica por niveles

Gramática C   More Verbs with Irregular Preterite Stems

Level 2, pp. 232-234

> **¡AVANZA!**   **Goal:** Use irregular preterite verbs.

1 Usa los verbos de la caja para completar las siguientes oraciones en el pretérito. (*Complete the sentences in the preterite.*)

querer	venir	traer	decir

1. Mis primos _____vinieron_____ ayer de México para visitarme.

   Me _____trajeron_____ muchos regalos.

2. Tú no me _____dijiste_____ que ibas de vacaciones mañana.

3. Yo _____quise_____ venderle unos objetos antiguos a un señor por $500,

   pero él no me _____quiso_____ pagar tanto.

4. Nosotros _____quisimos_____ tomar fotos de la excavación pero no

   _____trajimos_____ la cámara.

5. Luis me _____dijo_____ que quería usar mis herramientas,

   pero nunca _____vino_____ por ellas.

2 Las vacaciones de Armando y sus amigos fueron muy interesantes. Completa las oraciones con lo que hicieron. Usa los verbos entre paréntesis. (*Complete the sentences.*) Answers will vary:

1. Armando (querer) Armando quiso leer muchos libros pero no pudo.
2. Norma y Santiago (venir) Norma y Santiago vinieron a la ciudad.
3. Claudia y yo (traer) Claudia y yo trajimos nuestros trajes de baño.
4. Usted (decir) Usted dijo que iba a México.
5. Tú (venir) ¿Por qué no viniste con nosotros?

3 Dile a un(a) amigo(a) qué hiciste ayer. Usa verbos irregulares en el pretérito. (*Tell a friend what you did yesterday using irregular preterite verbs.*) Answers will vary:

El mes pasado mi primo vino a la ciudad a visitarme. Me trajo un regalo

muy bonito de México. Ayer, vio una pelota de voleibol que quiso comprar

en una tienda. Entonces, yo le compré la pelota. ¡Estuvo muy contento!

UNIDAD 4 • Gramática C
Lección 2

Integración: Hablar

En el cine de la ciudad donde vives hay dos películas interesantes. Una es sobre las civilizaciones antiguas y otra sobre el hombre moderno. Lee la crítica y escucha la información, y luego di cuáles son las diferencias. *(Read the movie review and listen to the information, then talk about what the differences are.)*

Fuente 1 Leer

Lee la crítica sobre la película *Los hombres en tiempos antiguos*. *(Read the review.)*

LOS HOMBRES EN TIEMPOS ANTIGUOS

Esta película es sobre las civilizaciones antiguas. Nos enseña que muchas de estas civilizaciones eran muy avanzadas. Construyeron estatuas, tumbas y pirámides enormes. Contaban los días del año con los calendarios y viajaban a pie. En esta película puedes ver excavaciones, ruinas y objetos antiguos. Es muy interesante. La recomendamos.

| Calificación: | ★ ★ ★ ★ ★ |

Fuente 2 Escuchar   *WB CD 02 track 32*

Escucha el mensaje sobre la nueva película *Ciudades y rascacielos* y toma apuntes. *(Listen to the message on the movie theater information line and take notes.)*

_____

_____

_____

_____

Hablar

Explica cuáles son las diferencias entre el hombre antiguo y el hombre moderno.

modelo: Los hombre antiguos... pero los hombres modernos...

Answers will vary: **El hombre antiguo era muy avanzado. Construyó estatuas, tumbas y pirámides. El hombre moderno es avanzado también. Construye rascacielos altos y otros edificios modernos. Los hombres antiguos viajaban a pie, pero los hombres modernos viajan en avión.**

Integración: Escribir

Mariela está de vacaciones el la Ciudad de México y quiere hacer una excursión por la ciudad. Quiere ver muchas cosas, pero no tiene mucho tiempo. Lee el folleto sobre algunos lugares y escucha el mensaje telefónico de su amiga. Luego explica qué lugares va a poder ver en un día. (*Mariela is on vacation in Mexico City and wants to see as many sites as possible in one day. Read the brochure and listen to her friend's phone message, then explain which places Mariela will be able to see in one day.*)

Fuente 1 Leer

Lee este folleto sobre sitios turísticos en México. (*Read the Mexico travel brochure.*)

México Lindo: Excursiones turísticas

Primer día: Ciudad de México

- Visita la catedral más conocida de la ciudad: La basílica de la Virgen de Guadalupe.

- Para ver objetos y ruinas de las civilizaciones antiguas, incluso los toltecas, los aztecas, los zapotecas y los maya, tienes que ir al Museo Nacional de Antropología en el Parque de Chapultepec.

- Toma un autobús (viaje: una hora) para ver las ruinas de Teotihuacán. Allí puedes ver templos, palacios y pirámides antiguas.

Fuente 2 Escuchar   *WB CD 02 track 34*

Escucha un mensaje telefónico de Lola, la amiga de Mariela. Toma apuntes. (*Listen to a phone message from Mariela's friend. Take notes.*)

_____

_____

Escribir

Escribe lo que Mariela puede hacer y ver en un día. ¿Adónde debe ir? Describe lo que puede hacer y no hacer y por qué. (*Write about what Mariela can see and do in a day. Where should she go and not go and why?*)

modelo: Primero, Mariela puede… Después,… porque…

Answers will vary: **Primero, Mariela puede ir a la catedral. Después puede**

ver las ruinas en el Templo Mayor. No debe ir a Puebla porque queda lejos.

Mariela debe ir al Museo Nacional de Antropología porque tiene objetos

interesantes.

Escuchar A

Level 2, pp. 242-243
WB CD 02 tracks 35-36

¡AVANZA! **Goal:** Listen to discussions about modern and ancient things.

1 Escucha a Carolina. Luego, lee cada oración y contesta **cierto** o **falso**. *(Mark the following sentences true or false.)*

Ⓒ F **1.** Carolina y su familia quisieron entrar a una tumba.

C Ⓕ **2.** Su amiga Francesca sacó una pintura antigua.

C Ⓕ **3.** Carolina buscó unas estatuas.

Ⓒ F **4.** Francesca le trajo los objetos a la guía.

C Ⓕ **5.** La guía les dijo a Carolina y Francesca que deben ser agricultoras.

2 Escucha a Raúl. Luego, completa las siguientes oraciones. *(Complete the sentences based on Raul's story.)*

1. Las personas sacaban herramientas cuando Raúl _____ llegó _____ a la excavación.

2. Él _____ pudo _____ participar, y _____ sacó _____ objetos interesantes.

3. Contó de su excursión, pero no _____ trajo _____ los objetos a la clase.

Escuchar B

> ¡AVANZA! **Goal:** Listen to discussions about modern and ancient things.

1 Escucha la conversación de Lorenzo y Carla. Luego, marca con una cruz las cosas que hizo Lorenzo. *(Place an X next to the things Lorenzo did.)*

  x Almorzó en la ciudad.

_____ Pagó mucho por un recuerdo.

_____ Le dijo a su papá cómo los aztecas construyeron las pirámides.

_____ Trajo una cámara para tomar fotos.

  x Empezó a caminar por plazas y avenidas.

  x Llegó a una excavación de ruinas.

2 Escucha a Cristina. Luego, contesta las preguntas con oraciones completas. *(Answer the questions about Cristina's trip.)*

1. ¿Qué quiso hacer Cristina primero?

Cuando llegó a la ciudad, quiso ir a las ruinas.

2. ¿Cómo supo Cristina llegar a las ruinas?

Una señora le dijo cómo llegar.

3. ¿Qué hizo ella después de pasar tiempo en las ruinas?

Ella vino a la ciudad para visitar los museos.

4. ¿Qué recuerdos trajo de su viaje?

Ella trajo unas fotos.

Escuchar C

┌───┐
│ **¡AVANZA!** **Goal:** Listen to discussions about modern and ancient things. │
└───┘

1 Escucha la conversación de Lucía y Fernando. Toma apuntes. Luego, completa las siguientes oraciones. *(Complete the sentences.)*

1. La mamá de Lucía recomendó un libro que ella _____ leyó _____ .

2. Lucía _____ empezó _____ ese libro ayer.

3. Lucía leyó que las religiones tenían _____ muchos dioses _____ .

4. Las civilizaciones antiguas _____ construyeron templos _____ y pirámides.

5. Fernando piensa que _____ la religión _____ forma parte de todas las culturas.

2 Escucha a Sonia y toma apuntes. Luego, contesta las siguientes preguntas con oraciones completas. *(Answer the questions with complete sentences.)*

1. ¿Qué vio Sonia en la librería ayer?

Vio un libro interesante sobre la civilización tolteca.

2. ¿Qué hay en las fotos que indica una cultura avanzada?

Hay los monumentos que construyeron los toltecas.

3. ¿Por qué no compró Sonia el libro?

Porque no quiso pagar 500 pesos por él.

4. ¿Cómo llegó a la Biblioteca Nacional?

Salió de la librería, dobló a la derecha, y cruzó la avenida.

5. ¿Qué hizo Sonia en la Biblioteca?

Encontró el libro y lo trajo a casa.

UNIDAD 4
Lección 2

Escuchar C

184

Unidad 4, Lección 2
Escuchar C

¡Avancemos! 2
Cuaderno: Práctica por niveles

Leer A

¡AVANZA! **Goal:** Read about ancient and modern things.

Raúl fue de viaje a México. Lee la carta que él le escribió a Marcos para contarle qué hizo. *(Read about Raul's vacation.)*

> Hola Marcos:
>
> Aquí estoy, todavía en México. La semana pasada fui a lugares realmente interesantes.
>
> Fui a las ruinas de civilizaciones del pasado. Conocí sus herramientas y sus monumentos. Las pirámides me encantaron.
>
> Ayer llegué a la ciudad. Vi rascacielos, plazas y barrios muy bonitos. Quise entrar al Museo de Bellas Artes pero estaba cerrado.
>
> Regreso la próxima semana. Nos vemos pronto.
>
> Saludos, Raúl

¿Comprendiste?

Lee la carta de Raúl. Luego, escribe en una columna las cosas antiguas que él vio y en la otra, las modernas. *(List what Raúl saw in México.)*

Lo antiguo	Lo moderno
1. ruinas	5. ciudad
2. herramientas	6. rascacielos
3. monumentos	7. plazas
4. pirámides	8. barrios

¿Qué piensas?

1. ¿Piensas que es interesante conocer lugares donde vivieron civilizaciones antiguas? ¿Por qué?

   Answers will vary: **Sí, pienso que es muy interesante conocer lugares**

   donde vivieron civilizaciones antiguas porque puedo aprender mucho.

Leer B

 Goal: Read about ancient and modern things.

La maestra de historia le pidió a los estudiantes un trabajo sobre las civilizaciones antiguas. Éste es el trabajo de Miriam.

Las civilizaciones antiguas

 Las civilizaciones antiguas vivieron hace mucho tiempo. Sus comidas principales fueron animales pero también practicaron la agricultura. Algunas civilizaciones tuvieron herramientas casi como las modernas. También tuvieron un calendario muy avanzado. Contaron el tiempo con total precisión.

Su religión también fue muy interesante. Sus dioses fueron muchos y de distintas características. Construyeron grandes templos para los dioses. También construyeron pirámides para practicar su religión. Los monumentos, esculturas y pinturas cuentan su historia y enseñan que fueron civilizaciones muy avanzadas.

¿Comprendiste?

Lee el trabajo de Miriam. Luego, contesta las preguntas con oraciones completas. *(Read Miriam's work and answer the questions.)*

1. ¿Cómo encontraron su comida?

   Ellos cazaron animales y practicaron la agricultura.

2. ¿Por qué dice que los calendarios antiguos fueron avanzados?

   Porque los calendarios antiguos contaron el tiempo con precisión.

3. ¿Por qué dice que la religión de las civilizaciones antiguas fue muy interesante?

   Porque sus dioses fueron muchos y distintos unos de otros.

4. ¿Qué edificios religiosos construyeron las civilizaciones antiguas?

   Construyeron pirámides y templos.

5. ¿Por qué sabemos que a las civilizaciones antiguas les importó el arte?

   Lo sabemos por sus monumentos, esculturas y pinturas.

¿Qué piensas?

1. ¿Piensas que todas las civilizaciones antiguas fueron diferentes unas de otras? ¿Por qué?

   Answers will vary: Sí, pienso que todas las civilizaciones antiguas fueron

   diferentes porque desde siempre, las personas son diferentes entre sí.

Leer C

Level 2, pp. 242-243

> **¡AVANZA!** **Goal:** Read about ancient and modern things.

Las civilizaciones antiguas de México y Centroamérica nos regalaron monumentos y edificios muy interesantes. El tiempo los transformó en ruinas pero ellas todavía nos dicen quiénes fueron y qué hicieron aquellos hombres.

- Los templos nos dicen quiénes fueron sus dioses y cómo fueron sus religiones. Los objetos, las estatuas y las pinturas que encontramos en las excavaciones nos cuentan muchas historias.

- Las pirámides nos dicen cómo construyeron sus edificios. Sin herramientas modernas, las personas antiguas trajeron piedras desde muy lejos y construyeron edificios altos con toda precisión.

- Los calendarios nos dicen cómo contaron sus días. Sin telescopios, los astrónomos aztecas y mayas pudieron crear *(create)* los calendarios mas exactos del mundo *(world)* antiguo.

¿Comprendiste?

Lee la publicidad sobre civilizaciones antiguas. Luego, contesta las siguientes preguntas. *(Read the ad and answer the questions.)*

1. ¿En qué condición se encuentran los monumentos antiguos? ¿Por qué? _____

Ahora están en ruinas, porque el tiempo los transformó.

2. ¿Cómo sabemos de sus religiones? *Sabemos de sus religiones por los templos*

y los objetos que encontramos en las excavaciones.

3. ¿Qué sabemos sobre cómo construyeron sus edificios? *Sabemos que trajeron*

piedras desde lejos y construyeron las pirámides sin herramientas modernas.

4. ¿Fueron avanzados sus calendarios? ¿Por qué? *Sí, fueron muy avanzados. Los*

astrónomos los hicieron muy exactos sin telescopios.

¿Qué piensas?

1. ¿Te interesa conocer más sobre las personas de civilizaciones antiguas? ¿Por qué?

Answers will vary: **Sí, me interesa conocer sobre quiénes fueron las**

personas de la antigüedad porque puedo aprender mucho.

Escribir A

> **¡AVANZA!** **Goal:** Write about ancient and modern topics.

Step 1

Escribe una lista de cosas antiguas y modernas. *(List ancient and modern things.)* Answers will vary:

1. _____pirámide_____   3. _____rascacielos_____   5. _____ruinas antiguas_____

2. _____avenida_____   4. _____templos_____   6. _____dioses_____

Ahora, clasifica tu lista en la tabla. *(Classify your list.)*

Lo moderno	Lo antiguo
1. rascacielos	1. pirámide
2. avenida	2. ruinas

Step 2

Describe qué hicieron las civilizaciones antiguas y qué hicieron las civilizaciones más modernas. Luego, di si fuiste a un lugar moderno o antiguo y qué hiciste. Usa el pretérito y las palabras de la tabla. *(Describe what ancient and modern civilizations did. Use words from the chart.)* Answers will vary:

1. Las civilizaciones antiguas construyeron pirámides, pero ahora son

ruinas. 2. Las civilizaciones modernas construyeron ciudades con avenidas

y rascacielos. 3. Una vez fui a México y vi las ruinas de Tulum.

Step 3

Evaluate your writing using the information in the table.

Writing Criteria	Excellent	Good	Needs Work
Content	You have included the preterite tense and all the words from the chart.	You have included some preterite verbs and words from the chart.	You have not included any preterite verbs or words from the chart.
Communication	Most of your response is clear.	Some of your response is clear.	Your response is not very clear.
Accuracy	You make few mistakes in grammar and vocabulary.	You make some mistakes in grammar and vocabulary.	You make many mistakes in grammar and vocabulary.

Escribir B

> **¡AVANZA!** **Goal:** Write about ancient and modern topics.

Step 1

Completa la tabla. Nombra cosas modernas, antiguas, y de las dos. *(List ancient and modern things.) Answer will vary:*

Civilizaciones antiguas	Civilizaciones modernas	Civilizaciones antiguas y modernas
templos para dioses	semáforo	agricultura
pirámides	avenidas	monumentos
ruinas antiguas	rascacielos	catedral
calendario azteca	cuadra	religión

Step 2

Escribe tres oraciones con la información de la tabla. Usa el pretérito. *(Write three sentences using information from the chart. Use the preterite.) Answers will vary:*

1. Yo visité los templos para los dioses en las ruinas antiguas.

2. Yo quise ver el calendario azteca cuando fui a México, y no pude porque

pasé mucho tiempo en las pirámides y no tuve tiempo para ir al museo.

3. Yo almorcé en un restaurante en la ciudad a dos cuadras de la catedral.

Step 3

Evaluate your writing using the information in the table.

Writing Criteria	Excellent	Good	Needs Work
Content	You have included the preterite tense and most of the words from the chart.	You have included preterite tense and some words from the chart.	You have not included the preterite tense or any words from the chart.
Communication	Most of your response is clear.	Some of your response is clear.	Your response is not very clear.
Accuracy	You make few mistakes in grammar and vocabulary.	You make some mistakes in grammar and vocabulary.	You make many mistakes in grammar and vocabulary.

Escribir C

¡AVANZA! **Goal:** Write about ancient and modern topics.

Step 1

Observa el mapa. En la tabla, escribe una lista de las frases que puedes usar para dar direcciones. *(In the chart list phrases you can use to give directions.) Order will vary:*

☐	Barrio Norte	☐
rascacielos	☐	☐
☐	☐	☐
Restaurante	Catedral	☐
☐	Plaza	☐

Siguiendo direcciones	
Hay que...	
1. cruzar la avenida	3. seguir derecho
2. doblar a la derecha/ izquierda	4. caminar hasta...

Step 2

Usando la tabla y el mapa, describe cómo llegaste desde la plaza hasta los otros lugares y qué hiciste en cada lugar. *(Say how you got to each place and what you did there.)*

Empecé en la plaza. Desde allí, salí y crucé la avenida para entar a la catedral.

Quise tomar fotos de las ventanas pero no pude. De allí salí, doblé a la derecha,

caminé una cuadra y doblé a la derecha otra vez. Entré al restaurante a la izquierda

y almorcé. Después salí, doblé a la izquierda y seguí derecho por tres cuadras.

Doblé a la derecha, y caminé hasta la entrada al Barrio Norte, a la izquierda.

Step 3

Evaluate your writing using the information in the table.

Writing Criteria	Excellent	Good	Needs Work
Content	You have fully described how you arrived at each place.	You have partially described how you arrived at each place.	You have not described how you arrived at each place.
Communication	Most of your response is clear.	Some of your response is clear.	Your response is not very clear.
Accuracy	You make few mistakes in grammar and vocabulary.	You make some mistakes in grammar and vocabulary.	You make many mistakes in grammar and vocabulary.

Cultura A

| ¡AVANZA! | **Goal:** Review cultural information about México and Ecuador. |

1 **México** Indica si las siguientes oraciones sobre México son **ciertas** o **falsas**.
(Circle true or false.)

Ⓒ F **1.** La Guelaguetza es una ceremonia indígena de Oaxaca

C Ⓕ **2.** La moneda mexicana es el dólar mexicano.

Ⓒ F **3.** La comida típica mexicana incluye tamales, tacos y enchiladas.

C Ⓕ **4.** El día de la independencia de México es el 10 de septiembre.

2 **Los idiomas indígenas** Lee las siguientes palabras y decide si son originalmente del náhuatl o del quechua. *(Write the origin of the following words.)*

modelo: **Chocolate:** Es del náhuatl.

Chile Es del náhuatl.

Llama Es del quechua.

Papa Es del quechua.

Tomate Es del náhuatl.

Guagua Es del quechua.

3 **Un deporte antiguo** Las antiguas civilizaciones mexicanas jugaban un juego de pelota. ¿Cómo se jugaba? Contesta las preguntas con oraciones completas. *(Answer in complete sentences.)*

1. ¿Con qué golpeaban la pelota los jugadores? Los jugadores golpeaban la pelota con sus caderas, sus brazos o un bate especial.

2. ¿Qué tenían algunas canchas en las paredes? Algunas canchas tenían un aro en la pared.

3. ¿Qué partes del cuerpo no podían usar los jugadores para golpear la pelota?

Los jugadores no podían usar ni las manos ni los pies para tocar la pelota.

4. ¿Cómo se llama el juego de pelota que las personas juegan hoy en Sinaloa, México?

Se llama ulama.

Cultura B

> **¡AVANZA!** **Goal:** Review cultural information about México and Ecuador.

1 **México** Corrige los errores en las siguientes oraciones. Sigue el modelo. (*Correct the errors in the following statements.*)

modelo: Los tostones son un plato típico de México.
           No, un plato típico de México son los tamales.

1. Las palabras «guagua» y «pampa» vienen del náhuatl. _No, las palabras «guagua»_

   y «pampa» vienen del quechua.

2. La palabra «guelaguetza» significa «fiesta». _No, la palabra «guelaguetza» significa_

   «regalo».

3. Frida Kahlo fue una escritora mexicana famosa. _No, Frida Kahlo fue una_

   artista mexicana famosa.

2 **Civilizaciones antiguas** Completa las siguientes oraciones con una palabra de la caja. (*Complete the following sentences.*)

Yamor	Oaxaca	la Guelaguetza	Otavalo

1. _____Oaxaca_____ fue el centro de civilizaciones antiguas como los zapotecas.

2. Los indígenas de _____Otavalo_____ de Ecuador vivían antes del imperio inca.

3. Los oaxaqueños celebran _____la Guelaguetza_____ todos los años.

4. Los otavaleños celebran al final de cada verano la fiesta del _____Yamor_____ .

3 **Un deporte antiguo** Describe las reglas del ulama y la historia del deporte en México. Compara el ulama con un deporte de Estados Unidos. (*Describe the rules of* **ulama** *and its history. Compare it to a sport from the U.S.*)

Answers will vary.

_____

_____

_____

_____

Unidad 4, Lección 2
Cultura B

192

¡Avancemos! 2
Cuaderno: Práctica por niveles

UNIDAD 4
Lección 2

Cultura B

Cultura C

> ¡AVANZA! **Goal:** Review cultural information about México and Ecuador.

1 Completa las siguientes oraciones. *(Complete the following sentences.)*

1. Quechua es el idioma indígena mas común en ___Sudamérica___ .

2. La palabra «guagua» es una palabra quechua que significa _____bebé_____ .

3. En México el juego de la pelota tiene una historia de más de ___3000 años___ .

4. En Sinaloa todavía se juega una versión del juego antiguo que se llama _____ulama_____ .

2 **Las culturas indígenas** Describe estas culturas indígenas de México y de Ecuador. Di de qué región de cada país son y describe sus artesanías y celebraciones tradicionales. *(Complete this chart.)*

LOS ZAPOTECAS	LOS OTAVALEÑOS
Son de: Oaxaca, México	**Son de:** Otavalo, Ecuador
Artesanías: Hacen cerámicas con decoraciones zapotecas.	**Artesanías:** ropa y artículos con tejidos de muchos colores
Celebración: La Guelaguetza, una ceremonia ancestral	**Celebración:** La fiesta del Yamor, que celebra la madre tierra

3 **Un mercado de Otavalo** Eres un(a) vendedor(a) otavaleño. Escribe un párrafo breve sobre qué vendes y qué haces en el mercado. *(You are a vendor at the market in Otavalo. Write a short paragraph about what you sell and do there.)*

modelo: Yo soy un(a) vendedor(a) de Otavalo. En el mercado, yo vendo...

Answers will vary. _____

_____

_____

_____

_____

_____

Comparación cultural: Lo antiguo y lo moderno en mi ciudad

Level 2, pp. 244-245

Lectura y escritura

After reading the paragraphs about the descriptions of the cities where Martin, Elena, y Raúl live, write a paragraph about where you live. Use the information on your T-table to write sentences, and then write a paragraph that describes your city or town.

Step 1

Complete the T-table describing as many details as you can about your city or town.

Mi ciudad en el presente	Mi ciudad en el pasado

Step 2

Now take the details from the T-table and write a sentence for each topic in the table.

_____

_____

_____

_____

_____

Comparación cultural:
Lo antiguo y lo moderno en mi ciudad

Level 2, pp. 244-245

Lectura y escritura (continued)

Step 3

Now write your paragraph using the sentences you wrote as a guide. Include an introduction sentence and use verbs such as **ser, vivir,** and **construir** in the preterite or imperfect tense to write about your city or town.

_____

_____

_____

_____

_____

_____

_____

Checklist

Be sure that…

☐ all the details about your city or town from your T-table are included in the paragraph;

☐ you use details to describe each aspect of your city;

☐ you include new vocabulary words and verbs in the preterite and imperfect tense.

Rubric

Evaluate your writing using the rubric below.

Writing criteria	Excellent	Good	Needs Work
Content	Your paragraph includes many details about your city or town.	Your paragraph includes some details about your city or town.	Your paragraph includes few details about your city or town.
Communication	Most of your paragraph is organized and easy to follow.	Parts of your paragraph are organized and easy to follow.	Your paragraph is disorganized and hard to follow.
Accuracy	Your paragraph has few mistakes in grammar and vocabulary.	Your paragraph has some mistakes in grammar and vocabulary.	Your paragraph has many mistakes in grammar and vocabulary.

UNIDAD 4
Lección 2 • Comparación cultural

Comparación cultural: Lo antiguo y lo moderno en mi ciudad

Compara con tu mundo

Now write a comparison about your city or town and that of one of the three students from page 245. Organize your comparison by topics. First, compare the places in the city, then the architecture and lastly the history of the area.

Step 1

Use the chart to organize your comparison by topics. Write details for each topic about your city or town and that of the student you chose.

	Mi ciudad	**La ciudad de _____**
Lugar(es)		
Arquitectura		
Historia		

Step 2

Now use the details from the chart to write a comparison. Include an introduction sentence and write about each topic. Use verbs such as **ser, vivir,** and **construir** in the preterite or imperfect tense to describe your city or town and that of the student you chose.

_____

_____

_____

_____

_____

_____

_____

_____

196

Unidad 4
Comparación cultural: Lo antiguo y lo moderno en mi ciudad

¡Avancemos! 2
Cuaderno: Práctica por niveles

UNIDAD 4 • Comparación
Lección 2   cultural

Vocabulario A

Level 2, pp. 254-258

> **¡AVANZA!** **Goal:** Discuss different foods and flavors.

1 Mabel va al supermercado a comprar verduras frescas. Marca con una "x" las cosas que son verduras.

1. __x__ la lechuga
2. _____ el aceite
3. _____ la pimienta
4. __x__ la cebolla
5. _____ el vinagre

6. _____ la sal
7. _____ el limón
8. __x__ las zanahorias
9. __x__ las espinacas
10. _____ el azúcar

2 En la cocina de Maribel hay sabores diferentes. Completa su descripción con las palabras de la caja.

¡Hola! Me llamo Maribel y me gustan las cosas **1.** ___saladas___ ,

por eso como pizza. **2.** ¡Qué ___deliciosa___ ! También me

gustan las cosas **3.** ___dulces___ , por eso como chocolate.

¡Qué **4.** ___sabroso___ !

No me gustan las cosas **5.** ___agrias___ , por eso no

como ensalada con mucho limón. Me gustan las cosas **6.**

___picantes___ , por eso mis comidas tienen mucha pimienta.

Pero a mi hermano no le gustan y dice: **7.** ¡ ___Qué asco___ !

saladas
agrias
deliciosa
picantes
sabroso
dulces
qué asco

3 ¿Qué hace María para preparar la cena? Mira los dibujos y escribe una oración completa para cada uno.

1.

2.

1. _María lee la receta._

2. _Answers will vary:_ **María añade sal. María añade los ingredientes.**

Vocabulario B

Level 2, pp. 254-258

> **¡AVANZA!** **Goal:** Discuss different foods and flavors.

1 Vamos a preparar algunas recetas. Une con flechas las comidas y los ingredientes.

Comida	Ingredientes
1. un sándwich	**a.** pollo, arroz, espinacas frescas y zanahorias
2. una cena con verduras	**b.** cebolla, huevos y patatas
3. una ensalada	**c.** limón, fresas y azúcar
4. una tortilla	**d.** lechuga, aceite, vinagre y sal
5. un postre	**e.** pan, jamón, mostaza y mayonesa

2 ¿Qué hace José María para preparar la comida? Mira los dibujos y escribe qué hace en oraciones completas.

1. *Answers will vary:* **Va al supermercado.** _____

2. *Answers will vary:* **Bate los huevos.** _____

3. *Answers will vary:* **Hierve agua.** _____

4. *Answers will vary:* **Fríe ajo.** _____

3 A cada persona le gusta algo diferente. Completa las siguientes oraciones con lo que come cada uno según el sabor que le gusta.

modelo: Inés / salado: **Inés come tortilla de patatas.**

1. Luis / agrio: *Answers will vary:* **Luis come ensaladas con mucho limón.**

2. Ana / dulce: *Answers will vary:* **Ana come un postre.**

3. Paula / picante: *Answers will vary:* **Paula come un sándwich con mostaza.**

4. Ernesto / comida caliente: *Answers will vary:* **Ernesto come pizza.**

5. José Luis / fruta sabrosa: *Answers will vary:* **José Luis come fresas frescas.**

Vocabulario C

> **¡AVANZA!** **Goal:** Discuss different foods and flavors.

1 Escribe las palabras correspondientes para eada una de las definiciones.

1. Plato de verduras frescas, con lechuga o espinacas: _____ ensalada _____

2. Fritas son mis favoritas, pero también me gustan en las tortillas: _____ patatas _____

3. Verdura anaranjada para ensaladas: _____ zanahorias _____

4. Si te gustan las cosas dulces, te gusta esto: _____ azúcar _____

2 ¡En esta cocina hay acción! Con la información de la tabla, escribe qué tienes que hacer cuando cocinas para preparar la comida.

batir	el agua
freír	la cebolla
hervir	la ensalada
mezclar	la tortilla
probar	los huevos

1. Tengo que batir los huevos. _____

2. Tengo que freír la cebolla. _____

3. Tengo que hervir el agua. _____

4. Tengo que mezclar la ensalada. _____

5. Tengo que probar la tortilla. _____

3 ¿Cuál es tu merienda favorita? ¿Qué haces para prepararla?

Answers will vary: **Mi merienda favorita es un sándwich de jamón y queso. Para**

prepararla empiezo con pan, jamón y queso y añado mostaza y un poco

de mayonesa.

_____

_____

Gramática A *Usted/Ustedes Commands*

> **¡AVANZA!** **Goal:** Use **usted/ustedes** commands to give instructions and make recommendations.

1 El tío de Marcos tiene un restaurante. Él le dice a los camareros las cosas que tienen que hacer. Subraya el mandato *(command)* formal.

1. Raúl, (<u>ayude</u> / ayuda) a este camarero.

2. Raúl y Saúl, (<u>lleven</u> / llevan) la cuenta.

3. Manuela, (<u>dé</u> / da) un poco de sal a este señor.

4. Manuela y Roberta, (empiezan / <u>empiecen</u>) a servir las mesas.

5. Manuela y Saúl, (van / <u>vayan</u>) a buscar otro plato.

6. Raúl y Manuela, no (están / <u>estén</u>) nerviosos; todo va a salir bien.

2 El señor Gómez tiene que decirle a los camareros qué hacer. Escribe una oración completa. Usa el mandato correspondiente.

1. Manfredo / batir los huevos. <u>Manfredo, bata los huevos.</u>

2. Alana y José / probar la sopa. <u>Alana y José, prueben la sopa.</u>

3. Manfredo y Alana / añadir más sal. <u>Manfredo y Alana, añadan más sal.</u>

4. Clara / no mezclar los ingredientes. <u>Clara, no mezcle los ingredientes.</u>

5. Mauro / ser más activo. <u>Mauro, sea más activo.</u>

6. Adriana / saber que cerramos tarde. <u>Adriana, sepa que cerramos tarde.</u>

3 Gisela y Alberto van a preparar un postre. Escribe estas oraciones con mandatos formales para decirles qué tienen que hacer.

1. Compran plátanos en el supermercado. <u>Compren plátanos en el supermercado.</u>

2. Alberto saca la leche del refrigerador. <u>Alberto, saque la leche del refrigerador.</u>

3. Gisela hierve la leche. <u>Gisela, hierva la leche.</u>

4. Prueban el postre. <u>Prueben el postre.</u>

5. Añaden más azúcar si el postre no está dulce. <u>Añadan más azúcar si el postre no está dulce.</u>

Gramática B *Usted/Ustedes Commands*

 Goal: Use **usted/ustedes** commands to give instructions and make recommendations.

1 La mamá de Miriam cocina. Miriam le lee la receta. Completa las instrucciones de abajo con la forma correcta del verbo entre paréntesis. Usa mandatos *(commands)*.

1. Primero _____ corte _____ las patatas. (cortar)

2. Ahora, _____ bata _____ bien los huevos. (batir)

3. _____ No añada _____ más sal. (no añadir)

4. Luego _____ hierva _____ las patatas. (hervir)

5. _____ Pruebe _____ la tortilla. (probar)

6. Y _____ sirva _____ caliente la comida. (servir)

2 La maestra de español lleva a los estudiantes de la clase a un restaurante. Ella da instrucciones y les recomienda qué hacer. Escribe oraciones completas. Sigue el modelo.

modelo estar tranquilos en el autobús: **Estén** tranquilos en el autobús.

1. buscar una mesa grande: Busquen una mesa grande.

2. empezar con la tortilla de patatas: Empiecen con la tortilla de patatas.

3. probar el pollo picante: Prueben el pollo picante.

4. pedir el pescado a la sal: Pidan el pescado a la sal.

5. no pagar con tarjeta de crédito: No paguen con tarjeta de crédito.

3 Escribe cinco oraciones completas para dar unas recomendaciones de cocina al señor Calabaza, a Nicolás y a Andrés. Usa mandatos y la información de la tabla de abajo.

Señor Calabaza	mezclar	los ingredientes
Nicolás y Andrés	añadir	la sal
	buscar	el aceite

1. *Answers will vary:* **Señor Calabaza, mezcle los ingredientes**.

2. *Answers will vary:* **Señor Calabaza, busque el aceite.**

3. *Answers will vary:* **Señor Calabaza, añada los ingredientes.**

4. *Answers will vary:* **Nicolás y Andrés, busquen la sal.**

Gramática C *Usted/Ustedes Commands*

Level 2, pp. 259-263

> **¡AVANZA!** **Goal:** Use **usted/ustedes** commands to give instructions and make recommendations.

1 Un chef le dice a tu mamá cómo preparar un sándwich. Usa la forma de mandato *(command)* de los verbos de la caja para completar la receta.

Primero **1.** _____corte_____ el pan. Después, **2.** _____busque_____

la mayonesa y el jamón. **3.** _____Lave_____ la lechuga y el tomate.

Ahora, **4.** _____ponga_____ sal a las verduras. Por fin,

5. ¡_____sirva_____ este sándwich delicioso!

poner
cortar
servir
buscar
lavar

2 La mamá de Luz les explicó una receta a sus hijos por teléfono. Escribe los siguientes pasos en una oración completa. Usa la forma de mandato *(command)* de los verbos. Sigue el modelo:

modelo: Tienen que usar fresas frescas. **Usen** fresas frescas.

1. Tienen que lavar las fresas. Laven las fresas.

2. Tienen que cortar las fresas. Corten las fresas.

3. No tienen que añadir azúcar. No añadan azúcar.

4. Sí, tienen que añadir leche. Añadan leche.

5. Tienen que cocinar todo. Cocinen todo.

6. No tienen que hervir la leche. No hiervan la leche.

7. Tienen que servir este postre caliente. Sirvan este postre caliente.

3 Gerardo y Mirella no saben adónde ir a comer pizza. Escribe cinco oraciones para recomendarles el mejor lugar en tu barrio. Empieza así: **Para la mejor pizza, …**

Answers will vary: **Para la mejor pizza, vayan al restaurante de la esquina.**

_____

_____

_____

_____

_____

Gramática A *Pronoun Placement with Commands*

Level 2, pp. 264-266

 Goal: Give instructions to people using pronouns with **usted** and **ustedes** commands.

1 Un camarero le dice a otro qué cosas quiere la gente. Subraya la oración correcta para pedir las cosas.

1. Esa chica quiere más sal: (<u>pásela usted.</u> / la pasa usted.)

2. Este señor quiere una ensalada: (la prepara usted. / <u>prepárela usted.</u>)

3. Esos chicos no quieren mostaza en su comida: (<u>no la añada.</u> / no la añade.)

4. Esa señora dice que su comida no está buena: (la prueba. / <u>pruébela.</u>)

5. Este chico no quiere la lechuga cortada: (no la corta. / <u>no la corte.</u>)

2 Tienes que decirle a unos amigos cómo hacer una receta. Escribe oraciones con el pronombre correspondiente.

modelo: Añadan sal. **Añádanla.**

1. Lleven a los chicos al supermercado. <u>Llévenlos al supermercado.</u>

2. Compren verduras y frutas frescas. <u>Cómprenlas frescas.</u>

3. No corten la cebolla. <u>No la corten.</u>

4. Mezclen los ingredientes. <u>Mézclenlos.</u>

5. No añadan mostaza. <u>No la añadan.</u>

6. Prueben las fresas. <u>Pruébenlas.</u>

7. Sirvan el almuerzo. <u>Sírvanlo.</u>

8. No den de comer al perro. <u>No le den de comer.</u>

3 Estás en un restaurante. En una oración completa le dices al chef cómo preparar la sopa.

1. <u>*Answers will vary:*</u> **Hierva el agua, añádale la cebolla, las zanahorias y**

las espinacas.

_____

Gramática B Pronoun Placement with Commands

UNIDAD 5
Lección 1 • Gramática B

¡AVANZA! **Goal:** Give instructions to people using pronouns with **usted** and **ustedes** commands.

1 Pablo tiene un restaurante. Él le dice a los chefs qué hacer. Completa el diálogo con mandatos (*commands*). Usa los verbos **comprar**, **añadir**, **probar** y **buscar**. *Answers will vary.*

Camarero 1: Don Manuel, no encontramos el aceite.

Don Manuel: Pues, ____búsquenlo____ . ¿Qué pasa con los tomates?

Camarero 2: Don Manuel, no hay más tomates.

Don Manuel: Entonces, ____cómprenlos____ . ¿Qué pasa con esa ensalada?

Camarero 3: Don Manuel, a esa persona no le gusta la sal en la ensalada.

Don Manuel: Entonces, ____no la añada____ . ¿Y cómo está la sopa?

____Pruébela____ antes de servirla.

2 Tú y unos amigos cocinan. En tres oraciones pídeles qué hacer. Sigue el modelo.

modelo: Norberto y Federica / sacar las verduras
Sáquenlas.

1. Josefa y Norberto / cortar el limón

Córtenlo.

2. Norberto, Joaquín y Federica / poner la mesa

Pónganla.

3. Josefa / servir calientes los postres

Sírvalos calientes.

3 Díles a los chefs qué hacer. Escribe un diálogo de cuatro oraciones. Usa **le, lo, las, los** con los mandatos y las expresiones: **ahora** y **no... todavía**. Sigue el modelo.

modelo: **Esteban:** ¿Añado la cebolla al pollo?

Tú: No, no **la** añada **todavía**.

Answers will vary: **Carmela: ¿Le pongo el limón?**

Tú: Sí, ponlo ahora.

Marcos y Mariela: ¿Servimos las frutas?

Tú: No, no las sirvan todavía.

Gramática C *Pronoun Placement with Commands*

¡AVANZA! **Goal:** Give instructions to people using pronouns with **usted** and **ustedes** commands.

1 Pablo quiere tu ayuda con una receta. Escribe oraciones con el mandato y el pronombre correspondiente.

modelo: Ustedes / verduras frescas (comprar) **Cómprenlas.**

1. Usted / los ingredientes (buscar)

Búsquelos.

2. Ustedes / los huevos (no freír)

No los frían.

3. Ustedes / el aceite (mezclar)

Mézclenlo.

4. Usted / la sal (no añadir)

No la añada.

5. Ustedes / las verduras (hervir)

Hiérvanlas.

2 Dile a María qué hacer con los ingredientes. Usa los mandatos y los pronombres.

modelo: Las verduras: **cómprelas.**

1. La cebolla *Answers will vary:* **Córtela.**

2. Los huevos *Answers will vary:* **Bátalos.**

3. La pimienta *Answers will vary:* **No la añada.**

4. La tortilla de las patatas *Answers will vary:* **Pruébela.**

5. El ajo *Answers will vary:* **Añádalo.**

3 La amiga de tu mamá quiere darle una fiesta de cumpleaños y servir su comida favorita. Te pide la receta. Dile cómo preparar y servir el pollo al ajo con cuatro oraciones completas. Usa los pronombres con los mandatos.

Answers will vary: **Para preparar el plato de pollo favorito de mi mamá,**

primero lave el pollo. Luego, córtelo. Póngalo a freir con un poco de

aceite y mucho ajo. Sírvalo caliente con un poco de limón.

Integración: Hablar

A Martina le gusta cocinar y seguir recetas, pero a veces ella cambia *(changes)* las recetas e inventa platos únicos. ¿Cómo cambia una receta para huevos con verduras?

Fuente 1 Leer

Lee una receta para huevos con verduras.

Deliciosos huevos con verduras

Para esta receta necesitan seis huevos, dos cebollas, aceite, dos zanahorias y patatas. Si quieren, pueden añadir otros ingredientes.

- *Primero, laven las patatas, las cebollas y las zanahorias y córtenlas muy pequeñitas.*

- *En un bol grande, batan los huevos rápidamente; no los batan lentamente.*

- *Luego, frían las verduras con aceite y sal. Añadan el huevo y mezclen todo bien. Cocínenlo quince minutos.*

Fuente 2 Escuchar   *WB CD 03 track 1*

Escucha el mensaje telefónico que le dejó Martina a su amigo Gustavo. Toma apuntes.

_____

_____

_____

_____

Hablar

¿Qué ingredientes diferentes le añade Martina a la receta que sale en la revista? ¿Cómo sabemos?

modelo: Martina añade... También...

Answers will vary: **Martina añade pimienta, espinacas y ajo a la receta.**

Sabemos esto porque ella dice que quiere hacer la receta más sabrosa y

quiere saber si Gustavo puede comprar estos ingredientes, pero no están

en la receta.

Integración: Escribir

Level 2, pp. 267-269
WB CD 03 track 03

Leonardo quiere participar en una competencia de cocina este fin de semana. Está nervioso porque no es un chef profesional. En tu opinión y basado en la información sobre la competencia, ¿piensas que Leonardo debe participar o no?

Fuente 1 Leer

Lee la publicidad de la competencia de cocina que sale en el periódico.

ESCUELA DE COCINA LÓPEZ

¿Saben cocinar?

Entonces, ¡pueden ganar un gran premio con sus mejores recetas!

Este sábado, tenemos una competencia en la Escuela de Cocina López. Estamos en la planta baja del Centro Comercial Macarena. Traigan sus recetas y prepárenlas aquí. Nosotros les damos todos los ingredientes. El premio es tomar clases de cocina con el famoso chef José Miguel López y los ingredientes necesarios, ¡por todo un año! ¡Busquen sus recetas y tráiganlas ya!

Fuente 2 Escuchar   *WB CD 03 track 04*

Escucha el el anuncio en la radio sobre la competencia. Toma apuntes.

_____

_____

_____

_____

Escribir

Hay muy buenas razones para competir, pero Leonardo no quiere. Explica por qué Leonardo debe competir.

modelo: Leonardo debe competir porque... Además, puede ganar...

Answers will vary: **Leonardo debe competir porque es facilísimo y puede**

preparar sus recetas. Además, puede ganar un año de clases de cocina

con un chef famoso.

_____

_____

_____

Escuchar A

Level 2, pp. 274-275
WB CD 03 tracks 05-06

| ¡AVANZA! | **Goal:** Listen to discussions about food. |

1 Escucha a Lorenzo. Encierra en un círculo las cosas que tiene que comprar en el supermercado.

(fresas)	(cebollas)	mostaza
lechuga	(zanahorias)	(huevos)
limón	(leche)	(azúcar)
aceite	pimienta	(sal)
vinagre	(mayonesa)	

2 Escucha la conversación entre Daniela y su mamá. Contesta las preguntas.

1. ¿Por qué no puede ir Daniela al supermercado?

Porque tiene que terminar el postre de chocolate para Pedro.

_____

_____

2. ¿Por qué no puede ir la mamá de Daniela al supermercado?

Porque tiene mucho trabajo.

_____

_____

3. ¿Por qué no puede ir Lorenzo al supermercado?

Porque sale con sus amigos.

_____

_____

Escuchar B

> **¡AVANZA!** **Goal:** Listen to discussions about food.

1 Escucha la conversación de Luciana y Lucas. Luego, subraya una vez lo que come Luciana y dos veces lo que come Lucas.

1. Ensalada de tomate con ajo
2. Ensalada de lechuga
3. Mostaza
4. Plátano
5. Fresas frescas
6. Una tortilla de patatas
7. Chocolate

2 Escucha lo que dice Norma. Luego, completa las siguientes oraciones.

1. Para la tortilla, mezclen   _patatas, cebollas y huevos_   .

2. Para la ensalada, corten _____ _tomates y lechuga_ _____ y después añádanles

   _____ _aceite, sal y limón_ _____ .

Escuchar C

| ¡AVANZA! | **Goal:** Listen to discussions about food. |

1 Escucha la conversación telefónica entre Malena y Juan Carlos. Toma apuntes. Luego, completa las oraciones.

1. Malena tiene que ____preparar la comida____ .

2. A Malena y a su hermano les gustan las comidas ____saladas____ .

3. A Malena y a su hermano no les gustan las comidas ____picantes o agrias____ .

4. Si no quieren una comida agria no le ____añadan limón____ .

5. Si no quieren una comida picante no le ____añadan pimienta____

2 Escucha lo que dice Dante y toma apuntes. Luego, contesta las preguntas con oraciones completas.

1. ¿Por qué tienen que preparar la comida Dante y su hermano?

   Dante y su hermano tienen que preparar la comida porque su mamá está

   trabajando fuera de la ciudad.

   _____

2. ¿Qué quiere decir Dante con «¡no sabemos ni freír un huevo!»?

   Answers will vary: **Quiere decir que freír un huevo es muy fácil y si no saben**

   hacer eso tan fácil, no saben hacer las cosas más difíciles.

   _____

3. ¿Por qué sabe mucho de cocina Juan Carlos?

   Juan Carlos sabe mucho de cocina porque tiene un restaurante.

   _____

   _____

Leer A

¡AVANZA! **Goal:** Read about food.

Olga le da a la mamá de su amiga una receta de su plato preferido.

> Señora:
>
> Ésta es mi receta de pollo en salsa de espinacas. Necesita:
>
> cebolla   tomate   ajo   aceite
>
> sal   espinacas   pollo   el jugo de un limón
>
> Éstos son los ingredientes. Vaya al supermercado y cómprelos allí. Las verduras tienen que estar frescas. Después:
>
> 1. Lave el pollo y las verduras y córtelo todo.
>
> 2. Póngales sal y el jugo de limón.
>
> 3. Mézclelo todo menos los tomates.
>
> 4. Fríalo en aceite.
>
> 5. Añádale el ajo y los tomates.
>
> 6. Mézclelo todo otra vez.
>
> 7. Sírvalo caliente con arroz y una ensalada fresca.

¿Comprendiste?

Lee la receta de Olga. Luego, contesta **cierto** o **falso**.

Ⓒ F   **1.** Tiene que ir al supermercado a comprar los ingredientes.

C Ⓕ   **2.** Primero hay que mezclar los ingredientes.

Ⓒ F   **3.** La receta de Olga fríe todos los ingredientes.

C Ⓕ   **4.** La receta de pollo necesita espinacas, cebolla, pimienta y sal.

¿Qué piensas?

¿Crees que el pollo de Olga va a ser delicioso? ¿Por qué?

Answers will vary: **No, creo que el pollo no va a ser delicioso porque mezcla demasiados sabores diferentes.**

Leer B

 Goal: Read about food.

Verónica deja en la mesa una nota para sus hermanos.

> *Hola, chicos. Hoy cocino yo. Por favor, vayan al supermercado porque*
> *yo no puedo. Necesitamos lechuga y tomate para una ensalada, leche,*
> *huevos y azúcar para un postre. Compren también ajo, mostaza y pimienta*
> *porque quiero cocinar algo picante. Compren verduras frescas para hacer un*
> *arroz, ¡pero no prueben nada! Necesito todos los ingredientes para hacer la*
> *cena. Si quieren algo dulce, pueden comprar chocolate. Yo llamo a mamá*
> *más tarde para pedirle la receta del flan. Si quieren alguna cosa más,*
> *llámenme a mi teléfono celular y hablamos. ¡Nos vemos para cenar!*

¿Comprendiste?

Lee la nota de Verónica y luego contesta estas preguntas.

1. ¿Por qué tienen que ir al supermercado los hermanos de Verónica?

Porque ella no puede pero quiere cocinar la cena.

_____

2. ¿Qué ingredientes necesita Verónica?

Verónica necesita lechuga, tomate, leche, huevos, azúcar, ajo, mostaza,

pimienta, pan y verduras frescas.

3. ¿Qué va a preparar Verónica para cenar?

Verónica va a preparar una ensalada, arroz con verduras y flan.

_____

4. ¿Por qué quiere llamar Verónica a su mamá?

Verónica quiere llamar a su mamá porque necesita su receta del flan.

¿Qué piensas?

¿Qué te gusta comer para cenar? Escribe un menú de tres platos.

Answers will vary: **Me gusta comer primero una sopa con pan, después**

filete con verduras y fruta o flan de postre.

_____

Leer C

> **¡AVANZA!** **Goal:** Read about food.

Javier escribe una crítica de un restaurante nuevo para el periódico de su escuela.

> Ayer fui a cenar al restaurante nuevo La Costa Brava. Probé muchos platos para poder escribir una buena crítica. Como me gustan mucho las cosas picantes, primero pedí pan con ajo y aceite. ¡Estaba delicioso! Después probé la tortilla de patatas. Estaba demasiado salada; la receta no era muy buena. Luego pedí carne frita con patatas y mayonesa. La mayonesa estaba agria, entonces no la comí. Además, la carne estaba fría. ¡Qué asco! Por suerte, el postre estaba muy sabroso. Pedí una tarta de chocolate con fresas. Estaba dulce, pero no demasiado dulce y las fresas eran frescas. Me encanta el dulce. Fue un buen final para una experiencia no muy buena.

¿Comprendiste?

Lee la crítica de Javier. Luego, contesta estas preguntas con oraciones completas.

1. ¿Qué platos pidió Javier en el restaurante?

   Javier pidió pan con ajo y aceite, tortilla de patatas, carne frita con patatas

   y mayonesa y tarta de chocolate con fresas.

2. ¿Le gustó la tortilla de patatas? ¿Por qué?

   No, no le gustó porque estaba demasiado salada y la receta no era buena.

3. ¿Qué sabores le gustan a Javier? ¿Cuál no le gusta?

   Le gustan las cosas picantes y las cosas dulces. No le gusta lo salado.

4. ¿Por qué crees que no fue una buena experiencia?

   Answers will vary: Porque la tortilla y la carne con patatas no estaban buenas.

¿Qué piensas?

1. ¿Cuál es tu sabor favorito? ¿Por qué?

   Answers will vary: **Mi sabor favorito es el dulce porque me gusta mucho el**

   chocolate.

2. ¿Te gustan los alimentos agrios o picantes? Da ejemplos.

   Me gustan los alimentos picantes como la mostaza, pero no me gustan los

   alimentos agrios como el vinagre.

UNIDAD 5 • Lección 1
Escribir A

Escribir A

Level 2, pp. 274-275

> ¡AVANZA! **Goal:** Write about food.

Step 1

Tu amiga María te pide la receta para cocinar un arroz con verduras. Haz una lista de cuatro ingredientes necesarios para cocinarlo. Luego haz una lista de las cosas que tiene que hacer para preparar el arroz con verduras. Sigue el modelo.

Ingredientes modelo: arroz	
1. *Answers will vary:* **tomates**	**3.** *Answers will vary:* **sal**
2. *Answers will vary:* **cebolla**	**4.** *Answers will vary:* **espinacas**
¿Qué tiene que hacer? modelo: lavar	
1. *Answers will vary:* **cortar**	**3.** *Answers will vary:* **hervir**
2. *Answers will vary:* **freír**	**4.** *Answers will vary:* **mezclar**

Step 2

Con oraciones completas, escribe cuatro pasos para cocinar arroz con verduras. Usa los mandatos de **usted** o **ustedes** y los pronombres **lo, la, los** o **las.** Sigue el modelo.

1. Primero: *Answers will vary:* **Corten los tomates.** _____
2. Segundo: *Answers will vary:* **Hierva el agua con las espinacas.** _____
3. Tercero: *Answers will vary:* **Fría la cebolla.** _____
4. Cuarto: *Answers will vary:* **Mézclenlo todo y añádanle sal.** _____

Step 3

Evaluate your writing using the information in the table below.

Writing Criteria	Excellent	Good	Needs Work
Content	You have included all the information in your instructions.	You have included some information in your instructions.	You have included little information in your instructions.
Communication	Most of your instructions are clear.	Some of your instructions are clear.	Your instructions are not very clear.
Accuracy	You make few mistakes in grammar and vocabulary.	You make some mistakes in grammar and vocabulary.	You make many mistakes in grammar and vocabulary.

Escribir B

> **¡AVANZA!** **Goal:** Write about food.

Step 1

Escribe una lista de cuatro ingredientes de tu comida preferida.

1. *Answers will vary:* **pan** _____
2. *Answers will vary:* **tomate** _____
3. *Answers will vary:* **queso** _____
4. *Answers will vary:* **cebolla** _____

La comida es: *Answers will vary:* **un sándwich con cebolla** _____

Step 2

Con la información de arriba, escríbele cuatro oraciones al chef del restaurante donde comes. Dile dos cosas que tiene que hacer y dos cosas que no tiene que hacer. Usa mandatos *(commands)* y pronombres.

modelo: Señor, no me gustan las comidas con sal. **No la ponga** en mi sopa.

1. *Answers will vary:* Señor, no me gusta la mayonesa. No la ponga en mi comida.
2. Señor, me gusta la cebolla; añádala a mi tortilla.
3. Señor, me gusta mucho el queso; mézclelo con el tomate.
4. Señor, no me gustan las comidas picantes. No use pimienta.

Step 3

Evaluate your writing using the information in the table below.

Writing Criteria	Excellent	Good	Needs Work
Content	You have included all the information in your instructions.	You have included some information in your instructions.	You have included little information in your instructions.
Communication	Most of your sentences are clear.	Parts of your sentences are clear.	Your sentences are not very clear.
Accuracy	Your senences have few mistakes in grammar and vocabulary.	Your sentences have some mistakes in grammar and vocabulary.	Your sentences have many mistakes in grammar and vocabulary.

Level 2, pp. 274-275

¡AVANZA! **Goal:** Write about food.

Step 1

Completa la tabla con las comidas que tienen estos sabores. *Answer will vary.*

Salado	Dulce	Agrio	Picante
pizza	chocolate	limón	pimienta
sándwich	plátanos	vinagre	mostaza
sopa	fresas		cebolla
papas fritas	un postre		ajo

Step 2

Con la información de arriba, escribe oraciones sobre cuatro combinaciones de alimentos. Di cuáles te gustan y cuáles no. Explica por qué. Sigue el modelo.

modelo: No me gusta mezclar la sopa con plátanos porque la sopa es salada y los plátanos son dulces. ¡Qué asco!

Me gusta comer fresas con chocolate porque son dulces. El ajo y la cebolla

no me gustan mucho porque son picantes, pero me gusta comerlos en la

pizza. Me encantan los sándwiches con mostaza. ¡Son deliciosos! También

me gusta comer sándwiches con papas fritas porque son saladas.

Step 3

Evaluate your writing using the information in the table.

Writing Criteria	Excellent	Good	Needs Work
Content	You have written about four food combinations.	You have written about three food combinations.	You have written about two or fewer food combinations.
Communication	Most of your sentences are clear.	Some of your sentences are clear.	Your sentences are not very clear.
Accuracy	Your sentences have few mistakes in grammar and vocabulary.	Your sentences have some mistakes in grammar and vocabulary.	Your sentences have many mistakes in grammar and vocabulary.

Cultura A

> **¡AVANZA!** **Goal:** Review the importance of food and culture in Spain.

1 **España** Completa las oraciones con la palabra correcta.

1. La capital de España es (Barcelona / Madrid).

2. Los idiomas de España son el español, el catalán, el vasco y el (griego / gallego).

3. (Picasso / Gaudí) fue un arquitecto famoso de Barcelona.

4. La tortilla española tiene (harina de maíz / patatas y huevos).

5. Una naturaleza muerta es una pintura de (objetos / personas).

2 **Tapas** Escribe el nombre de cuatro tapas y luego di si te gustan o no.

modelo: Los pulpos: (No) me gustan los pulpos.

1. _Answers will vary:_ **la tortilla de patatas. Me gusta la tortilla de patatas.**

2. _Answers will vary:_ **las aceitunas. No me gustan las aceitunas.**

3. _Answers will vary:_ **los calamares. No me gustan los calamares.**

4. _Answers will vary:_ **el jamón. Me gusta el jamón.**

3 **Una visita a España** Estás en España con unos amigos. Ustedes van a una churrería y después a un restaurante de tapas. Describe qué hicieron y qué pidieron en cada lugar.

modelo: Primero, mis amigos y yo fuimos a una churrería. Yo pedí...

Answers will vary: **Primero, mis amigos y yo fuimos a una churrería. Yo pedí**

churros con chocolate. Mi amiga Marta pidió un chocolate también.

Después fuimos a un restaurante de tapas. Pedimos calamares, tortilla

de patatas y aceitunas. Comimos y hablamos mucho.

Cultura B

> ¡AVANZA! **Goal:** Review the importance of food and culture in Spain.

1 **España** Escoge una de las dos opciones para completar las siguientes oraciones.

1. España y once países más tienen esta moneda. __b__

   a. la peseta   **b.** el euro

2. Una tapa típica española hecha con mayonesa es __a__ .

   a. la ensaladilla rusa   **b.** los churros

3. El artista español El Greco pintó la ciudad de __a__ .

   a. Toledo   **b.** Madrid

4. La tortilla española está hecha con __a__ .

   a. patatas y huevos   **b.** harina o maíz

5. Antonio Gaudí construyó muchos edificios __a__ en Barcelona.

   a. modernos   **b.** tradicionales

2 **Tapas** José Luis y Beatriz son españoles y discuten sobre las tapas. Escoge una de las palabras en paréntesis para terminar el diálogo entre ellos.

José Luis: Para el desayuno me gustan mucho (los churros / la tortilla española). A ti también te gustan, ¿no?

Beatriz: Sí, y me gusta beber (el chocolate / la leche) porque es muy rico. Y ¿qué tapas prefieres? ¿Los calamares?

José Luis: No, los calamares no, pero me gustan las zanahorias y por eso me gusta (la ensaladilla rusa / el jamón).

Beatriz: A mí me gustan los huevos y la cebolla de la (tortilla de patatas / ensaladilla rusa).

3 **La pintura española** Escribe cuatro oraciones para comparar a los artistas El Greco y Ángel Planells. ¿De dónde son? ¿Qué pintaron? ¿Cómo son sus pinturas?

Answers will vary: **El Greco es de Grecia y Planells es de Cataluña, España.**

El Greco pintó la ciudad de Toledo. Planells pintó una naturaleza muerta

de comidas y obras surrealistas. Las pinturas de El Greco son

dramáticas, pero la naturaleza muerta de Planells es muy realista.

Cultura C

> **¡AVANZA!** **Goal:** Review the importance of food and culture in Spain.

1 **España** Completa las siguientes oraciones sobre España.

1. El arquitecto Antonio Gaudí y el artista Ángel Planells son de la región de
   . _Cataluña_ .

2. Pueden comprar los churros o porras en ___las churrerías___ .

3. El artista El Greco vivía en la ciudad de _____Toledo_____ por muchos años.

4. En España se habla el español, el catalán, el gallego y el _____vasco_____ .

5. Neruda es un poeta que escribió muchas _____odas_____ .

2 **Tapas** Haz una lista de tres tapas españolas y luego escribe los ingredientes que lleva cada una. *Answers will vary.*

tortilla de patatas: huevos, patatas

ensaladilla rusa: patatas, zanahoria, guisantes, mayonesa

jamón: carne, sal

3 **Oda a...** Escribe una oda a tu plato favorito como las de Pablo Neruda. Incluye el nombre del plato, por qué te gusta y cuándo lo comes. ¡No olvides el título!

Answers will vary: **Oda a los espaguetis**

Los espaguetis son mi plato preferido

con tomate, pesto o sólo queso,

para almorzar o cenar

son riquísimos.

Vocabulario A

Level 2, pp. 278-282

¡AVANZA! **Goal:** Talk about dishes and ordering at a restaurant.

1 Mónica y Luis van a almorzar al restaurante. Lee cada oración y contesta **cierto** o **falso.**

Ⓒ F **1.** El gazpacho es una sopa fría.

C Ⓕ **2.** El flan es un plato principal.

Ⓒ F **3.** Usas una cuchara para comer la sopa.

C Ⓕ **4.** Compras un helado en la pastelería.

C Ⓕ **5.** El pollo asado es un plato vegetariano.

2 El camarero es muy atento. Completa el diálogo con las palabras de la caja.

Alejandro:	¡Buenas tardes! ¿Cuál es el plato	
	1. _____vegetariano_____?	
El camarero:	¡Buenas tardes! Es un plato de	
	2. ___verduras hervidas___ o crudas y de	
	3. _____entremés_____, hay gazpacho.	
	Esta sopa es **4.** _una especialidad de la casa_.	
Alejandro:	**5.** ¡ _____Excelente_____ !	
	6. ¿ _____Me puede traer_____ las verduras	

entremés
una especialidad
  de la casa
excelente
muy amable
me puede traer
verduras
  hervidas
buen provecho
vegetariano

crudas y el gazpacho, por favor?

El camarero:	Aquí tiene, señor, **7.** ¡ ____buen provecho____ !	
Alejandro:	Gracias. **8.** ____Muy amable____ .	

3 ¿Qué pides en tu restaurante favorito? Contesta las preguntas con oraciones completas.

1. ¿Qué pides de entremés, caldo o sopa? _Answers will vary:_ **Generalmente, no**

pido entremés.

2. ¿Qué prefieres: el filete a la parrilla o las chuletas de cerdo? _Answers will vary:_

Prefiero el filete a la parrilla.

3. ¿Qué pides, el flan o la tarta de chocolate? _Answers will vary:_ **Siempre pido el flan.**

4. ¿Y para beber, prefieres té o café? _Answers will vary:_ **Prefiero el té.**

Vocabulario B

Level 2, pp. 278-282

> **¡AVANZA!** **Goal:** Talk about dishes and ordering at a restaurant.

1 Javier es vegetariano. Marca con una X las comidas vegetarianas.

__x__ el caldo de verduras   __x__ los espaguetis

_____ el pollo asado   __x__ la ensalada de lechuga

__x__ el gazpacho   _____ el filete a la parrilla

_____ las chuletas de cerdo   _____ la paella

2 Los platos de este restaurante son riquísimos. Completa las oraciones.

un vaso
una tarta de chocolate
el cuchillo y el tenedor
una pastelería
una servilleta
la especialidad de la casa

1. Como el filete a la parrilla con ___el cuchillo y el tenedor___ .

2. ___La especialidad de la casa___ es la paella.

3. Tengo sed. Para beber agua, necesito _____un vaso_____ .

4. Y para limpiarme la boca, necesito _____una servilleta_____ .

5. Para el postre, tengo ganas de comer ___una tarta de chocolate___ .

6. ¿Vamos a otro lugar para el postre? ¡Sí! Vamos a _____una pastelería_____ .

3 Tú y tu familia van a un restaurante español. Escribe qué piden para comer.

Answers will vary: **Primero pedimos unas tapas: tortilla, pulpo y aceitunas.**

Yo pido filete a la parrilla y flan de postre. Mis padres piden paella de

marisco y vino. Mi hermano pequeño pide espaguetis y tarta de chocolate.

Vocabulario C

¡AVANZA! **Goal:** Talk about dishes and ordering at a restaurant.

1 Lee las descripciones que escribió Marcos sobre el restaurante Mesón Ignacio y usa las palabras de la caja que completan las oraciones.

En este restaurante sirven gazpacho, que es una sopa

1. _de entremés_ . Para los vegetarianos, sirven

2. _espaguetis_ . Las verduras

están crudas, no están **3.** _cocidas_ . Pero los camareros

son todos muy **4.** _atentos_ . En este restaurante no

venden **5.** _tarta de chocolate_ de postre. Si la quieres, tienes que ir

a **6.** _una pastelería_ . Pero sí sirven

7. _un flan_ muy delicioso. Si quieres helado,

tienes que ir a **8.** _la heladería_ .

espaguetis
atentos
un flan
una pastelería
la heladería
de entremés
cocidas
tarta de chocolate

2 Javier va al restaurante. Completa el diálogo.

Javier: ¿Cuál es **1.** _la especialidad_ de la casa?

Camarero: Si le gusta la sopa, tenemos **2.** _un caldo_ de verduras muy rico.

Javier: Sí, **3.** ¿ _me puede traer_ el caldo de entremés?

Camarero: Claro, señor. **4.** ¿ _Y para comer_ ? ¿Le gustaría la paella?

Javier: **5.** ¡ _Excelente_ ! Muy buena idea. Y un refresco **6.** _para beber_ .

Camarero: Aquí tiene la comida. **7.** ¡ _Buen provecho_ !

Javier: Muy amable. **8.** _Gracias por atenderme_

3 Escribe tres oraciones completas para describir cómo te gustan las siguientes comidas. Usa los adjetivos **frito(a)**, **crudo(a)** y **hervido(a)** en tus oraciones.

1. las zanahorias: _Answers will vary: Me gustan las zanahorias crudas._

2. las chuletas de cerdo: _Answers will vary: Me gustan las chuletas de cerdo fritas._

3. las patatas: _Answers will vary: Me gustan las patatas hervidas o fritas._

Gramática A *Affirmative and Negative Words*

> ¡AVANZA!
> **Goal:** Use affirmative and negative words to talk about restaurants.

1 En este restaurante hay cosas positivas y cosas negativas. Marca con una X las oraciones positivas.

_____ A nadie le gustan los espaguetis.   _____ Nunca hay sopa.

__x__ Siempre hay platos vegetarianos.   __x__ Hay algo de postre.

__x__ Sirven verduras y carne.   _____ Ni sirven espaguetis ni sirven ensalada.

__x__ También sirven gazpacho.   _____ Tampoco sirven chuletas de cerdo.

2 Lucas siempre dice lo contrario que dice Carmen. Completa las siguientes oraciones con las cosas que dice Lucas.

1. Hay algo sabroso. / No hay _____ nada _____ sabroso.

2. Siempre hay carne. / _____ Nunca _____ hay carne.

3. También hay pollo. / _____ Tampoco _____ hay pollo.

4. Nunca tienen espaguetis. / _____ Siempre _____ tienen espaguetis.

5. Hay o pollo o filete. / No hay _____ ni _____ pollo _____ ni _____ filete.

3 Contesta las siguientes preguntas sobre tu vida con una oraciones completas. Usa palabras afirmativas o negativas.

1. ¿Algunos de tus amigos van al restaurante este sábado?

Answers will vary: **Sí, algunos (No, ningunos) van al restaurante**

este sábado.

_____

2. ¿Tu restaurante favorito siempre sirve filete a la parrilla?

Answers will vary: **No, mi restaurante favorito nunca sirve filete a la parrilla.**

_____

3. ¿Conoces a alguien que trabaja en un restaurante?

Answers will vary: **No, no conozco a nadie que trabaja en un restaurante.**

_____

Gramática B Affirmative and Negative Words

Level 2, pp. 283-287

> **¡AVANZA!** **Goal:** Use affirmative and negative words to talk about restaurants.

1 Javier va a un restaurante. Escoge la palabra que completa mejor cada oración.

1. El menú no tiene __a__ especialidad de la casa.

   a. ninguna   **b.** alguien   **c.** siempre   **d.** también

2. Conozco bien el menú; __d__ tengo que leerlo.

   a. siempre   **b.** también   **c.** algún   **d.** nunca

3. No sé qué pedir. Voy a pedir __a__ pollo o pescado.

   a. o   **b.** algún   **c.** también   **d.** ni

4. No quiero nada de postre. __b__ quiero té.

   a. También   **b.** Tampoco   **c.** Algo   **d.** Alguien

2 En este restaurante pasan cosas buenas y malas. Escribe lo opuesto a cada oración.

modelo: **Nadie** llega al restaurante temprano. **Alguien** llega al restaurante temprano.

1. Luisa quiere o espaguetis o verduras. _Luisa no quiere ni espaguetis ni verduras._

2. Nunca tienen paella. _Siempre tienen paella._

3. Hoy tampoco hay pollo. _Hoy también hay pollo._

4. No queremos ningún postre. _Queremos algún postre._

3 Estás en un restaurante del centro. Escribe tres oraciones completas sobre cosas afirmativas y negativas para decir qué hace el camarero y qué pasa en ese restaurante. Usa la información de la caja.

Nunca	tener	pollo asado
Siempre	servir	gazpacho
También	pedir	filete a la parrilla

1. _Answers will vary:_ **Nunca tienen gazpacho en este restaurante.**

2. _Answers will vary:_ **Siempre nos sirven filete a la parrilla.**

3. _Answers will vary:_ **También pedimos pollo asado de vez en cuando.**

Gramática C *Affirmative and Negative Words*

> ¡AVANZA!
>
> **Goal:** Use affirmative and negative words to talk about restaurants.

1 Muchas personas van a comer al restaurante del señor Pascual. Escribe la palabra apropiada para cada oración. Lee si es afirmativa o negativa en el paréntesis.

1. Hoy no sirven espaguetis. ¡_____Nunca_____ tienen espaguetis! (negativa)

2. Nadie pidió caldo, pero _____alguien_____ pidió gazpacho. (afirmativa)

3. No veo al camarero. No hay _____nadie_____ aquí para atender las mesas. (negativa)

4. No hay pollo. _____Tampoco_____ hay chuletas de cerdo. (negativa)

5. En el menú dice que hay ensalada. _____También_____ hay espinacas. (afirmativa)

2 ¿Qué haces cuando vas a un restaurante? Contesta las preguntas con una oración negativa.

1. ¿Algunas veces comes en restaurantes caros?
   No, nunca como en restaurantes caros.

2. ¿Prefieres comer algo tradicional? *No, no prefiero comer nada tradicional.*

3. ¿Vais siempre tú y tus amigos a un restaurante para celebrar los cumpleaños?
   No, no vamos siempre (no vamos nunca) a un restaurante para celebrar los cumpleaños.

4. ¿Quieres las espinacas o la ensalada? *No quiero ni las espinacas ni la ensalada.*

5. ¿Pides algún plato vegetariano? *No, no pido ningún plato vegetariano.*

3 Describe tu restaurante favorito y otro que no te guste mucho. Escribe cuatro oraciones usando palabras afirmativas y negativas. Sigue los siguientes modelos.

modelo: **a. Algún** camarero es atento en mi restaurante favorito.
　　　　 b. En el otro restaurante, **ningún** camarero es atento.

1. **a.** *Answers will vary:* **Siempre venimos a este restaurante.**

   b. *Answers will vary:* **Nunca venimos a este restaurante.**

2. **a.** *Answers will vary:* **Hay pollo asado muy rico, y también hay chuletas de cerdo.**

   b. *Answers will vary:* **No hay pollo asado, y tampoco hay chuletas de cerdo.**

Gramática A *Double Object Pronouns*

Level 2, pp. 288-290

> **¡AVANZA!** **Goal:** Use double object pronouns to talk about food and service.

1 Escuchas una conversación en un restaurante. Une con flechas las oraciones con los verbos y pronombres.

1. ¿Le traigo la sopa?
2. ¿Nos trae un gazpacho?
3. ¿Me trae la cuenta?
4. ¿Les traigo el postre?

a. Sí, se lo traigo.
b. Sí, tráiganoslo.
c. Sí, se la traigo.
d. Sí, tráigamela.

2 Los camareros están muy ocupados y las personas hablan muy rápidamente. Completa las oraciones con los pronombres que faltan.

modelo: Sirves **gazpacho** a esos chicos. Se **lo** sirves.

1. Traes la sopa para mi hermana. Se _____ la _____ traes.
2. Traes la cuenta para mí. _____ Me _____ la traes.
3. Pides postre para nosotros. _____ Nos _____ lo pides.
4. Añades sal a la sopa. Se _____ la _____ añades.
5. Buscamos un helado para nosotros. _____ Nos _____ _____ lo _____ buscamos.
6. Vamos a dar los postres a Jaime y Joaquín. Vamos a dár_selos_ _____ .

3 Hay mucha actividad en el restaurante. Escribe una oración siguiendo el modelo.

modelo: Das una cuchara a ella. **Se la das**.

1. Cocinan un filete para vosotros. _____ Os lo cocinan. _____
2. Le sirvo un té a la señora. _____ Se lo sirvo. _____
3. Piden una tarta de chocolate para ti. _____ Te la piden. _____
4. Les trae más servilletas a Miriam y Mariana. _____ Se las trae. _____
5. Le van a pedir la paella y una cuchara a la camarera. _____ Van a pedírselas.

Gramática B *Double Object Pronouns*

Level 2, pp. 288-290

> **¡AVANZA!** **Goal:** Use double object pronouns to talk about food and service.

1 Alberto está en un restaurante con su amiga Elisa, y habla con el camarero. Subraya los pronombres apropiados para completar.

Alberto: ¡Buenos días, señor! ¿Puede traerme un gazpacho?

Camarero: Sí, **1.** (<u>se</u> / me / os) **2.** (la / los / <u>lo</u>) traigo. También tenemos verduras frescas.

Alberto: ¡Riquísimo! ¿**3.** (<u>Se</u> / Te / Me) **4.** (los/ <u>las</u> / lo) sirve a mi amiga? También queremos una tarta de chocolate.

Camarero: Ya **5.** (me / nos / <u>se</u>) **6.** (lo / las / <u>la</u>) sirvo.

Elisa: No, ahora no, después de las verduras **7.** (te / <u>nos</u> / se) la sirve.

2 En este restaurante, la gente pide muchas cosas. Escribe de nuevo las oraciones. Sigue el modelo.

modelo: Compro **una sopa a mi amigo**. **Se la** compro.

1. Yo compro un helado para Julia. _____ *Se lo compro.* _____

2. Martín pide chuletas de cerdo para ti. _____ *Te las pide.* _____

3. Javier y Lucía buscan unos restaurantes para ellos. _____ *Se los buscan.* _____

4. Camilo y yo pagamos vuestra cuenta. _____ *Os la pagamos.* _____

5. Vosotros vais a preparar la paella para mí. _____ *Vais a preparármela.* _____

6. El camarero sirve patatas a esos chicos. _____ *Se las sirve.* _____

3 Contesta las siguientes preguntas. Usa dos pronombres en tu respuesta.

1. ¿A quién le pides la comida cuando vas a un restaurante?

Se la pido a un camarero.

2. ¿A qué hora te sirven la cena?

Me la sirven a las siete de la noche.

3. ¿Vas a pedirles a tus padres pizza para almorzar?

Answers will vary: **Sí, voy a pedírsela para almorzar.**

Gramática C *Double Object Pronouns*

UNIDAD 5
Lección 2

Gramática C

> **¡AVANZA!** **Goal:** Use double object pronouns to talk about food and service.

❶ El camarero está muy ocupado. Explica lo que hace usando los pronombres correctos según las pistas entre paréntesis.

1. (helado, para usted) _Se_ _lo_ busca.

2. (sopa, a la señora Plata) _Se_ _la_ sirve.

3. (cuenta, a mí) _Me_ _la_ trae.

4. (gazpacho, a los chicos) _Se_ _lo_ recomienda.

5. (patatas fritas, para vosotras) _Os_ _las_ pide.

❷ Hablas con un camarero pero no escuchas bien lo que dice, entonces le preguntas lo que te dijo. Completa el diálogo. Usa los dos tipos de pronombres.

modelo: **Camarero:** Traigo patatas fritas.

Tú: ¿Me las trae?

1. **Camarero:** También sirvo gazpacho.

   (servir) **Tú:** _¿Me lo sirve?_

2. **Camarero:** Puedo buscar unos helados en la heladería de al lado.

   (buscar) **Tú:** _¿Me los busca?_

3. **Camarero:** Voy a escribir su pedido.

   (escribir) **Tú:** _¿Va a escribírmelo?_

4. **Camarero:** No traigo chuletas de cerdo.

   (traer) **Tú:** _¿No me las trae?_

5. **Camarero:** No le puedo servir la paella a esta hora.

   (servir) **Tú:** _¿No puede servírmela?_

❸ Escribe oraciones con cosas que haces para tu familia. Usa los dos tipos de pronombres.

1. Tu hermana quiere un helado. *Answers will vary:* **Se lo compro.**

2. Tu madre quiere verduras frescas. *Answers will vary:* **Se las busco.**

3. Tu padre quiere una cuchara para la sopa. *Answers will vary:* **Se la traigo.**

4. Nosotros queremos los filetes a la parrilla. *Answers will vary:* **Os los preparo.**

Integración: Hablar

Level 2, pp. 291-293
WB CD 03 track 11

UNIDAD 5
Lección 2

Integración:
Hablar

Nicolás y Paula siempre van a comer al restaurante Don Manolo. Ellos prefieren este restaurante porque sirven platos riquísimos. ¿Qué van a pedir?

Fuente 1 Leer

Lee las especialidades de la casa en el menú del restaurante Don Manolo.

> ## *Especialidades de la casa*
>
> - *Chuletas de cerdo con mostaza*
> - *Espaguetis con tomate*
> - *Filete a la parrilla con patatas fritas*
> - *Pollo asado con verduras hervidas*
> - *Gazpacho*
> - *Paella*
> - *Ensalada con verduras crudas y cocidas*

Fuente 2 Escuchar   *WB CD 03 track 12*

Escucha el mensaje telefónico que Nicolás le deja a Paula en su celular. Toma apuntes.

_____

_____

_____

_____

Hablar

Según lo que le dice Nicolás y los platos que ofrece Don Manolo, explica qué comidas van a pedir Nicolás y Paula como platos principales y por qué.

modelo: Nicolás puede pedir... porque él no es... Paula puede...

Answers will vary: **Nicolás puede pedir chuletas de cerdo con mostaza o filete a la parrilla con patatas fritas porque él no es vegetariano. Paula puede pedir ensalada con verduras crudas y cocidas y espaguetis con tomate porque ella es vegetariana.**

Integración: Escribir

Level 2, pp. 291-293
WB CD 03 track 13

A Vilma y a su amigo Gastón les gusta mucho salir a comer. Siempre están buscando restaurantes nuevos para probar. A Vilma le gusta la carne y a Gastón le gustan las verduras. ¿Qué pueden pedir en La Parrilla Deliciosa?

Fuente 1 Leer

Lee el anuncio que salió en la revista de la ciudad de Vilma y Gastón.

El restaurante La Parrilla Deliciosa

¡Búscalo en tu barrio ya!

Ofrecemos todo tipo de comida a la parrilla. Nuestra especialidad de la casa es el filete a la parrilla. También ofrecemos otros platos típicos españoles, como el gazpacho, el flan y la paella.

Vengan a vistarnos y… **¡Buen provecho!**

Fuente 2 Escuchar   *WB CD 03 track 14*

Escucha este anuncio para La Parrilla Deliciosa.

_____

_____

_____

_____

Escribir

Vilma y Gastón quieren probar la comida del nuevo restaurante. Explica qué pueden pedir para el plato principal, el entremés y el postre.

modelo: Vilma puede pedir... Gastón puede pedir...

Answers will vary: En La Parrilla Deliciosa Vilma **puede pedir el filete a la**

parrilla y las chuletas de cerdo, también a la parrilla. Gastón puede pedir

las verduras a la parrilla. De entremés pueden pedir el gazpacho y de

postre pueden pedir el flan.

_____

_____

Escuchar A

¡AVANZA! **Goal:** Listen to people talk about food and restaurants.

1 Escucha la conversación de Verónica y el camarero. Luego, encierra en un círculo las comidas que pide Verónica.

(filete a la parrilla)　　　　chuletas de cerdo　　　　(ensalada de tomate)

ensalada de lechuga　　　　(patatas)　　　　espaguetis

pollo asado　　　　(tarta de chocolate)　　　　gazpacho

2 Escucha la conversación entre Verónica y María, que hablan por teléfono. Luego, contesta las preguntas.

1. ¿Dónde está comiendo Verónica? _Verónica está comiendo en un restaurante._

_____

2. ¿Qué comió María? _María comió una chuleta de cerdo._

_____

3. ¿Qué tiene que comprar María en el supermercado? _María tiene que comprar_

verduras frescas.

4. ¿Por qué tiene que comprar ésto? _Porque quiere preparar un gazpacho para cenar._

_____

Escuchar B

> **¡AVANZA!** **Goal:** Listen to people talk about food and restaurants.

1 Escucha lo que dice Jaime. Lee cada oración y contesta **cierto** o **falso**.

Ⓒ F   **1.** La paella es el plato preferido de Jaime.

C Ⓕ   **2.** Alguien hace una paella más rica que la de su madre.

C Ⓕ   **3.** La madre de Jaime no sabe hacer gazpacho.

Ⓒ F   **4.** Los invitados comen mucho gazpacho.

C Ⓕ   **5.** La madre de Jaime les da la receta a sus invitados.

2 Escucha la conversación de Antonio y Maribel. Luego, contesta las preguntas con oraciones completas.

1. ¿De qué es la receta de Laura? La receta es de patatas hervidas.

_____

_____

2. ¿Qué cosa es más rica que esas patatas? Nada es tan rico como esas patatas.

_____

_____

3. ¿Cuál es el secreto de las patatas? El secreto es un poco de vinagre en el agua.

_____

_____

4. ¿A Maribel le gustan esas patatas? ¿Por qué? A Maribel no le gustan esas patatas

porque tienen pimienta y a ella no le gustan las comidas picantes.

_____

Escuchar C

¡AVANZA! **Goal:** Listen to people talk about food and restaurants.

1 Escucha la conversación entre Elena y Elisa, la madre de su amiga. Toma apuntes. Luego, completa las siguientes oraciones.

1. Elsa tiene que _____ cortar _____ el pan.

2. Primero hay que ponerle ____ el jamón y el tomate ____ al sándwich.

3. Después hay que ponerle ____ la lechuga y el queso ____ encima.

4. Al final hay que añadirle _____ mayonesa _____ .

5. Debe comerlo _____ caliente _____ .

2 Escucha lo que dice Carina. Toma apuntes. Luego, contesta las preguntas con oraciones completas.

1. ¿Qué tiene de especial Carina? Carina es vegetariana.

2. ¿Por qué no come carne Carina? Carina no come carne porque cree que está mal comer animales.

3. ¿Qué cosas come Carina? Ella come frijoles, verduras, huevos, leche y algunas otras comidas que no llevan carne.

4. ¿Cómo come los espaguetis Carina? Carina come los espaguetis con tomate pero sin carne.

5. ¿Cuál es la sopa preferida de Carina? Su sopa preferida es la de verduras cortadas pequeñas y casi crudas.

6. ¿Qué piensan sus amigos de esta sopa? A los amigos de Carina no les gusta su sopa.

Goal: Read about dining preferences.

Cuando las personas van a comer al restaurante de Don Mario, él les da este volante *(flyer)*.

¡ATENCIÓN, SEÑORAS Y SEÑORES!

¿LE GUSTA NUESTRA COMIDA PERO NO TIENE TIEMPO PARA VENIR?

Nosotros se la llevamos a su casa. Tenemos todos los platos de carnes y espaguetis listos para usted. Se los hervimos, se los freímos o se los hacemos a la parrilla. ¿Cómo los prefiere usted? ¡Díganoslo! Simplemente llámenos a nuestro teléfono: **555-1234**. No servimos ni ensaladas ni verduras. Tampoco tenemos postres durante la semana, pero sí los servimos los sábados y domingos. ¡Pídanoslos! Le van a encantar.

¿Comprendiste?

Lee el volante *(flyer)* de Don Mario. Marca con una x las comidas que pueden llevar a casa los miércoles.

_____ verduras hervidas

__x__ pollo asado

__x__ chuletas de cerdo

_____ ensalada de lechuga

__x__ filete a la parrilla

_____ flan

__x__ espaguetis

¿Qué piensas?

1. ¿Crees que es buena idea llevar comida a las casas? ¿Por qué?

   Answers will vary: **Sí, creo que es buena idea llevar comida a las casas**

   porque la gente no siempre tiene tiempo para prepararla en casa.

2. ¿Qué comida te gusta pedir? ¿Cuándo te la traen?

   Answers will vary: **Me gusta pedir pizza. Me la traen cuando mis amigos**

   vienen a estudiar en mi casa.

Leer B

> | ¡AVANZA! | **Goal:** Read about dining preferences.

Lucas invita a su amiga Cecilia a su restaurante preferido.

> ¡Hola, Cecilia!
> Mi familia y yo queremos invitarte a almorzar mañana. Siempre vamos a un restaurante en la calle Sevilla. Sabemos que es tu cumpleaños (¡tu mamá nos lo dice todo!). En este restaurante, nunca hay problemas para encontrar una mesa, así es que podemos llegar a la hora de comer. Yo sé que no comes ni pollo ni cerdo. Tampoco comes filete. Las especialidades de este restaurante son las chuletas de cerdo y el filete a la parrilla. Pero allí también hay muchos otros platos ricos, como el pescado a la sal y algunos platos vegetarianos. Puedes pedírselos al camarero. ¿Qué dices? ¿Vienes?
> Abrazos,
> Lucas

¿Comprendiste?

Lee el correo electrónico de Lucas. Luego, completa las oraciones.

1. En el restaurante, _____ *siempre* _____ pueden encontrar una mesa.

2. Cecilia _____ *nunca* _____ pide carne.

3. En el restaurante que describe Lucas, Cecilia puede comer _____ *pescado a la sal y* _____

   los platos vegetarianos.

4. Las chuletas de cerdo y el filete a la parrilla son _____ *las especialidades* _____

   del restaurante.

¿Qué piensas?

1. ¿Piensas que puedes ser vegetariano?

   Answers will vary: **No, no puedo ser vegetariano porque me gusta mucho**

   el pollo.

2. ¿Cuál es tu plato favorito?

   Answers will vary: **Mi plato favorito es el pollo asado con patatas.**

_____

Level 2, pp. 298-299

 Goal: Read about dining preferences.

Aníbal va a almorzar con su madre, Irma, y con sus primas, Cristina y Gabriela. El camarero es un poco desorganizado y explica a otro camarero las cosas que piden todos.

> En la mesa cuatro hay una familia que quiere almorzar. Los conozco a todos. Aníbal no pide pollo asado. Gabriela tampoco pide pollo asado. Irma pide el plato que pide Cristina. Alguien pide chuletas de cerdo, pero nadie pide gazpacho. Tampoco piden verduras. El único plato de filete a la parrilla es para una de las primas. Cristina pide pollo asado con patatas. A nadie le gustan los espaguetis. Gabriela no quiere ni ensalada ni postre. Creo que todos quieren café, pero voy a volver a preguntárselo.

¿Comprendiste?

Lee las notas del camarero. Luego, contesta las preguntas.

1. ¿Qué pide Gabriela? ¿Qué pide Irma?

Gabriela pide filete a la parrilla. Irma pide el pollo asado.

2. ¿Alguien pide verduras?

No, nadie pide verduras.

3. ¿Qué cosas no piden?

No piden ni gazpacho ni espaguetis.

4. ¿Alguien quiere café? ¿Qué va a hacer el camarero?

Answers will vary: **El camarero cree que todos quieren café. Va a**

preguntárselo otra vez.

¿Qué piensas?

1. ¿Cómo son los camareros de los restaurantes que conoces?

Answers will vary: **Son muy atentos y sirven muy bien.**

2. ¿Qué platos pides y cuáles no pides nunca cuando vas a un restaurante? ¿Por qué?

Siempre pido pollo asado con verduras porque me gustan mucho. Nunca pido

cosas con mostaza porque no me gusta la comida picante.

Escribir A

> **¡AVANZA!** **Goal:** Write about food and restaurants.

Step 1

Completa esta tabla con los platos que comes en casa y los que comes en el restaurante.

En casa	En el restaurante
arroz con verduras	pizza
pollo asado	filete a la parrilla
flan	tarta de chocolate
espaguetis	gazpacho

Step 2

Escribe tres oraciones sobre cómo prefieres comer algunos platos de la lista. Usa las siguientes palabras: **fresco(a)**, **frito(a)**, **hervido(a)**, **cocido(a)**.

1. *Answers will vary:* **Prefiero comer el gazpacho con verduras muy frescas,**

   pero con poco ajo.

2. *Answers will vary:* **Me gusta el arroz con verduras fritas, no hervidas.**

3. *Answers will vary:* **Me gustan más los espaguetis bien cocidos y con mucha**

   salsa de tomate.

Step 3

Evaluate your writing using the information in the table.

Writing Criteria	Excellent	Good	Needs Work
Content	Your sentences include many details and vocabulary.	Your sentences include some details and vocabulary.	Your sentences include few details or vocabulary.
Communication	Most of your sentences are clear.	Some of your sentences are clear.	Your sentences are not very clear.
Accuracy	Your sentences have few mistakes in grammar and vocabulary.	Your sentences have some mistakes in grammar and vocabulary.	Your sentences have many mistakes in grammar and vocabulary.

Escribir B

 Goal: Write about food and restaurants.

Step 1

Haz una lista con cinco comidas que te gustan.

1. _Answers will vary:_ **chuletas de cerdo** _____
2. _Answers will vary:_ **flan** _____
3. _Answers will vary:_ **helado** _____
4. _Answers will vary:_ **filete a la parrilla** _____
5. _Answers will vary:_ **gazpacho** _____

Step 2

Con la información de arriba, escribe cuatro oraciones sobre cuándo y dónde comes esos alimentos.

1. _Answers will vary:_ **Siempre como chuletas de cerdo y filete a la parrilla los**

   domingos en casa de mi abuela porque hace la carne muy buena.

2. _Answers will vary:_ **Como el flan que hace mi mamá para cenar.**

3. _Answers will vary:_ **Voy a la heladería para comer helado después de la escuela.**

4. _Answers will vary:_ **Siempre voy a comer gazpacho al restaurante de mi barrio.**

Step 3

Evaluate your writing using the information in the table.

Writing Criteria	Excellent	Good	Needs Work
Content	You have included all the information in your sentences.	You have included most of the information in your setences.	You have not included enough information in your sentences.
Communication	Most of your sentences are clear.	Some of your sentences are clear.	Your sentences are not very clear.
Accuracy	Your sentences have few mistakes in grammar and vocabulary.	Your sentences have some mistakes in grammar and vocabulary.	Your sentences have many mistakes in grammar and vocabulary.

Escribir C

Level 2, pp. 298-299

> **¡AVANZA!** **Goal:** Write about food and restaurants.

Step 1

Escribe en esta tabla los platos que pediste en un restaurante y cómo estuvieron.

Comida	Qué	Cómo
entremés	gazpacho	sabroso
plato principal	arroz con carne molida	¡crudo!
postre	flan	terrible
bebida	té	frío

Step 2

Con la información de arriba, escribe una crítica (*review*) del restaurante que visitaste. Usa pronombres y palabras afirmativas y negativas.

Fui al restaurante Flamenco el otro día. Pedí un gazpacho y el camarero me

lo sirvió rápidamente. Estuvo sabroso, pero luego pedí el arroz con carne

molida y estuvo crudo. ¡Qué asco! Después me trajo un flan terrible y un

té frío. Cuando el camarero me trajo la cuenta, no se la quise pagar. ¡Qué

caro! Nunca voy a regresar.

Step 3

Evaluate your writing using the information in the table.

Writing Criteria	Excellent	Good	Needs Work
Content	Your review includes all the information and descriptions.	Your review includes some of the information and descriptions.	Your review does not include much information.
Communication	Most of your review is clear.	Parts of your review are clear.	Your review is not very clear.
Accuracy	Your review has few mistakes in grammar and vocabulary.	Your review has some mistakes in grammar and vocabulary.	Your review has many mistakes in grammar and vocabulary.

Cultura A

Level 2, pp. 298-299

¡AVANZA! **Goal:** Review the importance of food and culture in Spain.

1 **Horario de comidas** Completa esta tabla con los horarios de las comidas en España y El Salvador.

España	El Salvador
desayuno: entre las 7:00 y las 9:00	**desayuno:** entre las 7:00 y las 9:00
almuerzo: entre la 1:30 y las 3:30	**almuerzo:** entre las 12:30 y las 2:00
cena: entre las 9:00 y las 10:00	**cena:** entre las 6:00 y las 7:00

2 **Las comidas de España y Uruguay** Completa las siguientes oraciones.

1. La comida típica más famosa de Madrid es ___a___ .

   a. el cocido   **b.** la paella   **c.** la tortilla de patatas

2. Comer parrillada significa que la comida es ___a___ .

   a. carne asada   **b.** carne frita   **c.** carne molida

3. Montevideo queda en la costa y por eso las personas allí comen mucho ___b___ .

   a. cerdo   **b.** pescado   **c.** verduras

4. Los españoles comen churros y porras con ___c___ .

   a. refrescos   **b.** sal   **c.** chocolate

5. Las personas van a comer parrilladas al Mercado del Puerto de Montevideo durante ___b___ .

   a. el desayuno   **b.** el almuerzo   **c.** la cena

6. La Casa Botín es el restaurante más ___a___ del mundo.

   a. antiguo   **b.** bueno   **c.** rápido

3 **Un menú español** Escribe un menú de un restaurante español. Incluye nombres de platos típicos españoles y describe cada plato.

Answers will vary: **De primero, hay tapas: aceitunas, tortilla de patatas,**

jamón y calamares. Como plato principal, hay cocido madrileño y paella de

marisco. De postre hay flan.

Cultura B

> **¡AVANZA!** **Goal:** Review the importance of food and culture in Spain.

1 **Los ingredientes** Identifica los ingredientes necesarios para preparar cocido madrileño y ensaladilla rusa.

Cocido madrileño: garbanzos, pescado, aceitunas, verduras, pasta, carne, churros

Ensaladilla rusa: mayonesa, pollo, zanahorias, patata, pasta, lechuga, guisantes

2 **Es hora de comer** Contesta las siguientes preguntas sobre las horas de comer en España, Uruguay y El Salvador.

1. ¿Cuándo cenan los españoles generalmente?
   _____ *después de las 9:00 o las 10:00* _____ .

2. ¿En qué país cenan entre las 6:00 y las 7:00? _____ *El Salvador* _____ .

3. En Uruguay y El Salvador, ¿cuál es generalmente la comida principal?
   _____ *el almuerzo* _____ .

4. ¿En qué comida se comen los churros con chocolate? _____ *en el desayuno* _____ .

3 **La niña con pasteles** Escribe un párrafo sobre qué piensas que puede decir la niña del cuadro de María Blanchard de la página 284. Escribe desde la perspectiva de la niña. Sigue el modelo.

modelo: Tengo... años y vivo en... Me gusta mucho comer pasteles de chocolate y...

Answers will vary. _____

_____

_____

_____

UNIDAD 5 Lección 2 • Cultura C

Cultura C

Level 2, pp. 298-299

¡AVANZA! **Goal:** Review the importance of food and culture in Spain.

1 **Arte y comida** Contesta estas preguntas con oraciones completas.

1. ¿Quién pintó *La niña con pasteles*?

María Blanchard pintó *La niña con pasteles*.

2. ¿A qué hora cenan en España?

En España cenan a las 9:00 o las 10:00.

3. ¿Qué artistas famosos son de España?

Answers will vary. **Picasso, El Greco y Ángel Planells son de España.**

4. ¿Cómo es el almuerzo en Uruguay y El Salvador?

Es largo y grande. Generalmente es la comida principal.

2 **Un menú** Haz un menú para el restaurante la Casa Botín en Madrid. Incluye el cocido madrileño y también otros platos típicos de España. No olvides escribir los precios en euros.

Answers will vary.

_____

_____

_____

_____

3 **De viaje** Vas a comer en dos lugares muy famosos: la Casa Botín de Madrid y el Mercado del Puerto, en Montevideo. Escribe cinco oraciones sobre qué platos vas a comer, a qué hora y cómo es el lugar.

Answers will vary.

_____

_____

_____

_____

_____

Comparación cultural: ¡Qué delicioso!

Level 2, pp. 300-301

Lectura y escritura

After reading the descriptions of different foods by Danilo, Juan, and Saskia, write a paragraph about a typical dish from your country. Use the information in your pyramid to write sentences, and then write a paragraph that describes a typical dish.

Step 1

Complete the pyramid describing as many details as you can about a typical dish.

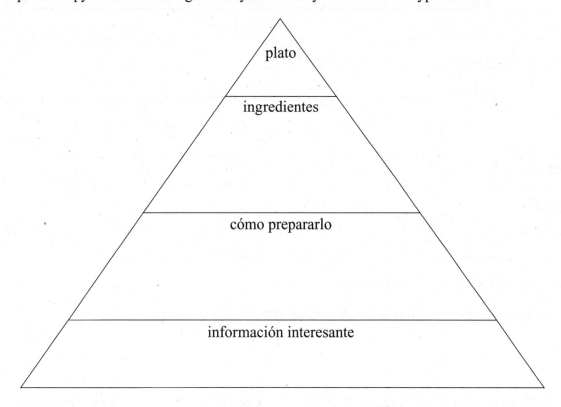

plato

ingredientes

cómo prepararlo

información interesante

Step 2

Now take the details from the pyramid and write a sentence for each topic in the pyramid.

_____

_____

_____

_____

_____

_____

Comparación cultural: ¡Qué delicioso!

Lectura y escritura (continued)

Step 3

Now write your paragraph using the sentences you wrote as a guide. Include an introduction sentence and use adjectives such as **picante, dulce, agrio, salado,** and **sabroso** to write about a typical dish.

_____

_____

_____

_____

_____

_____

Checklist

Be sure that…

☐ all the details about the dish from the pyramid are included in the paragraph;

☐ you use details to describe the dish;

☐ you include adjectives to describe flavor and new vocabulary words.

Rubric

Evaluate your writing using the rubric below.

Writing criteria	Excellent	Good	Needs Work
Content	Your paragraph includes many details about a typical dish.	Your paragraph includes some details about a typical dish.	Your paragraph includes few details about a typical dish.
Communication	Most of your paragraph is organized and easy to follow.	Parts of your paragraph are organized and easy to follow.	Your paragraph is disorganized and hard to follow.
Accuracy	Your paragraph has few mistakes in grammar and vocabulary.	Your paragraph has some mistakes in grammar and vocabulary.	Your paragraph has many mistakes in grammar and vocabulary.

Comparación cultural: ¡Qué delicioso!

Level 2, pp. 300-301

Compara con tu mundo

Now write a comparison about the typical dish from your country and that of one of the three students from page 301. Organize your comparison by topics. First, compare the ingredients, then how they are prepared, and lastly any interesting facts.

Step 1

Use the chart to organize your comparison by topics. Write details for each topic about your dish and that of the student you chose.

	Mi plato	El plato de _____
Nombre del plato		
Ingredientes		
Preparación		
Algo interesante		

Step 2

Now use the details from the pyramid to write a comparison. Include an introduction sentence and write about each topic. Use adjectives such as **picante, dulce, agrio, salado,** and **sabroso** to describe your dish and that of the student you chose.

_____

_____

_____

_____

_____

_____

_____

_____

_____

Vocabulario A

> ¡AVANZA! **Goal:** Talk about movies and moviemaking.

1 Mis amigos y yo vamos al cine. Subraya la palabra que mejor completa cada oración.

1. La película es una (<u>comedia</u> / película de terror) porque nos hace reír.

2. Vino mucha gente. La película tiene (guión / <u>éxito</u>).

3. Mañana vamos a conocer a (<u>los actores</u> / los documentales); son personas muy famosas.

4. Es una película profesional; el director la filmó con una cámara (digital / <u>de cine</u>).

5. El argumento es fantástico porque el (<u>guionista</u> / maquillaje) es muy bueno.

2 Camilo va a filmar una película. Completa las oraciones con las palabras de la lista.

drama	fracasar	micrófono	papeles	la escena

1. El sonido es importante; por eso necesitas un buen _____ micrófono _____.

2. El camarógrafo filma _____ la escena _____.

3. El director les dice a los actores cómo hacer sus _____ papeles _____.

4. Los actores nos van a hacer llorar con este _____ drama _____.

5. La película no va a _____ fracasar _____ porque es muy interesante.

3 Completa las siguientes oraciones:

1. Las películas de ciencia ficción tienen *Answers will vary*: **muchos efectos especiales**.

2. Las comedias son *Answers will vary*: **muy divertidas**.

3. Los papeles de las películas de aventuras son para *Answers will vary*: **actores en muy buena forma**.

Vocabulario B

> **¡AVANZA!** **Goal:** Talk about movies and moviemaking.

1 Vamos a ver una película. Une con una flecha las palabras relacionadas.

a. Guionista   Filmar escenas

b. Éxito   Argumento

c. Papel   Actores

d. Sonido   Estrellas de cine

e. Camarógrafo   Micrófono

2 Mi amigo Carlos quiere filmar una película pero no sabe sobre qué tema. Completa las oraciones con las palabras correspondientes.

1. Si Carlos va a filmar una película que hace reír, su película es _una comedia._

   _____

2. Si Carlos va a filmar una película que hace llorar, su película es _un drama._

   _____

3. Si Carlos va a filmar una película que da miedo, su película es _una película de terror._

   _____

4. Si Carlos va a filmar una película que enseña sobre un evento histórico, su película es

   un documental.

5. Si Carlos va a filmar una película sobre gente de otras galaxias, su película es _una_

   película de ciencia ficción.

3 Contesta las siguientes preguntas con oraciones completas:

1. ¿Cuáles son tus películas favoritas?

   Answers will vary: **Mis películas favoritas son las películas de terror.**

2. ¿Alguna vez filmaste una película con una cámara digital?

   Answers will vary: **No, una vez filmé una película con una cámara de video.**

3. ¿Cómo te gusta editar una película?

   Answers will vary: **A mí me gusta editar con software moderno.**

Vocabulario C

> ¡AVANZA! **Goal:** Talk about movies and moviemaking.

1 Unos amigos y yo vamos a filmar una película. Completa las oraciones con la palabra adecuada.

1. Si mucha gente va a ver la película, tiene _____ éxito _____ .

2. _____ El camarógrafo _____ filma con una cámara de cine profesional.

3. El guionista escribió un _____ argumento / guión _____ muy interesante.

4. Si nadie va a ver la película, el director va a _____ fracasar _____ .

5. Los actores hacen muy bien sus _____ papeles _____ .

2 ¿Qué sabes de las películas? Completa las oraciones con lo que tú piensas. Usa el vocabulario de esta lección.

1. Las estrellas de cine son *Answers will vary:* **actores famosos.**

_____

2. El argumento de muchas películas de ciencia ficción es *Answers will vary:* **sobre**

cosas del futuro.

3. Las cámaras de cine son *Answers will vary:* **para filmar películas profesionales.**

_____

4. Las personas a las que les gusta tener miedo *Answers will vary:* **van a ver películas**

de terror.

3 Escribe tres oraciones con los tipos de películas que vas a ver al cine y explica por qué.

1. *Answers will vary:* **Voy a ver comedias porque me gusta reír.**

_____

2. *Answers will vary:* **Voy a ver documentales porque me gusta aprender**

cosas nuevas.

3. *Answers will vary:* **Voy a ver películas de aventuras porque me gusta**

ver historias de héroes.

Gramática A   *Affirmative tú Commands*

> **¡AVANZA!** **Goal:** Use affirmative **tú** commands to talk about movies.

1 Tenemos que organizarnos para filmar una buena película. Encierra en un círculo la forma verbal que indica un mandato.

1. Marcos, (**ven**/ vienes) temprano, por favor.

2. Norma, (estudias /**estudia**) el guión desde el comienzo.

3. Camila, (invitas /**invita**) a la gente para la filmación.

4. Santiago, (**trae**/ traes) la cámara.

5. Pedro, (**ve**/ vas) a buscar el maquillaje.

2 La madre de Beny le dice qué hacer por la mañana. ¡Es impaciente! Escribe lo que dice usando los verbos entre parentesis, y luego repite el mandato con un pronombre.

modelo: Beny, _____ haz _____ la cama. ¡ _____ Hazla _____ !

1. Beny, _____ prepara _____ el desayuno. ¡ _____ Prepáralo _____ ! (preparar)

2. Beny, _____ pon _____ la mesa. ¡ _____ Ponla _____ ! (poner)

3. Beny, _____ termina _____ las tareas de ciencias y matemáticas.

   ¡ _____ Termínalas _____ ! (terminar)

3 Tú y tu amiga piensan hacer una película de terror. Escribe tres oraciones para hacerle sugerencias *(suggestions)*. Escribe las oraciones con **¡Vamos a...!** y mandatos.

Answers will vary: ¡Vamos a escribir un argumento muy interesante! ¡Vamos

a conseguir a los mejores actores! Tráeme el maquillaje de tu hermana y yo

traigo la cámara.

_____

_____

_____

_____

Gramática B *Affirmative tú Commands*

Level 2, pp. 315-319

> **¡AVANZA!** **Goal:** Use affirmative **tú** commands to talk about movies.

1 Vamos a filmar todo el día de hoy. Completa las oraciones con el verbo correspondiente.

1. Abel, __a__ desde lejos.

   a. filma **b.** filmas **c.** filman

2. Necesitamos un micrófono. Fabiola, __a__ .

   a. tráelo **b.** tráela **c.** traiga

3. Vamos a poner la cámara encima del edificio. Jorge, __c__ .

   a. ponlo **b.** pones **c.** ponla

4. Necesitamos hacer cinco escenas. ¡Vamos a __c__ !

   a. hazlo **b.** hazlas **c.** hacerlas

5. Roxana, __b__ a los actores.

   a. maquillas **b.** maquilla **c.** maquille

2 Eres el director de un drama. Dales mandatos a tus amigos usando los verbos **hacer**, **decir** y **poner**.

1. Iván, tienes que vestirte para la escena. _____ Ponte _____ este sombrero.

2. Te voy a dar el papel principal. _____ Hazlo _____ bien, por favor.

3. Ahora, _____ haz _____ una escena con la actriz.

4. Habla con los otros actores y _____ diles _____ qué van a hacer.

5. Sara, _____ pon _____ el micrófono cerca del actor.

3 Escribe cuatro oraciones para decirle a tres amigos lo que tienen que hacer en su película para la escuela. Usa el imperativo de los verbos **venir**, **ir** and **ser**, y escribe una oración con **¡Vamos a...!**

1. *Answers will vary:* **Ve a la tienda a comprar un micrófono.**

2. *Answers will vary:* **Ven a mi casa para editarla.**

3. *Answers will vary:* **Sé el guionista.**

4. *Answers will vary:* **¡Vamos a hacer la mejor película de la escuela!**

Gramática C *Affirmative tú Commands*

¡AVANZA! **Goal:** Use affirmative **tú** commands to talk about movies.

> Lucas le dice al camarógrafo lo que tiene que hacer. Completa el siguiente texto con los verbos de la caja. Usa mandatos.

Tú eres el camarógrafo y tienes que filmar muy bien todas las

escenas. Primero, **1.** _____*camina*_____ hasta esa esquina.

Lleva la cámara contigo y **2.** _____*ponla*_____ debajo

de aquel semáforo. Después de escuchar «¡Acción!»

3. _____*empieza*_____ a filmar. Más tarde,

4. _____*ven*_____ y vamos a editar lo que filmamos hoy.

5. _____*Dime*_____ si entiendes todo.

empezar
poner
venir
decir
caminar

> Tú eres el director de una película. Dile a cada uno de tus amigos lo que tienen que hacer en la filmación. Usa el mandato del verbo entre paréntesis.

1. (ir) *Answers will vary:* **Vé a la tienda a comprar el software.**

2. (poner) *Answers will vary:* **Pon la cámara de video sobre la mesa.**

3. (editar) *Answers will vary:* **Edita todo lo que filmamos hasta ahora.**

4. (decir) *Answers will vary:* **Dile al camarógrafo desde dónde tiene que filmar.**

5. (hacer) *Answers will vary:* **Haz el guión de una película de terror.**

3 Escribe un texto de cuatro oraciones completas para decirle a tu amigo lo que tiene que hacer mañana. Escribe tres oraciones con mandatos de **tú** y una con **¡Vamos a...!**

Answers will vary: **Mañana, llega temprano a la escuela, por favor.**

Necesito el libro de inglés que te di; llévalo a la clase muy

temprano. También, llama a Luis; él tiene otro libro que necesito.

¡Vamos a estudiar para el examen!

_____

_____

_____

Gramática A *Negative **tú** Commands*

Level 2, pp. 320-322

| ¡AVANZA! | **Goal:** Use negative **tú** commands to talk about movies. |

1 Armando filma una película y les dice a todos lo que no deben hacer. Une con flechas lo que Armando les pide.

a. No le des   el micrófono.

b. No maquilles mucho   lejos.

c. No apagues   la cámara a Juan.

d. No estés   tan nervioso.

e. No vayas   a los actores.

2 Para el asistente del director todo está bien, pero para el director no. Cambia los mandatos afirmativos del asistente a los mandatos negativos del director.

modelo: Nina, ponte el maquillaje si quieres.
               No, ¡no te pongas el maquillaje!

1. Sofía, almuerza ahora si quieres.

   No, ¡no almuerces ahora!

2. Irma, sé más cómica.

   No, ¡no seas más cómica!

3. Lucas, juega con los micrófonos si quieres.

   No, ¡no juegues con los micrófonos!

4. Manuel, trae la cámara de cine.

   No, ¡no traigas la cámara!

3 Javier les dice a su asistente las cosas que no tiene que hacer. Completas sus mandatos usando los verbos entre paréntesis.

1. Ya filmamos muchas escenas en la playa. (no filmarlas) _____ *No filmes* _____ más.

2. Tú quieres traer la cena para nosotros. (no traerla) _____ *No la traigas* _____ ahora.

3. La actriz quiere más maquillaje. (no dárselo) _____ *No se lo des* _____ .

Gramática B *Negative tú Commands*

> ¡AVANZA! **Goal:** Use negative **tú** commands to talk about movies.

❶ El director de esta película está enojado. Un amigo le dice a un actor lo que no tiene que hacer. Completa las oraciones con el verbo entre paréntesis.

1. Nunca _____ llegues _____ tarde. Al director no le gusta eso. (llegar)

2. No le _____ des _____ problemas. (dar)

3. No _____ hables _____ todo el tiempo de ti. (hablar)

4. No _____ vayas _____ a ningún otro lugar. (ir)

5. Tampoco _____ juegues _____ con su tiempo. (jugar)

❷ Escribe oraciones completas con lo que el director le dice a cada persona.

1. no tocar las cámaras

   No toques las cámaras.

2. no almorzar en horas de trabajo

   No almuerces en horas de trabajo.

3. no estar delante de la cámara

   No estés delante de la cámara.

4. no jugar con el maquillaje

   No juegues con el maquillaje.

❸ Escribe tres oraciones con las cosas que tu amigo(a) no tiene que hacer. Sigue el modelo.

   modelo: No llegues tarde.

1. *Answers will vary:* **No digas lo que te dije.**

2. *Answers will vary:* **No me regales tu disco favorito.**

3. *Answers will vary:* **No estés nervioso.**

Gramática C *Negative **tú** Commands*

> **¡AVANZA!** **Goal:** Use negative **tú** commands to talk about movies.

1 Julio y Leticia dan sus opiniones sobre el nuevo drama que salió el viernes, *Después de la guerra*. ¿Qué le dicen a su amiga Rafa?

llegar	pagar	perder	escuchar	esperar	ir

Leticia: No ___vayas___ a ver esa película. Es aburridísima.

Julio: Rafa, No ___escuches___ a Leticia. La película es buena.

Leticia: ¡Ay, por favor! Espera el DVD. No ___pagues___ por verla en el cine.

Julio: ¡Debes ir! Y no ___llegues___ tarde, porque comienza con mucha acción.

Leticia: ¿Acción? ¿Qué acción? Rafa, no ___pierdas___ tu tiempo.

Julio: Pues, a mí me encantó. No ___esperes___ : ¡Debes verla hoy!

2 El director les dice a todos qué cosas no tienen que hacer. Usa el verbo entre paréntesis para escribir lo que dice.

1. La filmación tiene que terminar antes de las cuatro. (terminar)

No termines después de esa hora.

2. La actriz principal no quiere un sándwich. (llevar)

Por favor, no se lo lleves.

3. No necesito más información sobre el guión. (decir)

Por favor, no me la digas.

3 Escríbele una nota de cuatro oraciones a un amigo(a) para decirle qué cosas no tiene que hacer en el cine.

Answers will vary: Clara, no vayas al cine después de las cinco; hay mucha gente.

No llegues tarde porque no te dejan pasar. Tampoco pagues la entrada

cuando entras al cine; págala antes de entrar. No comas en el cine.

Integración: Hablar

Un famoso director de cine está filmando una película en la ciudad donde vive Sandra. Muchas personas que trabajan en la película vinieron con el director, pero él necesita más personas. Lee el anuncio y escucha el mensaje telefónico de Sandra. Luego, contesta qué le interesa al director.

Fuente 1 Leer

Lee el anuncio que salió en el periódico.

☆ ¡Necesitamos actores! ☆

¿Eres actor o actriz? Tú eres la persona que necesitamos. Estamos filmando una película en tu ciudad y necesitamos cincuenta chicos y chicas. Tienes que saber del cine y de la filmación de una película. Necesitamos personas de veinticinco a treinta años con ganas de trabajar y aprender de cine.

Llama al 252-378-2190 o ven a la calle Oeste 12345 el sábado a las ocho de la mañana. No llegues tarde.

Fuente 2 Escuchar   *WB CD 03 track 22*

Escucha el mensaje que dejó Sandra cuando llamó al número de teléfono en el anuncio. Toma apuntes.

_____

_____

_____

_____

Hablar

Estás trabajando como asistente del director y escuchaste el mensaje de Sandra. Habla con el director y dile si recomiendas a Sandra para la película o no la recomiendas, y porqué. Da instrucciones al director para devolver la llamada.

Modelo: Sandra es... También ella sabe... Pero ella no tiene...

Answers will vary: **Sandra es actriz y ya trabajó en otras películas. También**

ella sabe de cine y de la filmación de una película. Pero ella no tiene la edad

que dice el anuncio. Si te interesa, llámala por la tarde.

Integración: Escribir

Level 2, pp. 323-325
WB CD 03 track 23

Unos amigos quieren aprender más sobre el cine. Ellos organizan «La semana del cine». Invitan a otros chicos y todos tienen que llevar su película favorita. Después, van a hablar sobre las películas.

Fuente 1 Leer

Lee el correo electrónico que Ariel le mandó a Hugo.

De: Ariel   A: Hugo

Tema: La semana del cine

Hola, Hugo:

Te invito a «La semana del cine». Comienza este lunes en casa de Sabina. De lunes a viernes, después de las clases, cada persona debe llevar su película favorita y vamos a verlas. Es una buena idea para aprender más de cine y conocer más películas. Vamos a hablar de los guiones, de los directores de cine y de los actores y las actrices. Yo prefiero ver *Escape del circo* el primer día, porque me hace reír. También tengo una película que me da miedo; se llama *El cuarto sin camas*. Trae tu película favorita y muchas ganas de hablar. No seas perezoso y llega a las cinco.

Ariel

Fuente 2 Escuchar   *WB CD 03 track 24*

Escucha el mensaje que Hugo le dejó a Ariel. Toma apuntes.

_____

_____

_____

_____

Escribir

Escríbele un correo electrónico a un amigo y dale instrucciones para «La semana del cine». Explica lo que debe traer para participar y describe la película que tú prefieres ver.

Modelo: Ven a... Ve a la casa...

Answers will vary: Ven a «La semana del cine» que estamos organizando. Vé

a la casa de Sabina el lunes por la tarde y trae tu película favorita. Yo voy

a traer *El cuarto sin camas*. Es una película de terror y me da miedo. ¡Me

encanta!

Escuchar A

Level 2, pp. 330-331
WB CD 03 tracks 25-26

> ¡AVANZA! **Goal:** Listen to people talk about movies.

1 Escucha a Carolina y toma notas. Marca con una cruz las películas que le gustan.

Películas de terror _____

Películas de ciencia ficción _____

Documentales __x__

Comedias __x__

Dramas _____

Películas de aventuras __x__ .

2 Escucha la conversación de Verónica y Gastón. Toma notas. Luego, completa las oraciones con las palabras de la caja.

sus amigas	película de terror
película de fantasía	tomar unos refrescos

1. Gastón va a ver una _____película de terror_____ .

2. Verónica va al cine con _____sus amigas_____ .

3. Verónica va a ver una _____película de fantasía_____ .

4. Después del cine, todos van a _____tomar unos refrescos_____ .

Escuchar B

Level 2, pp. 330-331
WB CD 03 tracks 27-28

> **¡AVANZA!** **Goal:** Listen to people talk about movies.

1 Escucha a Roberto y toma notas. Luego, subraya las cosas que pasan cuando filmaron.

1. Roberto filma una película de aventuras.

2. Roberto filma un documental.

3. El guionista estudió las civilizaciones antiguas.

4. Los actores llegan tarde.

5. La película tiene efectos especiales.

6. El trabajo del editor es fácil.

2 Escucha la conversación de Miriam y Arturo. Toma notas. Luego, completa las oraciones.

1. En diez minutos, Miriam tiene que ___maquillar a los actores___ .

2. Arturo no puede tocar ___las cajas del guionista___ .

3. Si les pasa algo a las cajas del ___guionista___ , Miriam y Arturo

tienen problemas.

4. Todo ___el guión___ de la película está en esas cajas.

Escuchar C

¡AVANZA! **Goal:** Listen to people talk about movies.

1 Escucha a Andrea y toma notas. Luego, empareja las oraciones y escríbelas abajo.

a. Andrea Lozano es

b. El director César Cuevas hizo

c. Andrea Lozano hizo

d. El argumento es sobre

e. La película es

_d_ una princesa y un emperador malo.

_c_ un papel muy importante en la película de un director muy famoso.

_a_ una estrella de cine.

_e_ corta pero tuvo mucho éxito.

_b_ una película de fantasía.

1. Andrea Lozano es una estrella de cine.

2. El director César Cuevas hizo una película de fantasía.

3. Andrea Lozano hizo un papel muy importante en la película de un director muy famoso.

4. El argumento es sobre una princesa y un emperador malo.

5. La película es corta pero tuvo mucho éxito.

2 Escucha la conversación de Carlos y Patricia. Toma notas. Luego, contesta las siguientes preguntas con oraciones completas.

1. ¿Qué hace Patricia cuando Carlos le habla?

Patricia maquilla a la actriz.

2. ¿Qué le pregunta Patricia a Carlos después de terminar?

Ella quiere saber qué más tiene que hacer.

3. ¿Qué más tiene que hacer Patricia?

Ella tiene que llamar al actor y decirle que entra en la escena.

4. ¿Qué quiere hacer Patricia antes de volver a trabajar?

Patricia quiere almorzar con Carlos.

Leer A

> **¡AVANZA!** **Goal:** Read about movies and moviemaking.

El director de la película está enfermo y no puede ir a filmar. Él envía esta nota con lo que tienen que hacer las personas que trabajan en la película.

¡Hola a todos! Estoy enfermo y no puedo ir a filmar hoy. Ustedes van a filmar sin mí. Éstas son las cosas que tienen que hacer:

- Miguel, pon la cámara más cerca de los actores; las escenas de ayer no salieron bien.
- Carmen, ponles más maquillaje a los actores. Ayer no salieron bien.
- Lucas, no vayas a buscar el almuerzo antes de las doce. Te necesito en las escenas. Después, haz tus cosas.
- Graciela, haz una lista de las escenas de hoy.
- Elena, no estés en la escena de la playa. Sal en la escena de la cena.
- Manuel, edita la película temprano y tráela a mi casa.

¿Comprendiste?

Lee la nota del director. Luego, lee cada oración y contesta **cierto** o **falso**.

Ⓒ F **1.** Lucas tiene que estar en la filmación hasta las doce.

C Ⓕ **2.** Ayer, Carmen les puso mucho maquillaje a los actores.

C Ⓕ **3.** Elena sale en la escena de la playa.

Ⓒ F **4.** Manuel es el editor.

Ⓒ F **5.** Miguel es el camarógrafo.

¿Qué piensas?

¿Piensas que una película puede salir bien si el director no está allí? ¿Por qué?

Answers will vary: **No, creo que una película no sale bien si el** _____

director no está. Si no está allí el director no hay nadie para decirles a las _____

personas qué tienen que hacer. _____

_____

_____

Leer B

| ¡AVANZA! | **Goal:** Read about movies and moviemaking. |

Guillermo va a filmar una película. Él está estudiando el guión.

Una aventura en la ciudad

Héroe: ¡Vamos a salir por esta ventana!

Chica: ¡No! Tengo miedo. Está muy alto. Es muy peligroso.

Héroe: No mires abajo. Mírame a mí. Muy bien. Ahora pon un pie aquí y sal del edificio. ¡Hazlo! ¡Ahora!

Chica: ¡No me hables así! De acuerdo. No, no me des la mano. Yo puedo hacerlo sola.

Héroe: Ten cuidado. Así, vamos a salir. Muy bien. Ahora, camina por aquí. ¡No! ¡No mires abajo!

Chica: ¡No seas tan malo!

Héroe: Bueno, ya. Dame la mano. ¡Ahora!

¿Comprendiste?

Lee el guión de la película. Luego, completa las siguientes oraciones.

1. La chica y el héroe van a salir *por una ventana.* _____

2. La chica tiene *miedo.* _____

3. El héroe le explica a la chica *Answers will vary:* **cómo salir por la ventana.**

4. A la chica no le gusta *Answers will vary:* **cómo le habla el héroe.** _____

¿Qué piensas?

1. ¿Qué tipo de película es ésta? ¿Te gustaría filmar este tipo de película? ¿Por qué?

Answers will vary: **Es una película de aventuras. Sí, me gustaría filmar una**

película de aventuras porque son muy divertidas.

2. ¿Cuál es tu película preferida? ¿Por qué?

Answers will vary: **Mi película preferida es *Batman*. Tiene mucha acción,**

misterio y drama, y también me gustan los actores, el maquillaje y los

efectos especiales.

Leer C

> **¡AVANZA!** **Goal:** Read about movies and moviemaking.

La película de Armando ya está terminada. Una revista escribe un artículo sobre ella.

La nueva película de Armando López

El famoso director de cine, Armando López, terminó esta semana la filmación de la película *Terror en la calle 9*. Como vemos por su nombre es una película de terror, con un argumento muy interesante. Normalmente, las películas de terror no reciben mucha atención seria, pero ésta no es como las otras. Tiene más drama y menos efectos especiales, gracias a la guionista Lucinda Luna, ganadora de muchos premios. Los actores, grandes estrellas de cine, están muy contentos con este trabajo.

Vamos a ver esta película este mes en todos los cines de la ciudad. Ya vendieron todas las entradas.

Lleva a tus amigos; lo van a pasar muy bien. Ve preparado para ver una gran película, ¡pero no vayas solo!

¿Comprendiste?

Lee el artículo de la revista. Luego, contesta las siguientes preguntas:

1. ¿Cómo es la película? ¿Por qué es especial?

Es una película de terror con un argumento muy interesante. No es

como las otras. Tiene más drama y menos efectos especiales. La guionista

ganó muchos premios.

2. ¿Quiénes son los actores?

Los actores son grandes estrellas de cine.

3. ¿Por qué dice el artículo que no vayas solo?

Porque es una película de terror y da miedo.

¿Qué piensas?

1. ¿Te gustan las películas de terror? ¿Por qué?

Answers will vary: **Sí, me gustan las películas de terror porque dan miedo.**

2. ¿Por qué piensas que las películas de terror normalmente no reciben mucha atención seria?

Answers will vary: **Porque tienen poco drama y muchos efectos especiales.**

Escribir A

> **¡AVANZA!** **Goal:** Write about movies.

Step 1

Escribe una lista de lo que se necesita para hacer una película.

1. *Answers will vary:* **una cámara de cine** _____
2. *Answers will vary:* **el software** _____
3. *Answers will vary:* **el micrófono** _____
4. *Answers will vary:* **el guión** _____
5. *Answers will vary:* **los actores** _____
6. *Answers will vary:* **el director** _____

Step 2

Ahora, escribe tres oraciones con la información de arriba para decirle a las personas del equipo de una película lo que no tienen que hacer. Usa mandatos con los verbos **dar**, **poner** y **tocar**.

1. *Answers will vary:* **Dales el guión a los actores.** _____
2. *Answers will vary:* **No pongas el micrófono allí.** _____
3. *Answers will vary:* **No toques la cámara de cine cuando filmamos.** _____

Step 3

Evaluate your writing using the information in the table below.

Writing Criteria	Excellent	Good	Needs Work
Content	You give three commands and include several words related to making movies.	You give two commands and include some words related to making movies.	You give one or no commands and include few words related to making movies.
Communication	Most of your commands are clear.	Some of your commands are clear.	Your commands are not very clear.
Accuracy	Your sentences have few mistakes in grammar and vocabulary.	Your sentences have some mistakes in grammar and vocabulary.	Your sentences have many mistakes in grammar and vocabulary.

Escribir B

> **¡AVANZA!** **Goal:** Write about movies.

Step 1

Escribe la palabra en su lugar correspondiente.

Horizontal

1. El guionista lo escribe para los actores.

2. Persona que les dice a todos lo que tienen que hacer cuando filman una película.

3. Tipo de película que nos hace llorar.

Vertical

4. Una comedia nos hace...

5. Objeto con el que se filma una película; puede ser de cine, digital o de video.

6. Objeto que sirve para grabar el sonido de lo que dicen los actores en una película.

Step 2

Usando las palabras de arriba, escribe cuatro mandatos que diría (would say) un director durante la filmación de una película. Answers will vary:

Escribe el guión para una película de aventuras. Tráeme ese micrófono,

por favor. No vayas a ver un drama porque te hace llorar. Usa la cámara

digital para filmar el documental.

Step 3

Evaluate your writing using the information in the table below.

Writing Criteria	Excellent	Good	Needs Work
Content	You write four commands and include words from the puzzle.	You write three commands and include some words from the puzzle.	You write two or fewer commands and include few words from the puzzle.
Communication	Most of your commands are clear.	Some of your commands are clear.	Your commands are not very clear.
Accuracy	Your sentences have few mistakes in grammar and vocabulary.	Your sentences have some mistakes in grammar and vocabulary.	Your sentences have many mistakes in grammar and vocabulary.

Escribir C

> **¡AVANZA!** **Goal:** Write about movies.

Step 1

Completa la siguiente tabla sobre las características de cada tipo de película y de sus personajes.

La película:	¿Cómo es la película?
Comedia	*Answers will vary:* **Es un tipo de película que te hace reír. Tiene personajes chistosos.**
Drama	*Answers will vary:* **Es un tipo de película que te hace llorar. Tiene personajes serios.**
Película de ciencia ficción	*Answers will vary:* **Es un tipo de película sobre ciencia pero de cosas del futuro. Tiene personajes creativos.**
Película de terror	*Answers will vary:* **Es un tipo de película que te da miedo. Tiene personajes que te hacen tener miedo.**

Step 2

Escribe un párrafo sobre por qué te gustan o no te gustan las películas de arriba.

Answers will vary: **A mí me gustan mucho las películas de ciencia ficción porque tienen muchos efectos especiales. También me gustan las películas de terror porque me dan miedo, pero no me gustan mucho los dramas porque son aburridos. Las comedias me gustan porque si son buenas me hacen reír.**

Step 3

Evaluate your writing using the information in the table below.

Writing Criteria	Excellent	Good	Needs Work
Content	Your paragraph includes all movies and new vocabulary.	Your paragraph includes some movies and new vocabulary.	Your paragraph includes little information or new vocabulary.
Communication	Most of your paragraph is clear.	Some of your paragraph is clear.	Your paragraph is not very clear.
Accuracy	Your paragraph has few mistakes in grammar and vocabulary.	Your paragraph has some mistakes in grammar and vocabulary.	Your paragraph has many mistakes in grammar and vocabulary.

Cultura A

 Goal: Review cultural information about Los Angeles and the United States.

1 **Los Ángeles** Lee las siguientes oraciones y decide si son **ciertas** o **falsas**.

C (F) **1.** Los Ángeles es la ciudad con más latinos en los Estados Unidos.

(C) F **2.** Aproximadamente el 45% de la población de Los Ángeles es latina.

(C) F **3.** Un chicano es una persona de los Estados Unidos que tiene padres mexicanos.

C (F) **4.** Aztlán es el lugar de origen de los mayas.

2 **La historia y el arte de Los Ángeles** Completa el texto con las palabras de la lista.

actores	españoles
artistas	mexicanos

El nombre de la ciudad de Los Ángeles viene del nombre que le

dieron **1.** ____los españoles____ . En Los Ángeles se celebran

muchos días festivos **2.** ____mexicanos____ , como el Cinco

de Mayo y el Día de la Independencia. Gael García Bernal y John

Leguizamo son dos **3.** ____actores____ hispanos que

trabajan en Hollywood. Gilbert «Magú» Lujan es uno de los

4. ____artistas____ chicanos del grupo Los Four.

3 **El Festival Internacional de Cine Latino** Describe el Festival Internacional de Cine Latino en Los Ángeles. ¿Dónde está? ¿Quién es el fundador? ¿Quiénes van al festival y qué hacen allí? Usa oraciones completas.

Answers will vary. _____

_____

_____

_____

Cultura B

> **Goal:** Review cultural information about Los Angeles and the United States.

1 **Latinos en los Estados Unidos** Escoge una de las palabras entre paréntesis y completa las oraciones.

1. A las personas de herencia mexicana que nacen en los Estados Unidos se les llama (boricua / <u>chicano</u>).

2. El río de Los Ángeles era originalmente el (<u>río Porciúncula</u> / río de California).

3. La ciudad con más latinos de los Estados Unidos es (<u>Nueva York</u> / Los Ángeles).

4. El Día de la Independencia y el (Día de San Valentín / <u>Cinco de Mayo</u>) son celebraciones mexicoamericanas.

2 **El arte chicano** Escoge una respuesta de la caja y contesta las siguientes preguntas. Usa oraciones completas.

Los Four	murales	Aztlán	un coche *lowrider*

1. ¿De dónde vienen los aztecas, según sus leyendas?

   <u>Según sus leyendas, los aztecas vienen de Aztlán.</u>

2. ¿Qué grupo artístico formó el artista Gilbert «Magú» Lujan?

   <u>Lujan formó el grupo Los Four.</u>

3. ¿Qué coches son iconos de la cultura chicana?

   <u>Los coches lowrider son iconos de la cultura chicana.</u>

4. ¿Qué pintó Lujan?

   <u>Lujan pintó muchos murales.</u>

3 **Los festivales de cine** Escribe un anuncio *(ad)* para el Festival Internacional de Cine Latino de Los Ángeles. Describe el evento y por qué las personas deben ir.

   Answers will vary.

   _____

   _____

   _____

   _____

UNIDAD 6
Lección 1
•
Cultura B

Cultura C

> **Goal:** Review cultural information about Los Angeles and the United States.

1 **Literatura y cine hispanos** Contesta las siguientes preguntas con oraciones completas.

1. ¿Quién es el autor de *La casa de los espíritus*?

El autor de *La casa de los espíritus* es la escritora chilena Isabel Allende.

2. ¿Qué ciudad de los Estados Unidos tiene la población latina más grande?

Nueva York tiene la población latina más grande.

3. ¿Dónde se celebra el Festival Internacional de Cine de Mar del Plata?

El Festival Internacional de Cine de Mar del Plata se celebra en Argentina.

4. ¿Quién es Edward James Olmos?

Edward James Olmos es un actor y fue uno de los fundadores del Festival

Internacional de Cine Latino en Los Ángeles.

2 **Ser chicano** Eres un(a) escritor(a) y vas a definir la palabra **chicano** en un nuevo diccionario. No olvides incluir la importancia del arte en la definición de la palabra.

Answers will vary.

_____

_____

_____

3 **Cine latino** Estás en el Festival Internacional de Cine Latino de Los Ángeles y vas a entrevistar *(interview)* a un(a) actor o actriz hispano(a). Escribe tres preguntas sobre su participación en el festival y sus respuestas.

Answers will vary.

_____

_____

_____

_____

_____

Vocabulario A

> ¡AVANZA! **Goal:** Talk about communicating via email and telephone.

1 ¿Cómo hablas por teléfono? Ordena el siguiente diálogo.

__5__ Está bién, yo la voy a llamar ahora.¡Gracias! Adiós.

__2__ ¿Bueno? No, Mariana no está. ¿Quién es?

__6__ Adiós, Rafael.

__3__ Soy Rafael. ¿Puedo dejarle un mensaje?

__4__ Hola, Rafael. Sí, puedes dejarle un mensaje. Pero es mejor llamarla a su teléfono celular.

__1__ ¿Bueno? ¿Está Mariana?

2 Hoy es el estreno de la película de Manuel. Carmen se lo dice a todos con su computadora. Completa las siguientes oraciones con las palabras de la caja.

estreno	fin de semana	invitación
ropa elegante	corbatín	teclado
estar en línea	ratón	

1. ¿Recibiste la _____invitación_____ al _____estreno_____ de la película?

2. Yo tengo mensajero instantáneo para _____estar en línea_____ siempre.

3. Mi computadora tiene un _____teclado_____ muy bueno para escribir y un _____ratón_____ de color azul para hacer clic.

4. Este _____fin de semana_____ me voy a poner _____ropa elegante_____ para la gala de Manuel. Tengo un nuevo traje y _____corbatín_____ negro.

3 Contesta esta pregunta con una oración completa.

1. ¿Qué haces en la computadora para mandar un correo electrónico?

Answers will vary: **Escribo la dirección electrónica. Hago clic en el icono «mandar».**

Vocabulario B

> **¡AVANZA!** **Goal:** Talk about communicating via email and telephone.

1 Luis quiere invitar a todos al estreno de su película. Completa la oración con las palabras correctas entre paréntesis.

1. Si no estás en tu casa, te llamo al _____teléfono celular_____ . (mensajero instantáneo / teléfono celular / correo electrónico)

2. Con ___el mensajero instantáneo___ , siempre estoy en línea. (el estreno / el icono / el mensajero instantáneo)

3. Escribo rápido porque tengo _____un teclado_____ muy moderno. (un teclado / un icono / un ratón)

4. Estoy nervioso por _____la crítica_____ de la película. (el icono / la crítica / la gala)

5. Me voy a poner ropa elegante para _____la gala_____ . (la corbata / la invitación / la gala)

2 Antonio quiere invitar a Norma al estreno de una película y la llama por teléfono. Completa el diálogo con las palabras de la caja.

Antonio:	Hola, ¿ _____puedo hablar con_____ Norma?
Mamá de Norma:	¡ _____Claro que sí_____ ! Un momento.
Norma:	¿ _____Aló / Bueno / Diga_____ ?
Antonio:	Hola, Norma. Quiero invitarte al cine. ¿Quieres venir?
Norma:	Sí, ¡ _____me encantaría_____ !
Antonio:	¿ _____Está_____ tu hermana? tal vez quiere venir también.
Norma:	No, no está, pero la voy a llamar a su _____teléfono celular_____ y si no contesta le ___dejo un mensaje___ . Nos vemos por la noche.

3 Escribe tres oraciones sobre las cosas que haces con tu computadora.

1. *Answers will vary:* **Uso el mensajero instantáneo.** _____

2. *Answers will vary:* **Estoy en línea para hablar con amigos.** _____

3. *Answers will vary:* **Les escribo correos electrónicos a mis amigos.** _____

Vocabulario C

> **¡AVANZA!** **Goal:** Talk about communicating via email and telephone.

1 Esta noche es el estreno de la película y todavía hay que invitar a mucha gente. Completa las oraciones con las palabras correspondientes.

1. Voy a mandar una _____invitación_____ a mis amigos para el

_____estreno_____ de la película.

2. Les puedo mandar un correo electrónico a su __dirección electrónica__ .

3. También puedo usar el __mensajero instantáneo__ porque es más rápido.

4. Después de la película hay una _____gala_____ . Pero, ¿qué me voy a poner?

¡No tengo __ropa elegante / corbata__ !

5. La película ya se estrenó en México y recibió buenas _____críticas_____ .

6. Sé que nos va a gustar la película:¡ ___Answers will vary: **Estoy convencido**___ !

7. Mi amigo Ramón me dijo que no puede venir.¡ ___Answers will vary: **Qué lástima**___ !

2 ¿Qué cosas dices cuando hablas por teléfono? Completa las siguientes oraciones con lo que dices:

1. Cuando contestas el teléfono, dices: _Answers will vary:_ **¿Bueno?.** _____

2. Cuando preguntas por tu amigo(a), dices: _Answers will vary:_ **¿Puedo hablar con**

Adrián? _____

3. Cuando tu amigo(a) no está, dices: _Answers will vary:_ **¿Puedo dejarle un**

mensaje? _____

4. Cuando termina la conversación, dices: _Answers will vary:_ **¡Gracias! Hasta**

pronto. _____

3 Escribe una invitación de cuatro oraciones para el estreno de una película de cine.

Answers will vary: **Te invito el próximo martes al estreno de la**

película _Caminando por la montaña._ **Ponte ropa elegante para la gala.**

La película empieza a las ocho. ¡Te juro que va a ser un estreno

muy bueno!

Gramática A *Present Subjunctive with* **ojalá**

Level 2, pp 339-343

> **¡AVANZA!** **Goal:** Use present subjunctive with **ojalá** to talk about wishes.

1 Luisa quiere que les pasen algunas cosas a sus amigos. Une las personas con lo que Luisa quiere para ellas.

a. Ojalá que María ⎯⎯⎯ *d* saques buenas notas.

b. Ojalá que Santiago y Juan ⎯⎯⎯ *a* almuerce con Julio porque él le gusta mucho.

c. Ojalá que nosotros ⎯⎯⎯ *b* escriban un buen guión.

d. Ojalá que tú ⎯⎯⎯ *e* encuentre la pulsera que perdí.

e. Ojalá que yo ⎯⎯⎯ *c* hagamos un viaje.

2 Lucas desea muchas cosas para el próximo año. Completa oraciones con los verbos de la caja.

1. Ojalá que nosotros ⎯⎯ *saquemos* ⎯⎯ buenas notas.

2. Ojalá que tú ⎯⎯ *recibas* ⎯⎯ regalos muy lindos.

3. Ojalá que María ⎯⎯ *estrene* ⎯⎯ su película.

4. Ojalá que Santiago y Carmen ⎯⎯ *tengan* ⎯⎯ nuevos amigos.

5. Ojalá que Virginia ⎯⎯ *conozca* ⎯⎯ a su actor preferido.

> estrene
> conozca
> recibas
> tengan
> saquemos

3 ¿Qué cosas deseas *(you wish)* para la gente que quieres? Completa las siguientes oraciones:

1. Ojalá que mi mejor amigo(a) *Answers will vary:* **gane todos los partidos.**

_____

_____

2. Ojalá que mi familia *Answers will vary:* **encuentre la casa que todos queremos.**

_____

_____

3. Ojalá que yo *Answers will vary:* **haga amigos nuevos.**

_____

_____

Gramática B *Present Subjunctive with* **ojalá**

¡AVANZA! **Goal:** Use present subjunctive with **ojalá** to talk about wishes.

---

1 Matías tiene un grupo de amigos por Internet. Subraya la forma verbal correcta en las siguientes oraciones:

1. Ojalá que Matías (recibe / <u>reciba</u>) más mensajes esta semana.

2. Ojalá que Carolina (<u>llame</u> / llama) por teléfono.

3. Ojalá que Jimena (<u>empiece</u> / empieza) a filmar su película.

4. Ojalá que tú me (escribes / <u>escribas</u>) un correo electrónico.

5. Ojalá que nosotros nos (encontramos / <u>encontremos</u>) pronto.

2 Escribe tres oraciones para describir algunas cosas que Jorge quiere que pasen. Usa **ojalá que** y la información de las cajas.

Susana Patricia y Juan Tú y yo	hacer sacar recibir	buenas notas nuevos amigos regalos fantásticos

1. *Answers will vary*: Ojalá que Susana tenga nuevos amigos.

2. *Answers will vary*: Ojalá que tú y yo saquemos buenas notas.

3. *Answers will vary*: Ojalá que Patricia y Juan me hagan regalos fantásticos.

3 Escribe tres cosas que quieres para la gente importante de tu vida. Sigue el modelo.

modelo: Ojalá que mi hermano compre su coche.

1. *Answers will vary*: Ojalá que mi mamá encuentre un nuevo trabajo.

2. *Answers will vary*: Ojalá que mi hermana tenga un bebé este año.

3. *Answers will vary*: Ojalá que mi familia reciba visitas de mis abuelos de España.

Gramática C *Present Subjunctive with ojalá*

¡AVANZA! **Goal:** Use present subjunctive with **ojalá** to talk about wishes.

1 Luis le habla a su mamá de su amiga Vilma. Completa el texto con los verbos correspondientes de la caja.

Mi amiga Vilma está muy triste. Ojalá que ella **1.** _____quiera_____

escucharme y que **2.** _____entienda_____ que todos estamos tristes a

veces. Es normal. Ojalá que ella **3.** _____empiece_____ a estar más

contenta con sus nuevos amigos. Ella tiene un grupo de amigos de

mensajero instantáneo. Ojalá que ellos la **4.** _____ayuden_____ a

pensar en cosas divertidas.

ayudar
entender
querer
empezar

2 María quiere que les pasen cosas buenas a sus amigos. Escribe lo que puede querer María. Usa **ojalá que** y los siguientes verbos:

1. Conocer: *Answers will vary:* Ojalá que yo conozca a muchos amigos nuevos.

2. Tener: *Answers will vary:* Ojalá que mis padres tengan tiempo para
ir de vacaciones.

3. Empezar: *Answers will vary:* Ojalá que mi hermano empiece la escuela
muy contento.

4. Sacar: *Answers will vary:* Ojalá que mis amigos saquen buenas notas este año.

5. Llamar: *Answers will vary:* Ojalá que Marcos me llame para salir.

3 Escribe tres oraciones con lo que tú deseas que te pase a ti. Usa **ojalá que**.

1. *Answers will vary:* Ojalá que mi equipo favorito de fútbol gane todos
los partidos del año.

2. *Answers will vary:* Ojalá que mis amigos me visiten en mi casa nueva.

3. *Answers will vary:* Ojalá que mis maestros vean cuánto estudio.

Gramática A *More Subjunctive Verbs with* **ojalá**

> **¡AVANZA!** **Goal:** Use irregular subjunctive with **ojalá** to talk about wishes.

---

1 Nosotros queremos que les pasen cosas buenas a nuestros amigos. Completa la oración con el verbo correcto.

1. Ojalá que Viviana _____ duerma _____ mucho, porque está cansada. (duerme / duerma)

2. Ojalá que nosotros _____ seamos _____ amigos para siempre. (seamos / somos)

3. Ojalá que tú _____ prefieras _____ ir a ver la película de terror. (prefieras / prefieres)

4. Ojalá que yo _____ vaya _____ de vacaciones a Los Ángeles. (voy / vaya)

2 Ramiro quiere muchas cosas. Escribe oraciones completas con la información de abajo.

1. tú / ser feliz.

Ojalá que tú seas feliz.

2. nosotros / saber cómo llegar.

Ojalá que nosotros sepamos cómo llegar.

3. mis amigos / estar en mi cumpleaños.

Ojalá que mis amigos estén en mi cumpleaños.

4. mi mamá / preferir preparar pescado.

Ojalá que mi mamá prefiera preparar pescado.

5. el equipo / pedir pelotas nuevas.

Ojalá que el equipo pida pelotas nuevas.

3 Completa las oraciones sobre las cosas que tú quieres. Usa los verbos de la caja.

saber	ir	dar

1. Ojalá que yo *Answers will vary:* **sepa todas las respuestas del examen.**

2. Ojalá que nosotros *Answers will vary:* **vayamos juntos al cine.**

3. Ojalá que mis amigos *Answers will vary:* **me den regalos lindos para**

mi cumpleaños.

Gramática B *More Subjunctive Verbs with ojalá*

> **¡AVANZA!** **Goal:** Use irregular subjunctive with **ojalá** to talk about wishes.

1 Lee las cosas que quiere Alejandro. Completa las oraciones con el verbo correspondiente.

1. Ojalá que mi hermano _____ *sea* _____ el próximo director de esta película. (ser)

2. Ojalá que nosotros _____ *durmamos* _____ toda la noche. (dormir)

3. Ojalá que yo _____ *sepa* _____ qué estudiar el próximo año. (saber)

4. Ojalá que Lucía y Lorenzo _____ *prefieran* _____ venir a mi casa. (preferir)

2 Inés desea que sus amigos hagan algunas cosas. Escribe lo que desea usando **Ojalá que**... y el subjuntivo.

modelo: ¿Voy a recibir un regalo? ¡Ojalá que sí!
¡Ojalá que reciba un regalo!

1. ¿Vamos a saber las respuestas en el examen? ¡Ojalá que sí!

¡Ojalá que sepamos las respuestas del examen!

2. ¿Me vas a pedir dinero? ¡Ojalá que no!

¡Ojalá que no me pidas dinero!

3. ¿Van a ir conmigo ustedes al cine? ¡Ojalá que sí!

¡Ojalá que vayan al cine conmigo!

3 Escribe tres oraciones con las cosas que quieres. Usa **ojalá que** y los verbos **ir**, **dar** y **estar**.

1. *Answers will vary:* **Ojalá que mis amigos vayan al concierto.**

2. *Answers will vary:* **Ojalá que Jorge esté contento.**

3. *Answers will vary:* **Ojalá que el maestro nos dé poca tarea.**

Gramática C *More Subjunctive Verbs with* **ojalá**

> **¡AVANZA!** **Goal:** Use irregular subjunctive with **ojalá** to talk about wishes.

1 José Miguel quiere que pasen algunas cosas. Completa las oraciones con los verbos **servir**, **estar**, **ir**, **pedir** y **ser**.

1. Ojalá que las clases _____*sean*_____ más fácil este año.

2. Ojalá que el restaurante _____*sirva*_____ gazpacho.

3. Ojalá que mis amigos ya _____*estén*_____ en el cine.

4. Ojalá que Vanina me _____*pida*_____ un guión para su película.

5. Ojalá que nosotros _____*vayamos*_____ al parque con las chicas.

2 Vas a una gala elegante. Completa las oraciones con lo que tú deseas para la gala. Usa los verbos **servir**, **ir**, **dormir** y **ser**.

1. Ojalá que *Answers will vary*: **no te duermas allí.**

2. Ojalá que *Answers will vary*: **el camarero me sirva el postre más grande.**

3. Ojalá que *Answers will vary*: **tu vestido sea el mejor.**

4. Ojalá que *Answers will vary*: **vayan todos mis amigos.**

3 Escríbele una carta de fin de año a tu amigo(a) para decirle las cosas buenas que quieres que le pasen. Usa **ojalá que**. *Answers will vary*:

Querida Marina:

Ojalá que el próximo año sea perfecto para ti, que todo lo que

quieres te lo den y que tengas mucha felicidad.

Ojalá que seamos amigas para siempre y que siempre estés

cerca de mí. Si no, ojalá que me llames o que hablemos todos los

días por mensajero instantáneo.

Un beso,

Lorena.

Integración: Hablar

Marcelo Ortiz es un director de cine muy joven. Él trabajó con muchas personas para filmar su primera película. Ahora, terminaron la película y llegó el día del estreno. Marcelo quiere invitar a todos sus amigos a la gala y al estreno.

Fuente 1 Leer

Lee la invitación que les mandó Marcelo a sus amigos.

> De: Marcelo   A: Todos mis amigos
> Tema: Nueva película
>
> Queridos amigos:
>
> Ustedes son personas muy importantes para mí y quiero estar con todos el próximo sábado porque voy a estrenar mi nueva película: *Un héroe de hoy.*
>
> Voy a estar muy contento y emocionado si todos llegan a la gala con su ropa más elegante.
>
> ¡Ojalá que vengan todos! Pero, por favor, no vayan a venir en pantalones cortos. Hace calor, pero tienen que vestirse bien.
>
> Marcelo Ortiz

Fuente 2 Escuchar   *WB CD 03 track 31*

Escucha lo que dice Marcelo en un programa de radio una semana antes del estreno. Toma apuntes.

_____

_____

_____

_____

Hablar

Marcelo te invitó al estreno de su película *Un héroe de hoy.* Di lo que esperas del estreno, a quién esperas ver, qué esperas de la película y cómo piensas vestirte para la gala después.

Modelo: Recibí la invitación de Marcelo ayer. Ojalá que el estreno... Ojalá que vea a...

Answers will vary: **Recibí la invitación de Marcelo ayer. Ojalá que el estreno tenga éxito.**

Ojalá que vea a los padres de Marcelo. Hace mucho tiempo que no los veo. Ojalá que

vayan todos nuestros amigos. Va a ser muy divertido ver a todos en corbatín y vestidos

elegantes.

Integración: Escribir

Level 2, pp. 347-349
WB CD 03 track 33

Teresa necesita comprar una computadora nueva. Ella no sabe mucho de computadoras, pero sus amigos saben mucho. Ella piensa que ellos pueden recomendarle qué computadora comprar.

Fuente 1 Leer

Lee el correo electrónico que Teresa escribe a sus amigos.

> De: Teresa   A: Mis amigos
>
> Tema: La computadora
>
> Hola compañeros:
>
> Necesito pedirles un favor. Quiero comprar una computadora nueva y, como algunos de ustedes saben mucho de las computadoras, pensé que pueden recomendarme alguna. Con mi computadora vieja no puedo usar el mensajero instantáneo. Hago clic en el icono del mensajero instantáneo y la pantalla se pone negra. No entiendo nada. Si alguien puede ayudarme, por favor, llámenme pronto.
>
> Teresa

Fuente 2 Escuchar   *WB CD 03 track 34*

Escucha la publicidad de una tienda de computadoras en el radio. Toma apuntes.

_____

_____

_____

_____

Escribir

Contesta el correo electrónico de Teresa. Explica cuál computadora quieres recomendarle a ella.

Modelo: Teresa, te recomiendo… porque…

Answers will vary: **Teresa, te recomiendo la «micro-escuela» porque es ideal**

para conectar a Internet y para hacer la tarea en línea. Ojalá que tengas

tiempo mañana. Podemos ir a la tienda o yo te puedo ayudar a entrar en el

sitio web.

_____

_____

Escuchar A

¡AVANZA! **Goal:** Listen to people talk about wishes and movies.

1 Escucha a Gustavo. Encierra en un círculo la manera en que él invitó a sus amigos.

(teléfono celular)   carta   (teléfono)

(mensajero instantáneo)   en persona   invitación escrita

se lo dijo otro amigo   (correo electrónico)

2 Escucha a Clara. Luego, completa las oraciones con las palabras correctas.

1. Clara se vistió para ir a _____ la gala _____ . (la casa de su amigo / la gala)

2. Clara se puso _____ ropa elegante _____ . (ropa elegante / una corbata)

3. Clara va a usar ___ el mensajero instantáneo ___ para invitar a sus amigos al estreno.

   (el icono / el mensajero instantáneo)

4. También puede llamarlos al _____ teléfono celular _____ . (teléfono celular / teclado)

Escuchar B

> ¡AVANZA! **Goal:** Listen to people talk about wishes and movies.

1 Escucha a Santiago. Luego, lee cada oración y contesta **cierto** o **falso**.

Ⓒ F **1.** Santiago estrena su película hoy.

C Ⓕ **2.** Clara todavía no llegó.

Ⓒ F **3.** Clara se vistió con ropa elegante.

C Ⓕ **4.** Santiago no invitó a los críticos de cine.

C Ⓕ **5.** A Santiago no le importa si sus amigos vienen al estreno.

2 Escucha la conversación entre Carina y Adrián. Toma notas. Luego, completa las oraciones.

1. Carina llama a Adrián para _____invitarlo al cine_____ .

2. Mañana en la noche es _____el estreno de la película_____ de Gustavo.

3. Gustavo invitó a Adrián por _____el mensajero instantáneo_____ .

4. La película de Gustavo es de _____aventuras_____ .

5. Adrián dice: «Ojalá que _____vayan_____ todos los amigos de Gustavo».

Escuchar C

¡AVANZA! **Goal:** Listen to people talk about wishes and movies.

1 Escucha la conversación telefónica que Beatriz tiene con su mamá y toma notas. Luego completa la tabla con lo que debe hacer cada chico.

Nombre	Ojalá que...
Lucas	compre los globos
Luis	cocine un pastel de chocolate
Mariana	prepare la cena
Julia	decore la sala
Armando	invite a los amigos
Beatriz	organice la fiesta bien

2 Escucha la conversación de Fernando y Mariana. Toma notas. Luego, contesta las siguientes preguntas con oraciones completas:

1. ¿Cómo invita Fernando a Mariana?

Él la invita por un correo electrónico y la llama al teléfono celular.

2. ¿Adónde invita Fernando a Mariana?

Él la invita al estreno de su película.

3. ¿Por qué está triste Fernando?

Porque ninguno de sus amigos va al estreno de su película.

4. ¿Por qué esta película es muy importante para Fernando?

Porque es su primera película.

5. ¿Por qué no puede ir Mariana?

Porque tiene que ir con su mamá a ver a su tía.

Leer A

> ¡AVANZA! **Goal:** Read about movies, hopes, and wishes.

La directora de esta película escribió una invitación para el estreno de su película.

QUISIERA INVITARLO AL ESTRENO DE MI NUEVA PELÍCULA:
EL CAMINO DEL AMOR. EL ESTRENO VA A SER EN EL CINE
EMPERADOR, EL PRÓXIMO VIERNES, A LAS OCHO DE LA NOCHE.
EL ARGUMENTO NO ES DIFÍCIL PERO ES MUY INTERESANTE. LO
ESCRIBIÓ EL FAMOSO JAIME ESCOBO. TAMBIÉN TENEMOS DOS
ESTRELLAS DE CINE QUIENES SON MARCIA JIMÉNEZ Y FRANCISCO
DEL SOTO.

ESTOY MUY CONTENTA DE SER LA DIRECTORA DE ESTA PELÍCULA,
Y ESTOY MUY EMOCIONADA POR SU ESTRENO.

OJALÁ QUE PUEDA VENIR Y VER MI PELÍCULA MUY HERMOSA.

Mabel Rodríguez

¿Comprendiste?

Lee la invitación de Mabel. Luego, une con flechas las palabras que se relacionan.

a. Mabel Rodríguez   guionista

b. Jaime Escobo   actor

c. Marcia Jiménez   directora

d. Francisco del Soto   cine

e. Emperador   actriz

¿Qué piensas?

¿Piensas que la persona invitada va a ir al estreno de la película? ¿Por qué?

Answers will vary: **Sí, creo que la persona invitada va a ir al estreno de la**

película porque tiene dos estrellas de cine.

_____

_____

_____

Leer B

> **¡AVANZA!** **Goal:** Read about movies, hopes, and wishes.

Todos los fines de año, el maestro de Raúl escribe una tarjeta para los chicos.

A todos mis estudiantes:

Otro año que ya pasa… ¡Vivimos tantas cosas!

Pero un nuevo año viene y con él muchas sorpresas para todos.

Ojalá que el próximo año les dé a todos sólo cosas buenas. Que todos tengan éxito y alegría.

Ojalá que nadie esté triste y todos encuentren las cosas que desean.

Ojalá que todos estén juntos nuevamente y sean tan buenos amigos como hasta ahora.

Su maestro,

Raúl Cárdenas

¿Comprendiste?

Lee la tarjeta del maestro. Luego escribe oraciones con lo que va a pasar si lo que quiere el maestro se hace realidad.

a. Un nuevo año _____trae sorpresas_____ .

b. El próximo año _____da cosas buenas_____ .

c. Nadie _____está triste_____ .

d. Todos _____son amigos_____ .

¿Qué piensas?

1. ¿Qué deseos tienes para el próximo año?

   Answers will vary: **El próximo año quiero invitar a mis amigos a una**

   gran gala. ¡Ojalá que vengan todos!

2. ¿Por qué?

   Answers will vary: **Porque quiero ver a mis amigos vestidos con**

   ropa elegante.

Leer C

> **¡AVANZA!** **Goal:** Read about movies, hopes, and wishes.

Ignacio fue al estreno de la película de ciencia ficción de un amigo. Él les cuenta a todos en un correo electrónico y les recomienda esta película.

¡Hola chicos!

El sábado pasado fui al cine a ver una película muy buena. Fue el estreno y vendieron todas las entradas. El director es mi amigo. Tiene treinta y dos años y desde los veinte quiere filmar esta película. De verdad, se la recomiendo. Ojalá que puedan ir esta semana.

Es el año 2984. Es la historia de un robot que empieza a hacer las cosas que hacen los humanos. ¡Hasta puede reír y llorar!

Ojalá que les guste el argumento y que vayan a verla. Si quieren ir, llámenme al teléfono celular. Yo voy a verla otra vez.

Ignacio

¿Comprendiste?

Lee el correo electrónico de Ignacio. Luego, contesta las preguntas con oraciones completas.

1. ¿Por qué fueron tantas personas el sábado al cine?

   Porque el sábado fue el estreno.

2. ¿Cuánto tiempo hace que el director quiere filmar esta película?

   Hace doce años que el director quiere filmar la película.

3. ¿Qué cosas humanas puede hacer el robot?

   El robot puede reír y llorar.

¿Qué piensas?

1. ¿Te gustaría ir al estreno de esta película? ¿Por qué?

   Answers will vary: **Sí, me gustaría ir al estreno de esta película porque me**

   gustan las películas de ciencia ficción.

2. ¿Qué tipo de película te gustaría hacer? ¿Por qué?

   Answers will vary: **Me gustaría hacer una película de fantasía o de aventuras.**

Escribir A

> **¡AVANZA!** **Goal:** Write about communicating with friends.

Step 1

Escribe una lista de lo que puedes usar para comunicarte con tus amigos.

1. *Answers will vary:* **Teléfono**

2. *Answers will vary:* **Teléfono celular**

3. *Answers will vary:* **Mensajero instantáneo**

4. *Answers will vary:* **Correo electrónico**

5. *Answers will vary:* **Carta**

Step 2

Con la información de arriba, escribe tres oraciones sobre cómo te comunicas con tus amigos.

1. *Answers will vary:* **Uso el mensajero instantáneo para hablar con mis amigos que están en línea.**

2. *Answers will vary:* **Mando correos electrónicos para contarles cosas a mis amigos.**

3. *Answers will vary:* **Cuando quiero hablar un rato con amigos, les llamo al teléfono celular.**

Step 3

Evaluate your writing using the information in the table below.

Writing Criteria	Excellent	Good	Needs Work
Content	Your sentences include at least three means of communication.	Your sentences include two means of communication.	Your sentences include little description of how you communicate.
Communication	Most of your sentences are clear.	Some of your sentences are clear.	Your sentences are not very clear.
Accuracy	Your sentences have few mistakes in grammar and vocabulary.	Your sentences have some mistakes in grammar and vocabulary.	Your sentences have many mistakes in grammar and vocabulary.

Escribir B

> **¡AVANZA!** **Goal:** Write about wishes for friends.

Step 1

Escribe una lista de tus deseos (*wishes*) que tienes para tus amigos. Usa **ojalá que**.

Ojalá que Julián saque buenas notas.

Ojalá que Aurora venga a mi fiesta de cumpleaños.

Ojalá que Matías sea más feliz.

Ojalá que Mariana empiece bien el año.

Step 2

Todos los años, tu grupo de amigos escriben tarjetas con cosas buenas que quieren para cada persona. Escribe tu tarjeta con cuatro oraciones, usando la información de arriba.

Julián: Ojalá que en el próximo año saques buenas notas.

Aurora: Ojalá que vengas a mi fiesta de cumpleaños.

Matías: Ojalá que seas más feliz.

Mariana: Ojalá que empiece bien el año.

Step 3

Evaluate your writing using the information in the table below.

Writing Criteria	Excellent	Good	Needs Work
Content	Your card includes four wishes for your friends.	Your card includes three wishes for your firends.	Your card includes two wishes or fewer for your friends.
Communication	Most of your card is clear.	Parts of your card are clear.	Your card is not very clear.
Accuracy	Your card has few mistakes in grammar and vocabulary.	Your card has some mistakes in grammar and vocabulary.	Your card has many mistakes in grammar and vocabulary.

Escribir C

¡AVANZA!	**Goal:** Write an invitation to a movie premiere.

Step 1

En una lista, escribe cinco cosas que se pueden escribir en una invitación sobre una fiesta de estreno de una película.

el nombre de la película y el director

la hora del estreno

el nombre del cine

los nombres de los invitados

la dirección electrónica para responder a la invitación

Step 2

Escribe una invitación de cinco oraciones para el estreno de una película. Usa **ojalá que**.

Answers will vary:

Hola Álvaro Mejías y Andrés Buenafuente:

Los invitamos al estreno de la película *El mar* del director David

Flores. Es a las ocho y media de la noche en el Cine Azul. Ojalá que

puedan ir porque es una película muy interesante.

Ojalá que les guste el argumento; yo soy el guionista. Contesten a la

dirección electrónica cineazul@cinesmas.com.

Step 3

Evaluate your writing using the information in the table below.

Writing Criteria	Excellent	Good	Needs Work
Content	Your invitation has many details and expresses two wishes.	Your invitation has some details and expresses one wish.	Your invitation has little information and does not include a wish.
Communication	Most of your invitation is clear.	Parts of your invitation are clear.	Your invitation is not very clear.
Accuracy	Your invitation has few mistakes in grammar and vocabulary.	Your invitation has some mistakes in grammar and vocabulary.	Your invitation has many mistakes in grammar and vocabulary.

Cultura A

> ¡AVANZA! **Goal:** Review cultural information about Los Angeles and the United States.

1 **Las estrellas latinas en Estados Unidos** Une con una línea las estrellas latinas de la izquierda con su descripción de la derecha.

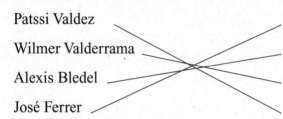

Patssi Valdez   actor puertorriqueño que ganó un Óscar

Wilmer Valderrama   actriz de herencia argentina y mexicana

Alexis Bledel   actor de Venezuela

José Ferrer   artista chicana de Los Ángeles

2 **El cine hispano** Escoge la respuesta correcta para completar las siguientes oraciones.

1. El premio nacional de cine en México es (el Ariel / el Óscar).

2. La Época de Oro del cine mexicano fue en los años (60 / 40).

3. Empezaron a dar el premio «Óscar» en (1929 / 1950).

4. El nombre «Óscar» viene del (hijo / tío) de la bibliotecaria de la Academia.

5. La primera actriz hispana que ganó un Óscar fue (María Félix / Rita Moreno).

3 **El premio Óscar** Escribe qué representan los cinco radios del carrete *(reel)* de película que son partes de la estatuilla del Óscar.

Answers will vary.

_____

_____

_____

_____

_____

_____

Cultura B

| ¡AVANZA! | **Goal:** Review cultural information about Los Angeles and the United States. |

1 **Latinos en Estados Unidos** Escribe la profesión de las siguientes personas.

1. Alexis Bledel es _____actriz_____ .

2. Wilmer Valderrama es _____actor_____ .

3. Patssi Valdez es _____artista_____ .

4. Ellen Ochoa es _____astronauta_____ .

2 **El arte chicano** Haz una lista de las actividades artísticas que hizo Patssi Valdez. Luego escribe tres oraciones desde el punto de vista de la artista. ¿Qué cosas le inspiran? ¿Qué tipo de arte hizo en el pasado y qué hace ahora?

Actividades:	

Answers will vary. _____

_____

_____

3 **Los premios Óscar** Ganaste dos entradas a la ceremonia de los premios Óscar. Escríbele un correo electrónico a un(a) amigo(a) que quieres invitar. Explícale por qué debe venir contigo y menciona un poco de la historia de estos premios.

Answers will vary. _____

_____

_____

_____

_____

_____

Cultura C

| ¡AVANZA! | **Goal:** Review cultural information about Los Angeles and the United States. |

▶ **Los artistas del mundo hispano** Contesta las siguientes preguntas con oraciones completas.

1. ¿Quién es Patssi Valdez? _____ *Patssi Valdez es una pintora chicana* *de Los Ángeles.*

2. ¿Quiénes son algunos de los actores latinos que trabajan en Estados Unidos? _____ *Answers will vary:* **Alexis Bledel, Gael García Bernal y Wilmer Valderrama.**

3. ¿Quién fue escogida como la artista oficial para la quinta edición de los Premios Grammy Latino? _____ *La artista oficial para la quinta edición de los Premios Grammy* *Latino fue Patssi Valdez.*

▶ **Los premios Ariel** Escribe un resumen de la historia de los premios Ariel de México. ¿Cuándo empezó? ¿Cómo es el premio? ¿Dónde tiene lugar la ceremonia?

Answers will vary.

_____

_____

_____

_____

❸ **Premios del cine hispano** Vas a inventar unos premios del cine hispano. ¿Cómo va a ser el premio? ¿Dónde va a tener lugar la ceremonia? ¿A quién vas a darle un premio? ¿Por qué? Describe cómo va a ser el evento y compáralo con la ceremonia de los premios Óscar. Escribe por lo menos cinco oraciones.

Answers will vary.

_____

_____

_____

_____

_____

_____

Comparación cultural:
Aficionados al cine y a la televisión

Level 2, pp. 356-357

Lectura y escritura

After reading the paragraphs about movies and television by Alex, Mariano, and Estela, write a paragraph about what you like about movies or television and what you would do if you worked in these fields. Use the information on your table to write sentences, and then write a paragraph that describes your vacation.

Step 1

Complete the table by describing what you like about movies and television (first column) and what you would like to do if you worked in these fields (second column).

Me gusta(n)...	Como trabajo, me gustaría...

Step 2

Now take the details from your table and write a sentence for each topic on the table.

_____

_____

_____

_____

_____

_____

_____

UNIDAD 6 • Comparación
Lección 2   cultural

Comparación cultural:
Aficionados al cine y a la televisión

Level 2, pp. 356-357

Lectura y escritura (continued)

Step 3

Now write your paragraph using the sentences you wrote as a guide. Include an introduction sentence and use words such as **guionista, director(a), camarógrafo(a), editor(a),** and **actor/actriz** to write about what you like about movies and television and work-related interests.

_____

_____

_____

_____

_____

Checklist

Be sure that…

☐ all the details about movies and television from your table are included in the paragraph;

☐ you use details to describe each aspect of what you like and what you would like to do;

☐ you include words for careers in media and other new vocabulary words.

Rubric

Evaluate your writing using the rubric below.

Writing criteria	Excellent	Good	Needs Work
Content	Your paragraph includes many details about movies and television and careers.	Your paragraph includes some details about movies and television and careers.	Your paragraph includes little information about movies and television and careers.
Communication	Most of your paragraph is organized and easy to follow.	Parts of your paragraph are organized and easy to follow.	Your paragraph is disorganized and hard to follow.
Accuracy	Your paragraph has few mistakes in grammar and vocabulary.	Your paragraph has some mistakes in grammar and vocabulary.	Your paragraph has many mistakes in grammar and vocabulary.

UNIDAD 6 • Comparación
Lección 2   cultural

Comparación cultural: Aficionados al cine y a la televisión

Compara con tu mundo

Now write a comparison about what you like about movies and television with that of one of the three students from page 357. Organize your comparison by topics. First, compare what you like about movies and television, and then what you'd like to do if you worked in these fields.

Step 1

Use the chart to organize your comparison by topics. Write details for each topic about your interests in movies and television and those of the student you chose.

	Mis intereses	**Los intereses de _____**
el cine y la televisión		
trabajar en el cine o la televisión		

Step 2

Now use the details from the chart to write a comparison. Include an introduction sentence and write about each topic. Use words such as **guionista, director(a), camarógrafo(a), editor(a),** and **actor/actriz** to describe what you like and what you would like to do in movies and television and the interests of the students you chose.

_____

_____

_____

_____

_____

_____

_____

_____

_____

Vocabulario A

¡AVANZA!	**Goal:** Discuss school-related issues.

1 Verónica escribe en el periódico escolar. Subraya la palabra que mejor completa cada oración.

1. Verónica escribió un (<u>artículo</u> / escritor) para el periódico.

2. Verónica encontró una (vida / <u>información</u>) muy importante.

3. Verónica le hizo una (editora / <u>entrevista</u>) al director de la escuela.

4. Verónica publicó la (<u>opinión</u> / periodista) de los estudiantes en su artículo.

5. Verónica escribió un (<u>titular</u> / periódico) interesante para las noticias de ayer.

2 Verónica y sus compañeros del periódico escolar tienen mucho trabajo esta semana. Completa las siguientes oraciones con las palabras de la caja:

1. El _____ fotógrafo _____ tomó unas fotos muy interesantes.

2. La _____ editora _____ puso las fotos debajo del titular.

3. El _____ periodista _____ entrevistó al equipo de béisbol.

4. La _____ escritora _____ escribió un artículo muy interesante.

> periodista
> fotógrafo
> escritora
> editora

3 Contesta la pregunta con oraciones completas, usando vocabulario de la lección:

1. ¿Piensas que hay presión de grupo en la escuela? ¿Por qué?

Answers will vary: **Sí, pienso que hay presión de grupo en la escuela, porque tengo que estar de acuerdo con algunas opiniones de la comunidad escolar.**

Vocabulario B

Level 2, pp. 366-370

┌───┐
│ ¡AVANZA! **Goal:** Discuss school-related issues.   │
└───┘

1 El periódico escolar tiene muchas funciones. Escribe la letra de la actividad que corresponde con la persona.

1. __c__ fotógrafo
2. __d__ periodista
3. __b__ editor
4. __a__ escritor

a. escribir artículos
b. organizar las cosas que se publican
c. tomar fotos para publicar
d. investigar y entrevistar

2 Leandro trabajó mucho para publicar el periódico de esta semana. Completa las oraciones con las palabras que corresponden.

1. No siempre estamos _____de acuerdo_____ con las opiniones de otras personas. (publicados / de acuerdo / presentados)

2. _____Por un lado_____ es una cuestión importante y por otro lado, es difícil presentarla. (no sólo / por un lado / por eso)

3. Publicamos no sólo entrevistas, _____sino también_____ anuncios. (de acuerdo / sino también / por un lado)

4. Antes de publicar una noticia, nosotros _____investigamos_____ la información. (investigamos / entrevistamos / describimos)

5. Nos gusta leer _____los titulares_____ interesantes. (las cuestiones / las opiniones / los titulares)

3 Contesta las siguientes preguntas con oraciones completas.

1. ¿Qué parte de un periódico miras primero?

   Answers will vary: **Siempre miro las noticias de deportes primero.**

2. ¿Qué prefieres leer en un periódico?

   Answers will vary: **Me gusta leer entrevistas a músicos.**

Unidad 7, Lección 1
Vocabulario B
296

¡Avancemos! 2
Cuaderno: Práctica por niveles

UNIDAD 7 • Vocabulario B
Lección 1

Vocabulario C

> **¡AVANZA!** **Goal:** Discuss school-related issues.

1 El periódico escolar necesita varias cosas para funcionar. Coloca *(place)* en una columna a las personas que participan en el periódico y en otra columna, las partes de un periódico.

editor	titulares	fotógrafo	periodista
escritor	artículos	anuncios	noticias

Personas

1. editor
2. periodista
3. escritor
4. fotógrafo

Partes del periódico

1. artículos
2. anuncios
3. noticias
4. titulares

2 Graciela tiene muchas cosas que hacer para el periódico escolar. Completa las siguientes oraciones con el vocabulario de la lección. *Answers will vary.*

1. Por un lado, a Graciela le gusta escribir, **por otro lado es difícil investigar**

   toda la información.

2. Graciela no sólo escribe los artículos **sino también escribe los titulares.**

3. Hay pocos chicos en el periódico escolar. **Por eso, Graciela trabaja mucho.**

4. Nadie quiere editar. **Sin embargo, Graciela lo hace.**

3 Tu escuela va a extender el día escolar. Explica tu opinión sobre esta noticia con tres oraciones.

Answers will vary: **En mi opinión, es mala idea extender el día escolar.**

Por un lado, tenemos que estudiar más y por otro lado, no tenemos

tiempo cada noche para terminar la tarea. No estoy de acuerdo con esta

noticia.

Gramática A Subjunctive with Impersonal Expressions

¡AVANZA!	**Goal:** Use the subjunctive with impersonal expressions.

1 Emiliano tiene que escribir algunos artículos para el periódico escolar. Subraya el verbo que mejor completa cada oración.

1. Es necesario que Emiliano (investiga / <u>investigue</u>) sobre la información del artículo.

2. Es malo que Emiliano (publica / <u>publique</u>) un artículo sin investigar.

3. Es importante que Emiliano (<u>explique</u> / explicando) todos los detalles de sus ideas.

4. Es preferible que Emiliano (<u>escriba</u> / escribe) sobre algo que les interesa a todos.

5. Es bueno que (hay / <u>haya</u>) titulares interesantes.

2 Los compañeros de Emiliano tienen que terminar el periódico mañana. Completa las oraciones con la forma correcta del verbo entre paréntesis.

1. Es necesario que ustedes _____terminen_____ temprano. (terminar)

2. Es preferible que yo _____edite_____ los artículos antes de las seis de la tarde. (editar)

3. Es malo que Emiliano no _____empiece_____ su artículo antes de las tres de la tarde. (empezar)

4. Es bueno que los fotógrafos _____tomen_____ fotos profesionales. (tomar)

5. No sólo es importante que _____haya_____ fotos, sino también que _____haya_____ buenos titulares. (haber)

3 Completa las siguientes oraciones, según tu opinión. *Answers will vary.*

1. Es bueno que **vengan las vacaciones de verano.** _____

2. Es malo que **haya exámenes finales primero.** _____

Gramática B Subjunctive with Impersonal Expressions

> **¡AVANZA!** **Goal:** Use the subjunctive with impersonal expressions.

❶ Patricia es la editora del periódico escolar. Completa las oraciones con el verbo correspondiente.

1. Es importante que el fotógrafo __a__ las fotos que le pedí.

  a. tome   **b.** tomes   **c.** toma   **d.** tomas

2. Es necesario que tú me __a__ a editar.

  a. ayudes   **b.** ayudas   **c.** ayude   **d.** ayuda

3. Es bueno que yo __d__ terminar todo el trabajo hoy.

  a. puedas   **b.** puedo   **c.** puedes   **d.** pueda

4. Es malo que los chicos no __b__ sus artículos hoy.

  a. escriben   **b.** escriban   **c.** escriba   **d.** escribo

5. Es preferible que __c__ más opiniones en el periódico.

  a. hay   **b.** había   **c.** haya   **d.** haber

❷ Escribe tres opiniones en oraciones completas sobre las cosas que pasan en el periódico escolar.

Es bueno Es malo Es preferible	Patricia los escritores nosotros	editar terminar explicar

1. _Answers will vary:_ **Es bueno que Patricia edite tan rápido.**

2. _Answers will vary:_ **Es malo que los escritores terminen tarde.**

3. _Answers will vary:_ **Es preferible que expliquemos bien los artículos.**

❸ Escribe tres oraciones para describir unas opiniones sobre la vida escolar. _Answers will vary:_

1. En mi opinión, es preferible que **haya más artículos de opinión**.

2. En mi opinión, es importante que **todos pensemos en la comunidad escolar.**

3. En mi opinión, es malo que **las personas no piensen en los demás.**

Gramática C Subjunctive with Impersonal Expressions

Level 2, pp. 371-375

> **¡AVANZA!** **Goal:** Use the subjunctive with impersonal expressions.

❶ Jimena y sus compañeros publican el periódico escolar. Completa el siguiente texto con los verbos entre paréntesis. Conjúgalos según la persona.

Es importante que nosotros **1.** _____ sepamos _____ que

muchos chicos leen este periódico. Por eso, es importante que

2. _____ haya _____ todo tipo de opiniones. No es necesario

que tú **3.** _____ estés _____ de acuerdo, lo importante es

que todos los estudiantes **4.** _____ encuentren _____ opiniones como

las de ellos. Es malo que el periódico **5.** _____ exprese _____

una sola opinión y no hable de las demás. Es bueno que nosotros

6. _____ escribamos _____ para todos los estudiantes y no sólo

para algunos.

encontrar
saber
estar
escribir
haber
expresar

❷ ¿Qué opiniones tienes sobre la vida escolar? Completa las siguientes oraciones según lo que piensas, usando el vocabulario de esta lección. *Answers will vary.*

1. Es necesario que la escuela **tenga clases interesantes.** _____

2. Es importante que la tarea **sea corta.** _____

3. Es preferible que los maestros **nos enseñen bien.** _____

4. Es bueno que nosotros **estudiemos mucho.** _____

5. Es malo que no **haya un periódico escolar.** _____

❸ Lees un titular en el periódico escolar que dice «No se va a servir almuerzo el próximo año.» Responde con tres opiniones, usando expresiones impersonales.

Answers will vary: **Es malo que hagan eso. Es importante que tengamos**

no sólo un almuerzo, sino también un rato con nuestros amigos. Es

necesario que expresemos nuestras opiniones.

_____

Unidad 7, Lección 1
Gramática C

300

¡Avancemos! 2
Cuaderno: Práctica por niveles

UNIDAD 7 • Gramática C
Lección 1

Gramática A *Por and Para*

> **¡AVANZA!** **Goal:** Distinguish the uses of **por** and **para**.

1 Raúl publica artículos muy interesantes en el periódico escolar. Encierra en un círculo *(circle)* **por** o **para** según corresponde.

1. Raúl va a publicar su primer artículo; (por/ para) eso, está nervioso.

2. Raúl me llamó (por/ para) teléfono (por /para) pedirme una entrevista.

3. Raúl va (por /para) la escuela en la mañana temprano (por /para) tener tiempo de editar el periódico.

4. Trabajó en la edición (por/ para) una semana completa.

2 Reescribe las siguientes oraciones con la información entre paréntesis y las palabras **por** o **para**.

1. Raúl escribe artículos. (el periódico escolar) Raúl escribe artículos para el periódico escolar.

2. Graciela dice «gracias». (la comida) ____ Graciela dice «gracias» por la comida.

3. Simón va a venir. (la noche) ____ Simón va a venir por la noche.

4. Sandra tiene la tarea. (la maestra) ____ Sandra tiene la tarea para la maestra.

5. Miguel estudia. (sacar buenas notas) ____ Miguel estudia para sacar buenas notas.

3 Escribe oraciones completas sobre las cosas que hicieron estas personas. Usa las palabras de las cajas con **por** o **para**. *Answers will vary.*

Tania	caminar	teléfono
Álex y Elena	salir	periódico
Nosotros	llamarme	calle
Yo	escribir	escuela

1. Nosotros salimos para la escuela.

2. Álex y Elena caminaron por la calle.

3. Yo escribí un artículo para el periódico.

4. Tania me llamó por teléfono.

Gramática B *Por and Para*

> **¡AVANZA!** **Goal:** Distinguish the uses of **por** and **para**.

1 Une con flechas las dos partes de una oración.

a. Cecilia va para   organizar bien el periódico.

b. Marcos me llamó por   los estudiantes.

c. Sebastián escribió una invitación para   la casa de la editora.

d. Miriam tomó el tiempo necesario para   ser tan atentos.

e. Lorenzo da las gracias a todos por   teléfono.

2 Los chicos del periódico publicaron algunos artículos sobre los problemas de los estudiantes. Completa el siguiente texto con **por** o **para**.

Publicamos este artículo **1.** _____ para _____ poder entender

mejor algunos problemas de los estudiantes. Investigamos

2. _____ por _____ dos semanas hasta que encontramos toda

la información. **3.** _____ Por _____ eso, sabemos que hay

algunos problemas pero que todo puede mejorar.

4. _____ Para _____ mañana, tenemos una entrevista con el

director **5.** _____ para _____ hablar de estos temas.

3 Completa las siguientes oraciones sobre las cosas que tú haces. Usa **por** o **para**.

1. Yo compro regalos *Answers will vary:* **para mis amigos.** _____

2. Yo hago muchas cosas *Answers will vary:* **por la comunidad escolar.** _____

3. Yo corro *Answers will vary:* **para mantenerme en forma.** _____

UNIDAD 7 • Gramática B
Lección 1

302

Unidad 7, Lección 1
Gramática B

¡Avancemos! 2
Cuaderno: Práctica por niveles

Gramática C *Por and Para*

Level 2, pp. 376-378

> **¡AVANZA!** **Goal:** Distinguish the uses of **por** and **para**.

▶ Los chicos del periódico escolar investigan, escriben, editan y hacen muchas cosas más. Usa **por** y **para**.

1. Investigamos sobre algunos problemas de la comunidad escolar _____para_____ escribir un artículo.

2. Hablamos _____por_____ mensajero instantáneo con los entrevistados para pedirles una entrevista.

3. Escribimos _____para_____ dar noticias para todos los estudiantes.

4. _____Por_____ eso, buscamos la información correcta para escribir la verdad.

5. _____Para_____ nosotros, lo más importante es escribir para hacer un buen periódico.

▶ En el periódico escolar pasan muchas cosas. Completa las oraciones. Usa **por** y **para**.

1. El editor *Answers will vary:* **quiere los artículos para el viernes.**

2. Los escritores *Answers will vary:* **escriben artículos para los estudiantes.**

3. La fotógrafa *Answers will vary:* **toma fotos cuando camina por el parque.**

4. Los entrevistados *Answers will vary:* **llaman por teléfono.**

5. Un periodista *Answers will vary:* **debe trabajar para un solo periódico.**

❸ Escribe tres oraciones para describir las cosas que pasan en el periódico escolar de tu escuela. Usa **por** y **para**.

1. *Answers will vary:* **El editor llama a los escritores para decirles qué artículos quiere.**

2. *Answers will vary:* **Hay mucho que decir en la escuela, por eso los chicos trabajan mucho.**

3. *Answers will vary:* **Los chicos del periódico se comunican por mensajero instantáneo.**

Integración: Hablar

Un periódico muy importante necesita personas para trabajar. Para el periódico, es preferible que estas personas sean jóvenes y con ideas nuevas, pero también es necesario que sepan cómo trabajar para un periódico.

Fuente 1 Leer

Lee el anuncio en el periódico que necesita personas para trabajar.

Necesitamos personas para trabajar en el periódico

Necesitamos **personas jóvenes**, con ganas de aprender y trabajar en un periódico.

Necesitamos **periodistas**; es importante que sepan entrevistar a personas interesantes.

Necesitamos **fotógrafos**; es preferible que tengan experiencia y una cámara digital.

Necesitamos **editores**; es importante que sepan de la gramática y que puedan escribir artículos de opinión.

Por favor, llama al 555-5555.

Fuente 2 Escuchar   *WB CD 04 track 02*

Escucha el mensaje que dejó Mateo para el periódico. Toma apuntes.

_____

_____

_____

_____

Hablar

Si a las personas del periódico les interesa lo que dice Mateo, ¿para qué trabajo de los que salen en el anuncio pueden llamarlo? Explica.

modelo: Mateo puede ser... porque...

Answers will vary: **Mateo puede ser periodista o tal vez editor. Para el periódico es**

preferible que los editores sepan escribir artículos de opinión. Mateo trabajó en el

periódico escolar y publicó artículos controversiales con sus puntos de vista. Él

también entrevistó a personas famosas e investigó para escribir sus artículos. Para el

periódico es importante que sus periodistas entrevisten a personas interesantes.

Integración: Escribir

Level 2, pp. 379-381
WB CD 04 track 03

Nancy es periodista para el periódico escolar. Genaro, el editor, le dice que es importante que entreviste a Abel Martínez, una persona importante. ¿Va a poder entrevistarlo Nancy? ¿Cuándo?

Fuente 1 Leer

Lee el correo electrónico que Genaro le escribió a Nancy.

De: Genaro   A: Nancy

Tema: Entrevista

Hola, Nancy:

Es necesario que le hagas la entrevista hoy a Abel Martínez. Va a estar en la ciudad por dos semanas y no queremos perder la oportunidad de publicar una entrevista con él. Puedes encontrarlo en el hotel de la calle Palermo.

Es necesario que publiquemos esta entrevista porque es una persona importante en la comunidad.

Genaro

Fuente 2 Escuchar   *WB CD 04 track 04*

Escucha el mensaje que le dejó Abel Martínez a Nancy. Toma apuntes.

_____

_____

_____

_____

Escribir

Explica por qué es necesario que Nancy entreviste a Abel Martínez. Según su mensaje a Nancy, ¿cuándo puede tener la entrevista con Abel?

Modelo: Es necesario... Nancy lo puede entrevistar...

Answers will vary: **Es necesario que Nancy entreviste a Abel Martínez**

porque es una persona importante en la comunidad. Nancy lo puede

entrevistar la segunda semana.

_____

_____

_____

Escuchar A

> **¡AVANZA!** **Goal:** Listen to discussions about a school newspaper.

1 Escucha a Ana y toma notas. Luego, lee cada oración y contesta **Cierto** o **Falso**.

C (F) **1.** A Ana no le gusta la gente que trabaja en el periódico.

C (F) **2.** A Ana no le gusta cuando uno tiene opiniones con las que no está de acuerdo.

(C) F **3.** Los chicos del periódico entienden las opiniones de las otras personas.

(C) F **4.** A veces, los chicos del periódico no están de acuerdo con las opiniones de las otras personas.

(C) F **5.** Es importante que todos puedan decir su punto de vista.

2 Escucha a César y toma notas. Luego, completa las oraciones con la palabra que corresponda entre paréntesis.

1. César es el _____ fotógrafo _____ del periódico escolar. (fotógrafo / editor)

2. Ana es la _____ editora _____ del periódico escolar. (escritora / editora)

3. Para Ana, es importante que haya _____ amistad _____ en el periódico.

(buenas ideas / amistad)

4. Los chicos que están en _____ el periódico _____ trabajan como una familia.

(el periódico / la escuela)

UNIDAD 7 • Escuchar A
Lección 1

Unidad 7, Lección 1
Escuchar A

306

¡Avancemos! 2
Cuaderno: Práctica por niveles

Escuchar B

Level 2, pp. 386-387
WB CD 04 tracks 07-08

> ¡AVANZA! **Goal:** Listen to discussions about a school newspaper.

1 Escucha a Martín y toma notas. Une con flechas *(draw arrows)* a las personas con lo que hacen para el periódico escolar.

a. Laura   escritora

b. Verónica   periodista

c. Mauro   fotógrafa

d. Martín   editor

2 Escucha a Mauro y toma notas. Luego, completa las siguientes oraciones.

1. Mauro cree que es necesario que un escritor __investigue la información que hay__ sobre el tema.

2. Un escritor no puede escribir __una noticia o un artículo__ sin decir la verdad.

3. Mauro también escribe __su opinión__ .

4. Si la gente no está de acuerdo con lo que dice Mauro, es bueno que publique artículos para explicar sus opiniones.

Escuchar C

Level 2, pp. 386-387
WB CD 04 tracks 09-10

¡AVANZA! **Goal:** Listen to discussions about a school newspaper.

1 Escucha a Graciela y toma notas. Luego, completa la siguiente tabla con la información que te pide.

Sobre qué son los artículos	Para quiénes son los artículos
cómo vivir saludable	Para todas las personas que piensan en la salud.
deportes	Para todos los aficionados a los distintos equipos.
estilos de ropa	Para todos los que piensan en la moda.
comida	Para los que les gusta comer en restaurantes.

2 Escucha la conversación de Ernesto y Valentina. Toma notas. Luego, contesta a las siguientes preguntas con oraciones completas.

1. ¿Sobre qué es el artículo que salió hoy en el periódico?

El artículo es sobre las dietas.

2. ¿Quién busca este tipo de artículo y para qué?

La mamá de Valentina busca este tipo de artículo para mantenerse en forma.

3. ¿Por qué la madre de Valentina necesita una dieta?

Porque trabaja mucho y no tiene tiempo para hacer ejercicio.

4. ¿Cómo es la dieta que necesita la madre de Valentina?

Ella necesita una dieta balanceada y con comidas ricas.

5. ¿Qué más debe hacer con la dieta?

Ella debe hacer ejercicio.

UNIDAD 7 • Escuchar C
Lección 1

Unidad 7, Lección 1
Escuchar C

308

¡Avancemos! 2
Cuaderno: Práctica por niveles

Leer A

> ¡AVANZA! **Goal:** Read about a school newspaper.

Los chicos del periódico escolar publicaron este anuncio.

Buscamos chicos para el periódico escolar

Este anuncio es para todos los chicos a los que les gustaría trabajar para el periódico escolar.

- *Necesitamos un editor o editora con buenas ideas y ganas de trabajar.*

- *Necesitamos un fotógrafo o fotógrafa con cámara digital.*

- *Necesitamos periodistas para investigar sobre muchos tópicos y entrevistar a personas.*

- *Necesitamos escritores buenos y rápidos.*

Por favor, si quieres trabajar para el periódico escolar, habla con Jorge (123-4567).

¿Comprendiste?

Lee el anuncio en el periódico escolar. Luego, marca con una cruz las características de las personas que necesitan los chicos del periódico.

x Ganas de trabajar		x Escribir bien
___ Inteligente		x Poder investigar
x Buenas ideas		x Poder hacer entrevistas
___ Controversial		___ Activo
x Escribir rápido		___ Elegante

¿Qué piensas?

Lee el anuncio en el periódico escolar. Luego, contesta las siguientes preguntas con una oración completa.

¿Te gustaría trabajar para un periódico como periodista?

Answers will vary: **Sí, me gustaría mucho trabajar para un periódico.**

¿Por qué?

Answers will vary: **Porque me gusta investigar sobre muchos tópicos.**

Leer B

> **¡AVANZA!** **Goal:** Read about a school newspaper.

Andrea les hizo esta entrevista a los chicos del equipo de béisbol para el periódico escolar.

Un equipo ganador

El viernes pasado, entrevistamos a los chicos del equipo de béisbol de la escuela. Éstas son las cosas que dijeron:

Periodista: Buenas tardes, chicos. ¿Es difícil para alguien estar en el equipo?

Ramón: Sí, para mí es un poco difícil. Es que hago muchas actividades todos los días y estoy muy cansado cuando juego. Es necesario que los jugadores tengan unos días libres.

Periodista: ¿Es muy importante para ustedes estar en el equipo?

Santiago: Sí, para mí es muy importante que todos estemos en el equipo, pero es más importante que seamos amigos.

Periodista: ¿Qué quieren hacer para el próximo campeonato?

Víctor: Es preferible que juguemos contentos. No sólo es bueno que ganemos, sino también es importante que sea divertido.

Periodista: Estoy de acuerdo contigo. No importa si pierden. Es necesario que nuestro equipo esté feliz. Gracias a todos.

¿Comprendiste?

Lee la entrevista. Luego, completa la tabla con lo que piensa cada uno. *Answers will vary.*

Nombre	¿Qué piensa?
Ramón	**Es necesario que los jugadores tengan unos días libres.**
Santiago	**Es muy importante que todos sean amigos.**
Víctor	**Es preferible que jueguen contentos.**

¿Qué piensas?

Lee la entrevista. Luego, contesta la siguiente pregunta con una oración completa, y explica por qué en otra oración.

1. Para ti, ¿es más importante que tu equipo gane todos los partidos? ¿Por qué?

   Answers will vary: **No. Para mí, es más importante que juegue bien.**

   Es preferible que sean buenos jugadores y no que ganen siempre.

Unidad 7, Lección 1
Leer B

310

¡Avancemos! 2
Cuaderno: Práctica por niveles

UNIDAD 7
Lección 1

Leer B

Leer C

| ¡AVANZA! | **Goal:** Read about a school newspaper. |

Simón escribió para el periódico escolar este artículo sobre la amistad.

La amistad

¿Podemos ser amigos de personas diferentes de nosotros?

En nuestras amistades, no es importante que todos estemos de acuerdo o que pensemos igual. Es más necesario que entendamos que todos pensamos diferente y que aceptemos a nuestros amigos como ellos son.

Mi mejor amigo se va a vivir a otra ciudad.

Es muy bueno que dos amigos pasen tiempo juntos. Pero, a veces, los amigos ya no se ven todos los días. ¿Quiere decir que ya no son amigos? La respuesta es un gran NO. La amistad es algo que siempre está con nosotros.

¿Quieres ser mi amigo?

La amistad no es algo que les pedimos a otras personas o que otras personas nos piden. La amistad es algo que construimos todos los días, poco a poco, porque dos personas quieren hacerlo. No tiene precio, pero es preciosa.

¿Comprendiste?

Coloca en cada columna tres oraciones para explicar cada punto del artículo.

¿Amigo de personas diferentes de mí?	Mi mejor amigo se va a vivir a otra ciudad.	¿Quieres ser mi amigo?
1. No es importante que todos seamos iguales.	1. No siempre los amigos se ven todos los días.	1. No pedimos la amistad.
2. Todos pensamos diferente.	2. Si amigos no se ven mucho, todavía son amigos.	2. Construimos la amistad todos los días.
3. Tenemos que aceptar a nuestros amigos como son.	3. La amistad siempre está con nosotros.	3. La amistad no tiene precio.

¿Qué piensas?

Contesta la siguiente pregunta con una oración completa, y luego explica tu respuesta.

¿Es necesario que dos chicos pasen juntos mucho tiempo para ser buenos amigos? Explica.

Answers will vary: **No, creo que no es necesario que dos chicos pasen juntos mucho tiempo para ser buenos amigos. La buena amistad existe con tiempo o sin tiempo.**

Escribir A

> **¡AVANZA!** **Goal:** Write an advertisement for a school newspaper.

Step 1

Escribe una lista de las cosas que hace la gente de un grupo de música: *Answers will vary*:

1. cantar
2. tocar la guitarra
3. bailar

Step 2

Escribe un anuncio de tres oraciones en el periódico escolar para buscar alguien para tu grupo de música.

Answers will vary: **Busco un chico para mi grupo de música. Es preferible que sepa tocar muy bien la guitarra y cantar bien. También es necesario que tenga su guitarra.**

Step 3

Evaluate your writing using the information in the table.

Writing Criteria	Excellent	Good	Needs Work
Content	You have included three sentences in your ad.	You have included two sentences in your ad.	You have included one sentence in your ad.
Communication	Most of your response is clear.	Some of your response is clear.	Your reponse is not very clear.
Accuracy	You make few mistakes in grammar and vocabulary.	You make some mistakes in grammar and vocabulary.	You make many mistakes in grammar and vocabulary.

UNIDAD 7 • **Lección 1** Escribir A

Unidad 7, Lección 1
Escribir A

312

¡Avancemos! 2
Cuaderno: Práctica por niveles

Escribir B

Level 2, pp. 386-387

> **¡AVANZA!** **Goal:** Write about the parts of a school newspaper.

Step 1

Escribe una lista de las partes de un periódico: *Answers will vary:*

1. anuncios _____

2. artículos _____

3. titulares _____

Step 2

Escribe tres oraciones completas usando la información de arriba para decir qué debe tener un periódico escolar.

Answers will vary: **Para mí, es importante que un periódico escolar tenga**

artículos sobre la vida escolar. También, para ser interesante, es bueno que

haya titulares cortos e informativos. Es preferible que un periódico escolar

no publique muchos anuncios, pero algunos son necesarios.

Step 3

Evaluate your writing using the information in the table.

Writing Criteria	Excellent	Good	Needs Work
Content	You mention three parts of a newspaper.	You mention two parts of a newspaper.	You mention one part of a newspaper.
Communication	Most of your response is clear.	Parts of your response are clear.	Your response is not very clear.
Accuracy	You make few mistakes in grammar and vocabulary.	You make some mistakes in grammar and vocabulary.	You make many mistakes in grammar and vocabulary.

Escribir C

> **¡AVANZA!** **Goal:** Write your opinons about school life.

Step 1

Escribe cuatro cosas que son importantes para ti en la vida escolar.

1. *Answers will vary:* **tener buenas amistades** _____
2. *Answers will vary:* **compartir las opiniones** _____
3. *Answers will vary:* **no haber la presión de grupo** _____
4. *Answers will vary:* **aprender mucho en nuestras clases** _____

Step 2

Tienes que escribir un artículo de opinión corto para el periódico escolar. Con la información de arriba, escribe cuatro oraciones sobre las cosas que más te importan en la vida escolar, y explica por qué.

Answers will vary: **Para mí es bueno que tengamos buenas amistades, porque los amigos te entienden mejor. También es preferible que compartamos nuestras opiniones, porque el director debe saber nuestros puntos de vista. Sin embargo, es malo que haya la presión de grupo, porque somos únicos con distintos gustos. Nuestra escuela es un lugar social, pero es más importante que todos nosotros aprendamos mucho en nuestras clases, porque la educación es nuestro futuro.**

Step 3

Evaluate your writing using the information in the table below.

Writing Criteria	Excellent	Good	Needs Work
Content	You write four sentences that include all of your ideas.	You write three sentences that include some of your ideas.	You write two or fewer sentences that include none of your ideas.
Communication	Most of your response is organized and easy to follow.	Parts of your response are organized and easy to follow.	Your response is disorganized and hard to follow.
Accuracy	You make few mistakes in grammar and vocabulary.	You make some mistakes in grammar and vocabulary.	You make many mistakes in grammar and vocabulary.

UNIDAD 7
Lección 1

Escribir C

Unidad 7, Lección 1
Escribir C

314

¡Avancemos! 2
Cuaderno: Práctica por niveles

Cultura A

¡AVANZA! **Goal:** Review the culture of the Dominican Republic.

1 **La República Dominicana** Une con una línea la respuesta de la izquierda con su significado a la derecha.

1. Santo Domingo ⟶ idioma oficial

2. El español ⟶ moneda dominicana

3. el casabe ⟶ comida dominicana

4. El peso ⟶ capital de la República Dominicana

2 **Los sitios turísticos** Lee las ideas de un turista y dile qué debe hacer.

el Faro a Colón	Santo Domingo	Los Tres Ojos
los camarones con tayota	la Ciudad Colonial	

1. «Quiero visitar un monumento importante.»
   Debes ir a _____ el Faro a Colón _____ .

2. «Quiero ver edificios antiguos e históricos.»
   Visita _____ la Ciudad Colonial _____ .

3. «Quiero explorar la naturaleza en un bote.»
   Debes ir a _____ Los Tres Ojos _____ .

4. «Quiero conocer la capital de la República Dominicana.»
   Vé a _____ Santo Domingo _____ .

5. «Quiero comer una comida típica dominicana.»
   Prueba _____ los camarones con tayota _____ .

3 **El arte taíno** Contesta estas preguntas con oraciones completas.

1. ¿Dónde vivían los taínos?

   Los taínos vivían en la República Dominicana, Puerto Rico y otras islas del Caribe.

2. ¿Qué representan las pictografías taínas?

   Representan personas, animales y elementos naturales.

Cultura B

> **¡AVANZA!** **Goal:** Review the culture of the Dominican Republic.

1 **La República Dominicana** Usa las palabras de la caja para completar las oraciones.

las bellas playas	Haití
el primer lugar	los camarones con tayota

1. _Los camarones con tayota_ son un plato típico dominicano.

2. Los turistas visitan _____las bellas playas_____ del Caribe.

3. La República Dominicana fue _____el primer lugar_____ de las Américas al que llegaron los españoles.

4. La República Dominicana comparte la isla de Hispañola con _____Haití_____.

2 **Tarjeta postal** Completa esta tarjeta postal que envió Paula a su amiga.

¡Hola Mariana! Me encanta la República Dominicana. Vi a muchas

personas que practicaban esquí acuático en **1.** _____la playa_____ .

Aprendí sobre la historia del país y sobre **2.** _____los taínos_____ ,

el grupo indígena que vivía aquí. También probé comidas típicas muy

ricas, como los camarones con tayota, **3.** _____el cazabe_____ y

4. _____el mangú_____ . ¡Tienes que venir!

3 **Soy turista** Escribe sobre cómo pasaste un día en Santo Domingo. Mira el horario y describe qué hiciste y los sitios que visitaste.

11:00a.m.-1:30p.m.	Ir a Los Tres Ojos
2:00p.m.-5:00p.m.	Almorzar y explorar la Ciudad Colonial
6:00p.m.-7:30p.m.	Ver el Faro a Colón

Answers will vary.

_____

_____

_____

_____

Cultura C

> **¡AVANZA!** **Goal:** Review the culture of the Dominican Republic.

▶ **La República Dominicana** Contesta las siguientes preguntas.

1. ¿Dónde llegaron primero los exploradores españoles? _____Llegaron primero a la_____ isla de la República Dominicana.

2. ¿Qué hay en la Ciudad Colonial? _____Hay bellas casas de la época colonial_____ y también los edificios europeos más antiguos de Latinoamérica.

3. ¿Cómo es la cultura dominicana? _____Es relajada, abierta y cálida._____

4. ¿Qué deportes acuáticos son populares en la República Dominicana?

El surf de vela, el esquí acuático, el buceo y la pesca submarina son populares.

▶ **Hay que viajar** Escribe una anuncio para los turistas que quieren visitar la República Dominicana. Puedes empezar así: **Si te interesa la historia...** o **Si te gustan los deportes acuáticos...**

Answers will vary.

_____

_____

_____

_____

3 **Los sitios turísticos** Escribe en la tabla dos sitios turísticos de la República Dominicana y dos de los Estados Unidos. Luego escribe cuatro oraciones para compararlos.

La República Dominicana	Los Estados Unidos
Answers will vary.	

Answers will vary.

_____

_____

_____

_____

Vocabulario A

> **¡AVANZA!** **Goal:** Talk about extended family relationships.

1 Laura tiene muchos parientes. Marca con una cruz las oraciones lógicas.

1. Laura se casó con su novio. __x__

2. El suegro de Laura es menor que ella. ____

3. La cuñada de Laura es su hermana. ____

4. El cuñado de Laura es el hermano de su esposo. __x__

5. La madrina de Laura es la esposa de su padrino. __x__

6. El sobrino de Laura es su primo. ____

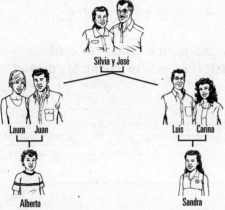

Silvia y José

Laura Juan   Luis Carina

Alberto   Sandra

2 Laura se lleva muy bien con la familia de su esposo. Observa las fotos y completa las siguientes oraciones:

1. Laura se lleva bien con su _____ suegra _____ , la madre de Juan.

2. El cuñado de Laura, _____ Luis _____ , es generoso.

3. La sobrina de Juan, _____ Sandra _____ , es tímida.

4. La cuñada de Juan, _____ Carina _____ , es la madrina de Alberto.

5. La suegra de Carina, _____ Silvia _____ , se entiende mal con ella.

3 Esta familia es la mía. Completa las siguientes oraciones con el vocabulario de esta lección:

1. Mi hermano se casó con su novia. Ahora ella es mi _____ cuñada _____ .

2. No me llevo bien con la madre de mi novio y en dos meses ella va a ser mi

   _____ suegra _____ .

3. La hija de mi hermano, mi _____ sobrina _____ , es muy tímida.

Vocabulario B

> **¡AVANZA!** **Goal:** Talk about extended family relationships.

1 Francisco tiene una familia grande. Une con flechas *(draw arrows)* a cada pariente con la relación familiar.

a. Suegra — el esposo de su hermana.

b. Cuñado — persona que es como el padre.

c. Sobrino — la madre de su esposa.

d. Esposa — novia con la que se casó.

e. Padrino — el hijo de su hermano.

2 Francisco sale a cenar con la familia de su esposa María. Completa las siguientes oraciones con las palabras de la caja:

1. Francisco se encontró con un ___compañero___ de trabajo en el restaurante.

2. El ___suegro___ de Francisco fue muy generoso con su hija y con el esposo suyo: pagó la cena.

3. La ___hermana___ de Francisco se lleva bien con su cuñada, la esposa de él.

4. Francisco habló mucho con la suegra de su esposa, su ___madre___ .

5. El suegro de Francisco discutió con su ___esposa___ , la suegra de Francisco.

madre
esposa
compañero
suegro
hermana

3 Contesta las siguientes preguntas con una oración completa:

1. ¿Cómo se llama tu cuñado?

   Answers will vary: **Mi cuñado se llama Leandro.**

2. ¿Es muy impaciente algún pariente tuyo?

   Answers will vary: **Sí, mi abuela es muy impaciente.**

3. ¿Cómo se llama la suegra de tu mamá?

   Answers will vary: **La suegra de mi mamá se llama Luisa.**

Vocabulario C

> **¡AVANZA!** **Goal:** Talk about extended family relationships.

1 Catalina quiere mucho a todos sus parientes. Coloca en columnas a las personas que son parientes y en otra columna, a las que no lo son.

suegra	sobrino	esposo	entrenador
cuñado	dentista	compañero	

Parientes	**No parientes**
esposo	entrenador
sobrino	dentista
suegra	compañero
cuñado	

2 La familia del esposo de Catalina es muy buena con ella. Completa las siguientes oraciones para describir cómo son:

1. La suegra de Catalina es *Answers will vary*: **muy generosa**.

2. El cuñado de Catalina es *Answers will vary*: **tímido**.

3. El esposo de Catalina tiene dos sobrinos, y los sobrinos de su esposo y los suyos

   Answers will vary: **se llevan muy bien**.

4. La madrina del esposo de Catalina *Answers will vary*: **es una persona sincera**.

5. Los suegros de Catalina *Answers will vary*: **se entienden bien con Catalina**.

3 Escribe un texto de tres oraciones para describir cómo te llevas con tus parientes.

Answers will vary: **Yo me llevo muy bien con algunos parientes y me**

llevo mal con otros. Con mis primos me llevo muy bien; ellos son

divertidos. Con mi tía Elena me llevo mal; ella es muy impaciente.

Gramática A *Comparatives*

┌───┐
│ **¡AVANZA!** **Goal:** Use comparatives to compare two people or things. │
└───┘

1 Javier está comparando a sus parientes. Subraya la expresión correcta en las siguientes oraciones:

1. El suegro de Javier tiene más (<u>de</u> / que) cincuenta años.

2. La suegra de Javier es tan generosa (<u>como</u> / que) el suegro.

3. La esposa de Javier tiene (menos / <u>tantos</u>) sobrinos simpáticos como él.

4. La madrina de Javier le regala tantas cosas (que / <u>como</u>) su madre.

5. La hermana de Javier es menos impaciente (como / <u>que</u>) la nuestra.

2 Todos los parientes de Javier fueron juntos *(together)* de vacaciones. Completa las oraciones con las palabras de la caja.

┌───┐
│   tanto   que   más   menor   como   │
└───┘

1. En la playa, los sobrinos de Javier nadaron más lejos _____que_____ él.

2. El sobrino mayor de Javier es más deportista que el _____menor_____ .

3. A la esposa de Javier le gusta acampar tanto _____como_____ a él.

4. La suegra de Javier es _____más_____ tranquila que el suegro.

5. Javier nadó _____tanto_____ como pudo.

3 ¿Cómo son tus parientes? Escribe tres oraciones con los comparativos. Sigue el modelo.

modelo: Mi hermana es más divertida que mi cuñada.

1. *Answers will vary:* **Mi novio es más alto que mi hermano.**

2. *Answers will vary:* **Mi papá es mayor que mi suegro.**

3. *Answers will vary:* **Mis sobrinos son tan divertidos como sus padres.**

Gramática B *Comparatives*

> **¡AVANZA!** **Goal:** Use comparatives to compare two people or things.

1 Patricia fue al cumpleaños de su cuñada. Completa las oraciones.

1. Sí, esta hora es mejor. La decoración es más bonita que la del año pasado. Tienes

_____ más _____ de cien globos.

2. ¡No! Ésta es _____ tan _____ bonita como la mía.

3. Hola, Teresa. Esta fiesta es _____ más _____ temprano que la del año pasado.

4. Bueno, decoré _____ tan _____ bonito como pude. Llegaron _____ más _____ invitados que el año

pasado y no tuve tiempo de terminar de decorar.

2 Observa la imagen de los invitados de la fiesta de Teresa. Completa las oraciones con construcciones comparativas.

Armando　　**Patricia**　　**Julio**

1. Armando es *Answers will vary:* **más alto que** _____ Patricia.

2. Patricia es *Answers will vary:* **tan alta como** _____ Julio.

3 Escribe tres oraciones para describir a tus amigos. Usa las siguientes palabras:

1. tan... como / alto. *Answers will vary:* **Alejandro es tan alto como Luis.** _____

2. más... que / generoso. *Answers will vary:* **Olga es más generosa que Sonia.** _____

3. tanto como / estudiar / salir. *Answers will vary:* **Víctor estudia tanto como sale.** _____

Unidad 7, Lección 2
Gramática B

322

¡Avancemos! 2
Cuaderno: Práctica por niveles

UNIDAD 7 • Gramática B
Lección 2

Gramática C *Comparatives*

> **¡AVANZA!** **Goal:** Use comparatives to compare two people or things.

1 ¿Qué dice Sandra sobre sus parientes? Completa las siguientes oraciones con construcciones comparativas.

1. Mi hermana *Answers will vary:* **es más simpática que** ____ mi sobrina.

2. La madre de mi novio(a) *Answers will vary:* **es mayor que** _____ la mía.

3. Mis sobrinos *Answers will vary:* **son tan jóvenes como** ____ mis hermanos, que tienen menos de quince años.

4. Mi madrina *Answers will vary:* **es menor que** ____ mi padrino.

5. Mi madre *Answers will vary:* **es tan generosa como** ____ mi madrina.

2 Escribe cinco oraciones para describir a algunos parientes de Fernanda. Usa la información de las cajas y las construcciones comparativas.

La cuñada de Fernanda La suegra de Fernanda La madrina de Fernanda	alta generosa paciente	el cuñado de Fernanda el suegro de Fernanda el padrino de Fernanda

1. *Answers will vary:* **La cuñada de Fernanda es más alta que el suegro de Fernanda.**

2. *Answers will vary:* **La suegra de Fernanda es menos paciente que el cuñado de Fernanda.**

3. *Answers will vary:* **La cuñada de Fernanda es tan generosa como el padrino de Fernanda.**

3 Escribe un correo electrónico de cuatro oraciones a un(a) amigo(a) para contarle cómo son tus amigos de la escuela. Usa construcciones comparativas. *Answers will vary:*

Hola Santiago:

Tengo muchos amigos muy divertidos. Juan es más divertido que Pedro

pero Pedro es más simpático que Juan. Pedro es tan inteligente como Juan

pero Juan es menos tímido que Pedro. Tengo más de veinte compañeros.

Lucas

Gramática A *Superlatives*

¡AVANZA!	**Goal:** Use superlatives to compare three or more items.

1 Lucas tiene unos parientes muy especiales. Encierra en un círculo *(circle)* la palabra que mejor completa cada oración.

1. El suegro de Lucas le regala muchas cosas. Es el (más / menos) generoso.

2. La cuñada de Lucas no habla con gente que no conoce. Ella es la (menos / más) tímida.

3. Nadie sacó mejores notas que el sobrino de Lucas. Es el (peor / mejor) estudiante.

4. A la madrina de Lucas no le gusta quedarse sin hacer nada. Es la (menos / más) paciente.

5. Mis sobrinos son más divertidos que los tuyos. Son los (menos / más) aburridos.

2 Los parientes de Lucas son los mejores en todo. Completa la oración con **más** o **menos**.

1. Los cuñados de Lucas son los jugadores _____ menos _____ lentos.

2. Los sobrinos de Lucas son los niños _____ más _____ bonitos.

3. Los suegros de Lucas son las personas _____ menos _____ aburridas.

4. Los primos de Lucas son los deportistas _____ más _____ rápidos.

5. Los hermanos de Lucas son los estudiantes _____ más _____ inteligentes.

3 Completa las siguientes oraciones con la expresión correspondiente:

1. Compré unas botas. A mi me gustan ___*Answers will vary:* **las más**___ modernas.

2. Compré un libro. A mí me gustan ___*Answers will vary:* **los más**___ interesantes.

3. Compré un disco compacto. Yo prefiero ___*Answers will vary:* **los menos**___ caros.

Gramática B *Superlatives*

> ¡AVANZA! **Goal:** Use superlatives to compare three or more items.

1 Susana tiene los parientes más buenos. Completa las oraciones con las frases de la caja.

1. El cuñado de Susana es _____ el más _____ popular.

2. La suegra de Susana es _____ la más _____ generosa.

3. Lo que dijo Susana es _____ lo más _____ importante.

4. Las primas de Susana son _____ las menos _____ perezosas.

5. Los hermanos de Susana son _____ los más _____ inteligentes.

| las menos |
| el más |
| la más |
| los más |
| lo más |

2 Susana le presentó sus parientes a una amiga suya. Completa las oraciones con las palabras entre paréntesis.

1. (popular) Aquélla es mi suegra, es *Answers will vary:* **la más popular.**

2. (alto) Éste es mi cuñado, es *Answers will vary:* **el más alto.**

3. (divertido) Esos son mis padrinos, son *Answers will vary:* **los menos divertidos.**

4. (bonito) Aquéllas son unas sobrinas mías, son *Answers will vary:* **las más bonitas.**

5. (sincero) Esto es lo que pienso, es *Answers will vary:* **lo más sincero.**

3 Contesta las siguientes preguntas con una oración completa. Usa las expresiones de superlativo.

1. ¿Quién es tu compañero(a) más generoso(a)?

   Answers will vary: **El más generoso es Pablo.**

2. ¿Quién es tu compañero(a) menos tímido(a)?

   Answers will vary: **La menos tímida es Lucía.**

3. ¿Quién es tu compañero(a) más tranquilo(a)?

   Answers will vary: **El más tranquilo es Alberto.**

UNIDAD 7
Lección 2 • Gramática B

Gramática C *Superlatives*

> **¡AVANZA!** **Goal:** Use superlatives to compare three or more items.

1 ¿Qué puedes decir de tus parientes? Completa las siguientes oraciones:

1. La más simpática es *Answers will vary*: **mi cuñada.** _____
2. Los más divertidos son *Answers will vary*: **mis sobrinos.** _____
3. Las más bonitas son *Answers will vary*: **mis hermanas.** _____
4. Lo más importante para todos es *Answers will vary*: **estar juntos.** _____
5. El más generoso es *Answers will vary*: **mi abuelo.** _____

2 ¿Qué puedes decir de tus amigos? Escribe oraciones completas con la estructura superlativa de los siguientes adjetivos:

1. Paciente: *Answers will vary*: **El más paciente es Pedro.** _____
2. Estudioso: *Answers will vary*: **Las más estudiosas son Sandra y Sofía.** _____
3. Elegante: *Answers will vary*: **La más elegante es Verónica.** _____
4. Interesante: *Answers will vary*: **El más interesante es Gustavo.** _____
5. Buen compañero: *Answers will vary*: **El mejor compañero es Ricardo.** _____

3 Escribe tres oraciones para describir a las personas que conoces. Usa los superlativos y el vocabulario de esta lección.

1. *Answers will vary*: **La más atenta es mi abuela Carmen.** _____
2. *Answers will vary*: **El más valiente es José Miguel.** _____
3. *Answers will vary*: **Los más populares son Joaquín y Patricia.** _____

Integración: Hablar

Level 2, pp. 403-405
WB CD 04 track 11

Muchas cosas le pasan a la familia Echevarría en *Un pájaro al volar*, la telenovela favorita de Fidelina. Ella no quiere perder el próximo episodio, en que se va a saber mucho más de los personajes dentro esta familia fascinante.

Fuente 1 Leer

Lee la descripción en el periódico del episodio de la telenovela que sale hoy en la televisión.

Un pájaro al volar Canal 6, 8:00 p.m.

Hoy la familia Echevarría recibe muchas sorpresas. Armando aprende algo interesante sobre la mujer que limpia la casa. María encuentra a un pariente suyo que estaba perdido. También sabe que su esposo Armando no es tan bueno como ella pensaba. Y el tío Francisco, un hombre impaciente y misterioso, discute con su sobrino Armando.

Fuente 2 Escuchar   *WB CD 04 track 12*

Escucha el mensaje que la madre de María le dejó a su esposo en el teléfono celular. Toma apuntes.

_____

_____

_____

_____

Hablar

Describe la familia Echevarría del programa *Un pájaro al volar*. ¿Quiénes son los personajes y cómo son y cómo se llevan el uno con el otro? ¿Qué sorpresas ocurren en este episodio?

modelo: Los personajes son... En este episodio...

Answers will vary: **Los personajes son: Armando Echevarría y su esposa, María. Parece que se llevan bien, pero María sabe en este episodio que su esposo no es tan bueno como ella pensaba. También está el tío Francisco, un hombre impaciente que discute con Armando. En este episodio aprendemos que la mujer que limpia la casa realmente es la suegra de Armando. La otra persona en el programa es la madrina de Armando, la mujer más peligrosa de Santo Domingo.**

Integración: Escribir

Level 2, pp. 403-405
WB CD 04 track 13

Susana y Mónica son muy buenas amigas. Ellas se ven todos los días y hacen muchas cosas juntas *(together)*. Pensaron estudiar para un examen importante, y por eso Mónica está en su casa esperando a su amiga.

Fuente 1 Leer

Lee el correo electrónico que Susana le manda a Mónica.

> De: Susana   A: Mónica
>
> Tema: El examen
>
> Hola, Mónica:
>
> Hoy no puedo ir a tu casa a estudiar. Tengo que ir al consultorio. Pedí una cita hace más de tres semanas y no puedo perderla.
>
> Tal vez mañana es mejor que hoy para estudiar. Es que hoy tengo el menos tiempo libre de todos los días de esta semana. Mañana podemos hacer un buen trabajo para ciencias y estudiar mucho. ¡Nosotras debemos sacar las mejores notas de la clase!
>
> Susana

Fuente 2 Escuchar   *WB CD 04 track 14*

Escucha el mensaje que le dejó la madre de Mónica en el teléfono de su casa. Toma apuntes.

_____

_____

_____

Escribir

Mónica y Susana están muy ocupadas hoy. ¿Qué tiene que hacer Susana? ¿Y Mónica? Escribe sobre sus actividades de hoy y explica qué día es el mejor para estudiar para el examen.

modelo: Susana tiene que... Mónica tiene que...

Answers will vary: **Susana tiene que ir al consultorio porque tiene una cita.**

La mamá de Mónica le pidió ir al banco para sacar dinero y comprar un

regalo para su madrina. Mañana va a ser el día mejor para estudiar

ciencias. Quieren sacar las mejores notas de la clase.

_____

Escuchar A

> ¡AVANZA! **Goal:** Listen to discussions about family relations.

1 Escucha a Rafael y toma notas. Luego, marca con una cruz las oraciones que son ciertas sobre su familia.

1. Rafael tiene un hermano. __×__

2. El hermano de Rafael está casado. __×__

3. Rafael no tiene ninguna cuñada. ____

4. Hace dos años que Rafael tiene una cuñada. __×__

5. Rafael tiene muchos sobrinos. ____

6. Rafael quiere tener sobrinos. __×__

2 Escucha a Carolina y toma notas. Luego, completa las oraciones con las palabras de la caja.

esposo	cuñado	sobrino	alto

1. El _____cuñado_____ de Carolina se llama Rafael.

2. El _____esposo_____ de Carolina se llama Andrés.

3. Rafael es más _____alto_____ que Andrés.

4. La noticia es que Rafael va a tener un _____sobrino_____ .

Escuchar B

Level 2, pp. 410-411
WB CD 04 tracks 17-18

¡AVANZA! **Goal:** Listen to discussions about family relations.

1 Escucha a Natalia y toma notas. Luego, subraya la palabra que completa cada oración.

1. Natalia se casa con su (<u>novio</u> / esposo).

2. El mejor amigo de Santiago es su (suegro /<u>cuñado</u>).

3. Los padres de Natalia son los mejores (abuelos /<u>suegros</u>).

4. Los hijos del hermano de Natalia quieren tener (tíos / <u>primos</u>).

5. Lo más importante para Natalia es que Santiago (<u>se lleva bien</u> / no discuta) con su familia.

2 Escucha a Santiago y toma notas. Luego, completa la tabla con la información que te pide.

Pariente de Natalia	¿Qué va a ser de Santiago?	¿Cómo es? o ¿Cómo son?
madre de Natalia	suegra	alegre
padre de Natalia	suegro	alegre
hermano de Natalia	cuñado	divertido
sobrinos de Natalia	sobrinos	simpáticos

Escuchar C

> **¡AVANZA!** **Goal:** Listen to discussions about family relations.

1 Escucha a Lía. Primero, escribe el nombre de cada pariente. Luego, nota la relación que cada uno tiene con la persona indicada.

Nombre	¿Qué es de Lía?	¿Qué es de la madre de Lía?
1. Irma	1. abuela	1. madre
2. Elena	2. tía	2. cuñada
3. Luis	3. tío	3. cuñado
4. Juan Carlos	4. tío	4. cuñado

2 Escucha a Juan Carlos y toma notas. Luego, contesta las siguientes preguntas con oraciones completas.

1. ¿Quién va a organizar la fiesta?

El sobrino de Juan Carlos va a organizar la fiesta.

2. ¿Cuántos parientes tiene la madre de Juan Carlos?

La madre de Juan Carlos tiene más de cincuenta parientes.

3. ¿Qué quiere hacer Juan Carlos para la fiesta de su madre?

Él quiere ir con su novia y presentársela a todos.

4. ¿Por qué ésa va a ser una sorpresa para todos?

Porque nadie sabe que Juan Carlos tiene novia.

5. ¿Por qué Juan Carlos piensa que Inés se va a llevar bien con su familia?

Porque Inés es la chica más simpática que conoce.

Leer A

¡AVANZA! **Goal:** Read about family relations.

Lorena le escribe esta carta a su abuela.

Mi querida abuela:

Quiero contarte que la próxima semana, mi familia y yo vamos a ir a visitarte. Mi mamá está muy contenta, dice que tiene ganas de ver a su querida suegra. Leonardo va con su novia, Sandra. Ella es la chica más inteligente y hermosa que conozco. Ahora, ella no sólo va a ser mi cuñada, sino también mi mejor amiga.

Leonardo quiere tanto presentártela como quiere verte. Creo que van a casarse el próximo año.

¡Ojalá que nos esperes con tu chocolate famoso! Es el postre más rico del mundo.

Besos,

Lorena

¿Comprendiste?

Lee la carta de Lorena. Luego, empareja a la persona con la descripción que Lorena dice.

a. La madre de Lorena   _d_ va a visitar a la abuela.

b. Leonardo   _a_ está contenta por ver a la abuela de Lorena.

c. Sandra   _c_ es amiga y va a ser cuñada de Lorena.

d. La familia de Lorena   _e_ van a ser esposos.

e. Leonardo y Sandra   _b_ va a presentarle a Sandra a la abuela.

¿Qué piensas?

Lee la carta de Lorena. Contesta a la siguiente pregunta con una oración completa:

¿Te gustan las familias muy grandes?

Answers will vary: **Sí, me gustan las familias grandes, como mi familia.**

Leer B

> ¡AVANZA! **Goal:** Read about family relations.

Los parientes de Adrián vienen a la ciudad de visita. Él le escribe un correo electrónico a su mejor amiga para decirle cómo es su familia.

<adrian@alomail.co.es> Escribió

Hola, Silvana:

Mis parientes llegan el sábado por avión. Ellos son de la familia de mi mamá. Hace más de dos años que no los veo. Creo que mis primos Roberto y Pablo, los hijos de mis tíos, deben ser más altos que yo. La suegra de mi papá, mi abuela, se llama Sonia y es la persona más simpática de toda la familia. La hermana de mi mamá, mi tía Paula, es la más generosa. Ellos son fantásticos.

Quiero presentártelos a todos. ¿Puedes venir a mi casa el sábado?

Adrián

Comprendiste

Lee el correo electrónico de Adrián. Luego, encierra en un círculo las palabras que mejor completan cada oración.

1. Roberto y Pablo son los hijos de sus (tíos / sobrinos).

2. Sonia es la (madre / suegra) de la mamá de adrian.

3. Paula es la (suegra / cuñada) del padre de Adrián.

4. Todas estas personas son los (compañeros / parientes) de Adrián.

¿Qué piensas?

Lee el correo electrónico de Adrián. Contesta las siguientes preguntas con una oración completa. Luego, explica por qué en otra oración.

1. ¿Tu madre tiene muchos(as) cuñados(as)?

   Answers will vary: **Sí, mi madre tiene muchos cuñados.**

2. ¿Por qué?

   Answers will vary: **Porque mi padre tiene muchos hermanos.**

Leer C

Level 2, pp. 410-411

> ¡AVANZA! **Goal:** Read about family relations.

Rosana quiere saber más de sus parientes. Por eso, está haciendo este diagrama con todos sus parientes.

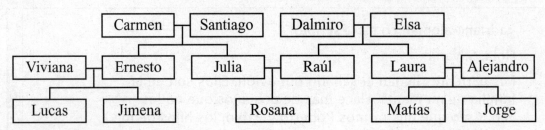

¿Comprendiste?

Lee el diagrama de la familia de Rosana. Luego, completa las siguientes oraciones con las relaciones familiares:

1. Carmen es la ___suegra___ de Raúl.

2. Ernesto es el ___cuñado___ de Raúl.

3. Jimena es la ___sobrina___ de Julia.

4. Dalmiro es el ___abuelo___ de Rosana.

5. Dalmiro es el ___suegro___ de Julia.

6. Jorge es el ___sobrino___ de Raúl.

7. Julia es la ___cuñada___ de Laura.

8. Elsa es la ___abuela___ de Matías.

¿Qué piensas?

Lee el dibujo de la familia de Rosana. Contesta a la siguiente pregunta con una oración completa. Luego, ejemplifícala en una o dos oraciones.

1. ¿Tu familia es más grande que la de Rosana?

Answers will vary: **No, mi familia es tan grande como la de Rosana.**

2. Ejemplo:

Answers will vary: **Tengo cuatro abuelos, cuatro tíos y cuatro primos.**

Escribir A

> **¡AVANZA!** **Goal:** Write about family relations.

Step 1

Contesta las siguientes preguntas para describir tu familia.

1. ¿Cómo se llama el cuñado de tu madre? ¿Qué relación tiene contigo?

   Answers will vary: **Se llama Antonio y es mi tío.**

2. ¿Qué relación tienen los suegros de tus padres contigo?

   Answers will vary: **Ellos son mis abuelos.**

3. ¿Qué relación tiene contigo el(la) novio/a o esposo(a)de tu hermano(a)? ¿Cómo se llama?

   Answers will vary: **Se llama Laura y es mi cuñada.**

Step 2

Escribe tres oraciones para describir tus parientes. Usa "(el / la / lo/ los / las) más / menos".

   Answers will vary: **La más vieja es mi abuela Jacinta.**

   Los menos simpáticos son mis tíos Aníbal y Lucas. El más divertido es

   mi cuñado.

Step 4

Evaluate your writing using the information in the table below.

Writing Criteria	Excellent	Good	Needs Work
Content	You have included three sentences to describe your family.	You have included two sentences to describe your family.	You have included one or fewer sentences to describe your family.
Communication	Most of your response is clear.	Some of your response is clear.	Your message is not very clear.
Accuracy	You make few mistakes in grammar and vocabulary.	You make some mistakes in grammar and vocabulary.	You make many mistakes in grammar and vocabulary.

Escribir B

> **¡AVANZA!** **Goal:** Write about family relations.

Step 1

Escribe los nombres de tus parientes o de los parientes de un(a) amigo(a) en las fotos de abajo.

Answers will vary: **Norma Felipe**

Answers will vary:	Answers will vary:	Answers will vary:	Answers will vary:
Ana	Raúl	Isabel	Osvaldo

Tú

Step 2

Escribe cuatro oraciones completas para describir tu familia o la familia de un(a) amigo(a):

Mis abuelos se llaman Norma y Felipe. Mi papá se llama Raúl y su hermana

se llama Isabel. El sobrino más divertido soy yo. Mis abuelos y mis

padrinos tienen más de sesenta años. Mis primos tienen tantos

compañeros como yo.

Step 3

Evaluate your writing using the information in the table below.

Writing Criteria	Excellent	Good	Needs Work
Content	You include four sentences to describe the family tree.	You include three sentences to describe the family tree.	You include two or fewer sentences to describe the family tree.
Communication	Most of your message is organized and easy to follow.	Parts of your message are organized and easy to follow.	Your message is disorganized and hard to follow.
Accuracy	You make few mistakes in grammar and vocabulary.	You make some mistakes in grammar and vocabulary.	You make many mistakes in grammar and vocabulary.

Escribir C

> **¡AVANZA!** **Goal:** Write about family relations.

Step 1

Miriam tiene un solo hermano. Completa la siguiente tabla con las relaciones familiares de Miriam. Luego, escribe una lista de estos parientes.

Relación conmigo	Relación con mi hermano
Mi abuela, madre de mi padre	abuela
Mi cuñada	esposa
Mi sobrino	hijo
Mi esposo	cuñado
Mis hijas	sobrinas

Step 2

Escribe cinco oraciones para describir la familia de Miriam. *Answers will vary:*

La abuela de Miriam es la abuela de su hermano también.

La cuñada de Miriam es la esposa de su hermano. El sobrino de

Miriam es el hijo de su hermano. El esposo de Miriam es el cuñado

de su hermano. Las hijas de Miriam son las sobrinas de su hermano.

Step 3

Evaluate your writing using the information in the table below.

Writing Criteria	Excellent	Good	Needs Work
Content	You include five sentences to describe the family.	You include three to four sentences to describe the family.	You include two or fewer sentences to describe the family..
Communication	Most of your message is organized and easy to follow.	Parts of your message are organized and easy to follow.	Your message is disorganized and hard to follow.
Accuracy	You make few mistakes in grammar and vocabulary.	You make some mistakes in grammar and vocabulary.	You make many mistakes in grammar and vocabulary.

Cultura A

> ¡AVANZA! **Goal:** Review the culture of the Dominican Republic.

① Una universidad antigua Escoge una de las opciones y responde a las siguientes preguntas.

1. ¿Cómo se llama la universidad más antigua de las Américas? ___b___

   a. La Universidad Libre de Santo Domingo

   b. La Universidad Autónoma de Santo Domingo

   c. La Universidad Autónoma de la República Dominicana

2. ¿En qué año fue fundada? ___c___

   a. 1738   **b.** 1492   **c.** 1538

3. ¿Cuántas escuelas tenía originalmente? ___a___

   a. 4   **b.** 2   **c.** 6

② La artista y la escritora Escoge la palabra del paréntesis que completa cada oración.

1. Belkis Ramírez es (una artista / una escritora).

2. Belkis Ramírez hace grabados sobre (plástico / madera).

3. La escritora de *El cuento del cafecito* se llama (Julia Álvarez / Belkis Ramírez).

4. Julia Álvarez y su esposo tienen (un cafetal / una tienda de ropa).

③ Los padrinos Contesta estas preguntas con oraciones completas.

1. ¿Quiénes son los testigos en una boda paraguaya?

   Los padrinos de los novios son los testigos en una boda paraguaya.

   Normalmente son una pareja casada y parientes del novio o de la novia.

2. ¿Y en una boda de los Estados Unidos, generalmente?

   En una boda de los Estados Unidos los testigos son amigos o hermanos de

   los novios (*best man* y *maid of honor*).

3. ¿Cúando se convierten en compadres los padrinos de un(a) niño(a)?

   Se convierten en compadres en el momento del bautizo del niño o de la niña.

Cultura B

> ¡AVANZA! **Goal:** Review the culture of the Dominican Republic.

1 **Una universidad antigua** Completa las siguientes oraciones.

1. La Universidad Autónoma de Santo Domingo se fundó en el año _____1538_____ .

2. Las cuatro escuelas originales fueron teología, derecho, _____artes_____ y _____medicina_____ .

3. La UASD es la universidad más _____grande_____ y más antigua de la República Dominicana.

4. En la UASD los estudiantes pueden participar en deportes y _____actividades_____ _____extracurriculares_____ .

2 **La artista y la escritora** Lee las oraciones y decide quién lo dice, Belkis Ramírez o Julia Álvarez.

Mi esposo y yo tenemos un cafetal en la República Dominicana.
_____Julia Álvarez_____

Hago esculturas y grabados sobre madera. _____Belkis Ramírez_____

Hice ilustraciones para *El cuento del cafecito*.
_____Belkis Ramírez_____

Escribí *El cuento del cafecito* y otros libros. _____Julia Álvarez_____

3 **Los padrinos** Haz dos listas. En la primera escribe dos responsabilidades de los padrinos de boda y en la segunda escribe dos responsabilidades de los padrinos de bautizo. Después escribe cuatro oraciones comparando los dos.

LOS PADRINOS DE BODA

Answers will vary.

_____

_____

LOS PADRINOS DE BAUTIZO

_____

_____

_____

Answers will vary.

_____

_____

_____

_____

_____

UNIDAD 7
Lección 2 • Cultura B

Cultura C

> ¡AVANZA! **Goal:** Review the culture of the Dominican Republic.

1 **Los padrinos** Contesta las siguientes preguntas sobre los padrinos en Latinoamérica.

1. ¿Qué papel tienen los padrinos en una boda de Latinoamérica?

   Los padrinos son los testigos principales.

2. ¿Quiénes son los padrinos de los novios generalmente?

   Generalmente son parientes del novio o de la novia, y son una pareja casada.

3. ¿Cuáles son las responsabilidades de los padrinos de un niño?

   Sirven como segundos padres y van a los eventos y fiestas importantes,

   como los cumpleaños y las graduaciones.

2 **Una universidad antigua** Escribe un anuncio para estudiantes nuevos que quieren ir a la universidad Autónoma de Santo Domingo. Habla de su historia, de qué pueden estudiar allí y de por qué tienen que ir. Usa las palabras de la caja.

fundada	antigua	escuelas	asignaturas	actividades

Answers will vary.

_____

_____

_____

3 **La artista y la escritora** Mira la ilustración de Belkis Ramírez de la página 402. Inventa una historia sobre esta familia. Describe quiénes son, qué hacen y por qué.

Answers will vary.

_____

_____

_____

_____

Comparación cultural:
Una persona importante para mí

Level 2, pp. 412-413

Lectura y escritura

After reading the paragraphs about people who are special to Anahí, Eduardo, and Pedro, write a paragraph about a person who is important to you. Use the information on your star to write sentences, and then write a paragraph that describes your special person.

Step 1

Complete the star describing as many details as you can about your special person. At each point, write a fact about the person: name, relationship to you, personality, work or hobby, and importance to you.

Step 2

Now take the details from your star and write a sentence for each fact on the star.

_____

_____

_____

_____

_____

_____

UNIDAD 7 • Comparación
Lección 2   cultural

Comparación cultural: Una persona importante para mí

Lectura y escritura (continued)

Step 3

Now write your paragraph using the sentences you wrote as a guide. Include an introduction sentence and use the superlatives **el (la) más...**, **el (la) menos...**, and **el (la) mejor...** as needed to write about your special person.

_____

_____

_____

_____

_____

_____

_____

Checklist

Be sure that…

☐ all the details about your special person from your star are included in the paragraph;

☐ you use details to describe your special person;

☐ you include superlatives and new vocabulary words.

Rubric

Evaluate your writing using the rubric below.

Writing criteria	Excellent	Good	Needs Work
Content	Your paragraph includes many details about your special person.	Your paragraph includes some details about your special person.	Your paragraph includes few details about your special person.
Communication	Most of your paragraph is organized and easy to follow.	Parts of your paragraph are organized and easy to follow.	Your paragraph is disorganized and hard to follow.
Accuracy	Your paragraph has few mistakes in grammar and vocabulary.	Your paragraph has some mistakes in grammar and vocabulary.	Your paragraph has many mistakes in grammar and vocabulary.

UNIDAD 7 • Comparación
Lección 2 cultural

Unidad 7
Comparación cultural: Una persona importante para mí

342

¡Avancemos! 2
Cuaderno: Práctica por niveles

Comparación cultural:
Una persona importante para mí

Compara con tu mundo

Now write a comparison about your special person and that of one of the three students from page 413. Organize your comparison by topics. First, compare what their relationship is and what their personality is like, then what their job or hobbies are, and finally compare why each person is important.

Step 1

Use the chart to organize your comparison by topics. Write details for each topic about your special person and that of the student you chose.

	Mi persona especial	La persona de _____
Relación		
Personalidad		
Trabajo / pasatiempos		
Es importante porque...		

Step 2

Now use the details from the chart to write a comparison. Include an introduction sentence and write about each topic. Use comparatives (**más que, menos que, tanto como**) and superlatives (**el (la) más..., el (la) menos..., el (la) mejor...**) to describe your special person and that of the student you chose.

_____

_____

_____

_____

_____

_____

_____

_____

_____

UNIDAD 7
Lección 2 • Comparación cultural

Vocabulario A

> ¡AVANZA! **Goal:** Discuss environmental problems and solutions.

1 Susana y sus amigos protegen la naturaleza. Subraya la palabra que mejor completa cada oración.

1. Susana y sus amigos son (recursos / <u>voluntarios</u>).

2. Susana quiere respirar aire puro: no quiere una ciudad con (<u>smog</u> / árboles).

3. Los amigos de Susana reciclan (las selvas / <u>la basura</u>).

4. Susana quiere comprar (<u>un vehículo híbrido</u> / incendios forestales) para usar recursos naturales.

5. Los amigos de Susana quieren proteger los bosques de (la capa de ozono / <u>la deforestación</u>).

2 Susana es muy responsable con el medio ambiente. Completa las oraciones con las palabras de la caja.

el reciclaje	la capa de ozono	los recursos naturales
el cartón	el mundo	el vidrio

1. Susana conoce los peligros de la destrucción de ____la capa de ozono____ .

2. Es importante conservar ____los recursos naturales____ porque no dañan el medio ambiente.

3. ‹‹Yo recojo la basura; ____. el reciclaje____ es importante››, dice Susana.

4. ‹‹Yo protejo la naturaleza; ____el mundo____ es responsabilidad de todos››, dice Susana.

5. Los consumidores deben reciclar ____el cartón____ y ____el vidrio____ .

3 Completa las siguientes oraciones sobre el medio ambiente. *Answers will vary:*

1. Todos tenemos que proteger **nuestro mundo.**

2. Dos cosas que dañan el medio ambiente pueden ser **la contaminación y el uso del petróleo.**

3. Es responsabilidad de todos **conservar la naturaleza y proteger el medio ambiente.**

UNIDAD 8 • Vocabulario A
Lección 1

344

Unidad 8, Lección 1
Vocabulario A

¡Avancemos! 2
Cuaderno: Práctica por niveles

Vocabulario B

> **¡AVANZA!** **Goal:** Discuss environmental problems and solutions

1 Luis tiene un grupo de amigos, todos protegen el medio ambiente. Une con una flecha las palabras relacionadas.

a. basura   bosques

b. selva   reciclar

c. incendios forestales   deforestación

d. smog   vehículos híbridos

2 Los amigos de Luis trabajan todos los días para proteger el medio ambiente. Completa las siguientes oraciones con las palabras de esta lección.

1. Luis y sus amigos trabajan de _____voluntarios_____ .

2. Los chicos quieren proteger _____la naturaleza_____ .

3. Todos saben que la destrucción de _____la capa de ozono_____ es peligrosa para la vida.

4. Yo protejo las especies _____en peligro de extinción_____ .

5. Yo recojo basura de vidrio y de cartón. Esta basura se puede _____reciclar_____ .

3 Contesta las siguientes preguntas con oraciones completas.

1. ¿Qué haces para proteger el medio ambiente?

Answers will vary: **Yo reciclo basura.** _____

_____

2. ¿Qué sabes sobre la contaminación?

Answers will vary: **Sé que es muy peligrosa para la vida del hombre.** _____

_____

3. ¿Qué sabes sobre los incendios forestales?

Answers will vary: **Sé que los incendios forestales causan la muerte** _____

de miles de árboles. _____

Vocabulario C

> ¡AVANZA! **Goal:** Discuss environmental problems and solutions.

1 Ernesto quiere proteger el medio ambiente. Completa las oraciones con la palabra correspondiente.

1. Ernesto trabaja de _____ voluntario _____ en el parque.

2. Ernesto quiere comprar _____ un vehículo híbrido _____ para conservar recursos naturales.

3. Ernesto quiere proteger las especies en _____ peligro de extinción _____ .

4. Ernesto quiere proteger los bosques de la _____ deforestación _____ .

5. Los incendios forestales terminan con todos _____ los árboles _____ de la selva.

6. Hay que _____ reciclar _____ el vidrio y el cartón.

2 ¿Proteges tú el medio ambiente? Completa las oraciones con las cosas que haces. Usa el vocabulario de esta lección.

1. Yo recojo *Answers will vary:* **toda la basura.**

2. Yo protejo *Answers will vary:* **las especies en peligro de extinción.**

3. Yo trabajo *Answers will vary:* **de voluntario en el parque.**

4. Yo no daño *Answers will vary:* **la capa de ozono.**

3 Escribe tres oraciones con las cosas que debemos hacer para proteger la naturaleza.

1. *Answers will vary:* **Debemos poner la basura en el basurero.**

2. *Answers will vary:* **Debemos trabajar de voluntarios.**

3. *Answers will vary:* **Debemos conservar los recursos naturales.**

UNIDAD 8 • Vocabulario C
Lección 1

346

Unidad 8, Lección 1
Vocabulario C

¡Avancemos! 2
Cuaderno: Práctica por niveles

Gramática A *Other Impersonal Expressions*

> **¡AVANZA!** **Goal:** Use impersonal expressions to talk about the environment

1 La naturaleza es muy importante para todos. Encierra en un círculo la forma verbal correcta.

1. Es cierto que yo (recicle / **reciclo**) toda la basura que puedo.

2. No es verdad que nosotros no (**pensemos** / pensamos) en los problemas de la contaminación.

3. Es cierto que los chicos (sean / **son**) personas muy responsables.

4. No es cierto que tú (**dañes** / dañas) el medio ambiente.

5. Es verdad que Víctor (quiera / **quiere**) formar un grupo de voluntarios.

2 Completa las siguientes oraciones con los verbos entre paréntesis. Usa el imperativo.

1. (preferir) Es cierto que yo _____prefiero_____ reciclar la basura.

2. (dañar) No es cierto que nosotros _____dañemos_____ la capa de ozono.

3. (conocer) Es verdad que mis amigos _____conocen_____ especies en peligro de extinción.

3 Todos somos responsables de proteger el mundo. Completa el diálogo entre estos amigos.

Javier: Muchas personas no hacen nada por el medio ambiente, pero nosotros protegemos la naturaleza.

Ana: Sí, es cierto que nosotros _____protegemos_____ la naturaleza.

Javier: También, yo trabajo de voluntario en un grupo de la escuela.

Ana: Sí, es verdad que tú _____trabajas_____ de voluntario.

Javier: Ustedes recogen la basura, ¿no?

Ana: No, no es cierto que nosotros _____recojamos_____ la basura.
Pero es verdad que _____queremos_____ ayudar a proteger el medio ambiente.

Javier: Sí, sé que quieren ayudar.

Gramática B *Other Impersonal Expressions*

¡AVANZA! **Goal:** Use impersonal expressions to talk about the environment

1 Todos protegemos el medio ambiente. Completa las oraciones con el verbo correspondiente.

1. Es cierto que tú __b__ de voluntario.

   a. trabajes   **b.** trabajas   **c.** trabaje   **d.** trabaja

2. Es verdad que nosotros __d__ la naturaleza.

   a. protejamos   **b.** protegen   **c.** protejan   **d.** protegemos

3. No es cierto que Mario __b__ demasiados recursos naturales.

   a. usa   **b.** use   **c.** usas   **d.** usen

4. No es verdad que yo __c__ un vehículo híbrido.

   a. tengas   **b.** tengo   **c.** tenga   **d.** tiene

5. Es cierto que nosotros __a__ la basura del parque.

   a. recogemos   **b.** recojamos   **c.** recoge   **d.** recoja

2 Todos tenemos muchas cosas que hacer por nuestro mundo. Completa las oraciones con los verbos **recoger**, **reciclar** y **pensar**.

1. Es cierto que los chicos _____ recogen _____ toda la basura que encuentran.

2. No es verdad que nosotros no _____ recojamos _____ la basura del parque.

3. No es cierto que yo no _____ piense _____ en los problemas de la contaminación.

4. Es cierto que tú _____ reciclas _____ el cartón y el vidrio.

5. Es verdad que las personas _____ piensan _____ en la capa de ozono.

3 Escribe tres oraciones para decir cosas que son ciertas y cosas que no lo son. Usa **es cierto que** y **no es cierto que**.

1. *Answers will vary*: **Es cierto que hay gente que daña el medio ambiente.**

2. *Answers will vary*: **No es cierto que todos dañen el medio ambiente.**

3. *Answers will vary*: **No es cierto que la contaminación no sea un problema.**

UNIDAD 8 • Gramática B
Lección 1

Unidad 8, Lección 1
Gramática B

348

¡Avancemos! 2
Cuaderno: Práctica por niveles

Gramática C *Other Impersonal Expressions*

> **¡AVANZA!** **Goal:** Use impersonal expressions to talk about the environment

1 Cecilia trabaja de voluntaria en el parque. Completa el siguiente texto con los verbos entre paréntesis.

No es cierto que Cecilia sólo (trabajar) **1.** _____ trabaje _____ los

sábados. Es verdad que ella, a veces, (estar) **2.** _____ está _____

un poco cansada, pero ella va al parque casi todos los días. Es verdad

que nosotros también (recoger) **3.** _____ recogemos _____ la

basura, pero ella trabaja más. No es cierto que yo no la (ver)

4. _____ vea _____ trabajando hasta tarde y tampoco es

cierto que ella se (ir) **5.** _____ vaya _____ sin terminar.

2 ¿Cuántas cosas sabes del medio ambiente? Completa las oraciones con las cosas que tú sabes.

1. Es verdad que *Answers will vary:* **las especies en peligro de extinción son muchas.**

2. No es verdad que *Answers will vary:* **las personas no sepan de este problema.**

3. No es cierto que *Answers will vary:* **yo solo pueda proteger al mundo.**

4. Es cierto que *Answers will vary:* **todas las personas pueden ayudar.**

5. No es verdad que *Answers will vary:* **a ti no te guste el aire puro.**

3 Escribe un texto de tres oraciones completas sobre el medio ambiente con cosas que son ciertas y cosas que no lo son. Usa **es verdad que** y **no es verdad que**.

Answers will vary: **Es verdad que muchas personas piensan que no**

podemos hacer nada para proteger nuestro planeta. Pero no es verdad

que no podamos hacer nada. Podemos hacer muchas cosas: podemos

reciclar basura y usar recursos naturales.

_____

_____

_____

Gramática A   *Future Tense of Regular Verbs*

> ¡AVANZA! **Goal:** Use future tense of regular verbs to talk about the environment

1 Hoy, Mario y sus amigos no hacen algunas cosas que sí harán en el futuro. Coloca al lado de las oraciones de la primera columna, la oración que le corresponde de la segunda columna.

1. Los chicos no conservan los recursos

   naturales. __c__

2. Tú no reciclas la basura. __a__

3. Yo no pienso en los problemas de la

   contaminación. __e__

4. Nadie respira aire puro. __b__

5. Marta no aprende nada sobre las especies

   en peligro de extinción. __d__

a. En el futuro, la reciclarás.

b. En el futuro, todos lo respirarán.

c. En el futuro, todos los conservarán.

d. En el futuro, aprenderá más.

e. En el futuro, pensaré en ellos.

2 La próxima semana iremos a limpiar el parque. Subraya el verbo que mejor completa cada oración.

1. Yo _____iré_____ al parque a recoger basura. (ir)

2. Marta y Pedro también _____limpiarán_____ el parque. (limpiar)

3. Pedro y yo _____estaremos_____ en el parque a las ocho de la mañana. (estar)

4. Sandra _____llegará_____ a las nueve. (llegar)

5. Tú _____conocerás_____ a los otros voluntarios. (conocer)

3 ¿Qué harás la próxima semana? Completa las siguientes oraciones con verbos en futuro.

1. Yo _____trabajaré_____ de voluntario.

2. Mi hermano no _____dañará_____ más la capa de ozono.

3. Tú _____reciclarás_____ la basura de cartón y vidrio.

350

UNIDAD 8
Lección 1   •   Gramática A

Unidad 8, Lección 1
Gramática A

¡Avancemos! 2
Cuaderno: Práctica por niveles

Gramática B *Future Tense of Regular Verbs*

¡AVANZA! **Goal:** Use future tense of regular verbs to talk about the environment

1 Lucas y sus amigos quieren hacer más cosas en el futuro para proteger el medio ambiente. Une con flechas las personas con lo que hará cada una.

a. Lucas   escribiré artículos en el periódico.

b. Lucas y yo   filmará documentales sobre la naturaleza.

c. Lucas y Lorena   traerás más chicos al grupo.

d. Yo   trabajarán para proteger las selvas.

e. Tú   organizaremos grupos de voluntarios.

2 Todos somos responsables de proteger la naturaleza. ¿Qué haremos por ella? Escribe oraciones completas con las palabras dadas. Usa el futuro.

1. Yo / reciclar la basura.

   Yo reciclaré la basura.

2. Tú / trabajar de voluntario.

   Tú trabajarás de voluntario.

3. Nosotros / encontrar más voluntarios.

   Nosotros encontraremos más voluntarios.

4. Carmen / hablar con las personas.

   Carmen hablará con las personas.

5. Carmen y Diego / limpiar los parques.

   Carmen y Diego limpiarán los parques.

3 Escribe tres oraciones completas con las cosas que tú o tus amigos harán en el futuro para proteger la naturaleza. Sigue el modelo.

modelo: Yo compraré un vehículo híbrido.

1. *Answers will vary:* **Yo trabajaré de voluntario**.

2. *Answers will vary:* **Mis amigos reciclarán la basura**.

3. *Answers will vary:* **Yo protegeré a los árboles**.

Gramática C *Future Tense of Regular Verbs*

¡AVANZA!

Goal: Use future tense of regular verbs to talk about the environment.

1 ¿Qué haremos para proteger nuestro mundo? Completa las oraciones con el verbo entre paréntesis.

1. Yolanda _____organizará_____ grupos de voluntarios. (organizar)

2. Yolanda y yo _____escribiremos_____ artículos sobre las especies en peligro de extinción. (escribir)

3. Yo _____reciclaré_____ toda la basura. (reciclar)

4. Armando y Yolanda _____irán_____ a los parques para limpiarlos. (ir)

5. Tú _____explicarás_____ a las personas cómo reciclar. (explicar)

2 ¿Qué haremos en el futuro por el medio ambiente? Escribe oraciones con lo que hará cada persona.

1. Yo *Answers will vary:* **escribiré artículos en los periódicos sobre cómo proteger la** **naturaleza.**

2. Mis amigos *Answers will vary:* **filmarán documentales.**

3. Tú *Answers will vary:* **usarás recursos naturales.**

4. Mis amigos y yo *Answers will vary:* **seremos más responsables con el mundo.**

5. El grupo de voluntarios *Answers will vary:* **trabajará más y mejor.**

3 Escribe un párrafo de tres oraciones con las cosas que harás en el futuro.

Answers will vary: **Yo viajaré a conocer las selvas y protegeré a las especies** **en peligro de extinción. También veré más documentales. Seré más** **responsable con el medio ambiente.**

Unidad 8, Lección 1
Gramática C

352

¡Avancemos! 2
Cuaderno: Práctica por niveles

UNIDAD 8 • Gramática C
Lección 1

Integración: Hablar

Level 2, pp. 435-437
WB CD 04 track 21

Tú quieres ser responsable, pero a tu amigo no le interesa mucho el medio ambiente. Vas a usar la información que lees y escuchas para transformar su opinión.

Fuente 1 Leer

Lee el anuncio en el periódico sobre una película que estrenarán.

 ## ¡Nuestro mundo querido!

«No es cierto que nuestro mundo sea nuestro basurero.» Con estas palabras fuertes empieza el primer documental del director venezolano Iván Jiménez que él estrenará este viernes a las 20:00 horas en el Teatro Imperial.

La nueva película nos presentará los problemas más serios del medio ambiente de hoy, pero desde un punto de vista optimista. Por un lado, es verdad que hay mucha contaminación, deforestación y otras formas de destrucción por causa de las acciones humanas. Por otro lado, hay gente que trabaja de voluntario, hay programas de reciclaje y cada individuo puede aprender a ser responsable. Éste es el mensaje de Jiménez.

No es cierto que hoy protejamos bien el planeta, pero una cosa es cierta: después de salir del cine el viernes, ¡hasta los consumidores menos responsables reciclarán sus boletos de entrada!

Fuente 2 Escuchar   *WB CD 04 track 22*

Escucha la publicidad en radio de esta película. Toma apuntes.

_____

_____

Hablar

Explícale a tu amigo por qué es importante que vayan a ver el documental. ¿Sobre qué es? ¿Qué investigó Jiménez para hacerlo? ¿Qué pasará si mucha gente va a verlo?

modelo: Presentarán un documental… El director...

Answers will vary: **Hay un documental interesante sobre el medio ambiente en el Cine Imperial. El director investigó en la selva de Venezuela para saber cómo afecta la contaminación a la gente y las especies que viven allí. También estudió los programas de conservación en Caracas. ¡Vamos a ir! Tú piensas que no importa qué hacemos, que somos sólo dos personas; pero no es cierto que no importe. Hay que ver la película para aprender nuestra responsabilidad. Si mucha gente ve la película, viviremos en un mundo más limpio.**

Integración: Escribir

Level 2, pp. 435-437
WB CD 04 track 23

Encuentras un volante en el parque, y luego el mismo día escucharás un reportaje en la radio sobre el mismo tema: el medio ambiente.

Fuente 1 Leer

Lee el volante.

¿QUIERES AYUDARNOS A PROTEGER
EL MEDIO AMBIENTE?

Es cierto que todos nosotros queremos respirar aire puro, queremos calles limpias y una ciudad sin contaminación. Estas tres cosas serán muy difíciles si las personas dañan el medio ambiente.

Necesitamos tu ayuda en algunas cosas muy fáciles. Por favor:

- pon la basura en su lugar
- recicla
- monta en bicicleta, camina o usa transporte público
- llámanos para trabajar de voluntario sólo una hora cada semana

No es verdad que sea difícil proteger la naturaleza. ¿Ayudarás?

Mundo Limpio tel. 55-22-00

Usamos 100% papel reciclado. Por favor recicla este papel.

Fuente 2 Escuchar *WB CD 04 track 24*

Escucha las noticias en la radio. Toma apuntes sobre lo que está pasando en la ciudad y qué pasará.

_____

_____

_____

_____

Escribir

Ahora, describe las cosas que la gente está haciendo en la ciudad para conservar y cómo será diferente el próximo año.

Modelo: Mucha gente está ayundando a limpiar la ciudad. Por ejemplo…

Answers will vary: **Hay muchos más voluntarios que antes, trabajando con**

organizaciones como Mundo Limpio. Recogen la basura y reciclan. También,

muchas personas que no trabajan de voluntario están ayudando. En vez de ir en

carro, caminan o montan en bicicleta. Muchas personas compran vehículos

híbridos. Por eso, en el futuro las calles estarán limpias y respiraremos aire puro.

UNIDAD 8 • Lección 1
Integración: Escribir

Unidad 8, Lección 1
Integración: Escribir

354

¡Avancemos! 2
Cuaderno: Práctica por niveles

Escuchar A

> **¡AVANZA!** **Goal:** Listen to people talk about how they protect the environment.

▶ Escucha a Cristina. Marca con una cruz las cosas que dice Cristina que hace cada persona.

Cristina trabaja de voluntaria. _×_

Cristina recoge la basura dentro del parque. ____

Los amigos de Cristina recogen la basura de fuera del parque. ____

Las personas no son responsables. _×_

Las personas ponen la basura en los basureros. ____

Cristina piensa en el futuro _×_

Cristina piensa en la responsabilidad ____

▶ Escucha a Eduardo. Luego, completa las oraciones con las palabras de la caja.

la basura	contaminación
el medio ambiente	la naturaleza

1. Los amigos de Eduardo recogen _____la basura_____ .

2. Las personas no protegen _____el medio ambiente_____ .

3. Las personas no saben qué cosas dañan _____la naturaleza_____ .

4. Una señora cree que la basura no es _____contaminación_____ .

Escuchar B

Level 2, pp. 442-443
WB CD 04 tracks 27-28

> **¡AVANZA!** **Goal:** Listen to people talk about how they protect the environment.

1 Escucha a Natalia. Luego, une con flechas la persona con el tema del que hablará.

a. Luisa   especies en peligro de extinción

b. Maribel   uso de recursos naturales

c. Armando   reciclaje

d. Vilma   deforestación

e. Maximiliano   la destrucción de la capa de ozono

2 Escucha a Maximiliano. Luego, completa las oraciones.

1. Las especies en peligro de extinción son ___muchas___.

2. Mañana no veremos algunos ___animales___.

3. Hay árboles que también están ___en peligro de extinción___.

4. Los árboles morirán por ___la deforestación___, ___los incendios forestales___ y ___la destrucción___ causada por el hombre.

Unidad 8, Lección 1
Escuchar B
356
¡Avancemos! 2
Cuaderno: Práctica por niveles
UNIDAD 8 • Escuchar B
Lección 1

Escuchar C

| ¡AVANZA! | **Goal:** Listen to people talk about how they protect the environment. |

1 Escucha a Marcelo y toma notas. Luego, escribe cinco oraciones completas que empiecen con las frases de abajo.

1. Marcelo y sus amigos...

2. Este fin de semana los voluntarios...

3. La basura más reciclada...

4. El reciclaje...

5. Después de recoger la basura, los chicos...

1. Marcelo y sus amigos reciclan basura.

2. Este fin de semana, los voluntarios irán al parque y buscarán la basura.

3. La basura más reciclada es la de vidrio y de cartón.

4. El reciclaje ayuda a conservar los recursos naturales.

5. Después de recoger la basura, los chicos la llevarán a reciclar.

2 Escucha a Graciela y toma notas. Luego, contesta las siguientes preguntas con oraciones completas.

1. ¿Por qué Graciela tiene que llevar la basura a la puerta del parque?

   Porque llegarán los otros voluntarios.

2. ¿Qué hace el grupo de Graciela?

   Ellos recogen la basura.

3. ¿Qué hace el otro grupo?

   Ellos llevan la basura a reciclar.

4. ¿Por qué es mejor hacer el trabajo en equipo?

   Porque todos trabajarán menos y ayudarán mucho más a proteger el

   medio ambiente.

Leer A

> **¡AVANZA!** **Goal:** Read about how to protect the environment.

Los voluntarios que trabajan en el parque necesitan más chicos. Por eso, escriben este anuncio en el periódico.

¿QUIERES AYUDARNOS A PROTEGER NUESTRO MUNDO?

Somos un grupo de voluntarios que trabaja en el parque. Limpiamos el parque todos los sábados porque la gente no es responsable y no pone su basura en los basureros.

Es cierto que hay personas más responsables, pero no son muchas.

No es verdad que este trabajo sea fácil. Es difícil, pero si somos muchos podemos hacerlo mejor y más rápido.

El sábado a las ocho estaremos en el parque. Búscanos y ayúdanos a hacer un lugar más limpio.

¿Comprendiste?

Lee el anuncio en el periódico. Luego, lee cada oración y contesta **cierto** o **falso**.

C ⓕ **1.** Los voluntarios trabajan en el bosque.

ⓒ F **2.** Los voluntarios limpian los sábados.

ⓒ F **3.** Las personas responsables son pocas.

ⓒ F **4.** El trabajo es menos difícil si son muchos voluntarios.

C ⓕ **5.** Este sábado, los chicos no pueden ir.

¿Qué piensas?

¿Piensas que muchas personas no son responsables?

<u>*Answers will vary:* **No, creo que sí hay muchas personas responsables.**</u>

_____

_____

UNIDAD 8
Lección 1

Leer A

Unidad 8, Lección 1
Leer A

358

¡Avancemos! 2
Cuaderno: Práctica por niveles

Leer B

> **¡AVANZA!** **Goal:** Read about how to protect the environment.

Los chicos que protegen el parque pusieron este cartel en la entrada.

Protege nuestro parque

Es cierto que nuestro parque es hermoso pero es muy difícil conservarlo así. La basura contamina el parque y el medio ambiente.

Los voluntarios «Amigos de la naturaleza» llevan la basura a reciclar. No es cierto que esto sea poco trabajo, porque, antes de hacer esto, tienen que recoger la basura que tú dejas en el suelo.

Por favor, pon la basura en los basureros. Nosotros la recogeremos todos los martes, jueves y domingos.

¿Comprendiste?

Lee el cartel que pusieron los chicos. Luego, marca con una X las cosas que tienen que hacer las personas que visitan el parque.

1. Poner la basura en los basureros. __×__

2. Reciclar la basura. ____

3. Contaminar el medio ambiente. ____

4. Recoger la basura que dejan las personas. ____

5. Conservar el parque hermoso. __×__

6. Hacer mucho trabajo de voluntario. ____

¿Qué piensas?

¿Piensas que si todos ayudan es más fácil conservar los parques limpios? ¿Por qué?

Answers will vary: **Sí, creo que con la ayuda de todos es más fácil conservar los lugares limpios. Porque el trabajo es más fácil cuando hay más personas para hacerlo.**

Leer C

> **¡AVANZA!** **Goal:** Read about how to protect the environment.

Roberto escribe artículos en el periódico sobre la naturaleza.

¡Queremos aire puro!

Es cierto que todos quieren vivir en un mundo mejor y respirar aire puro. Pero son muy pocos los que ayudan a conservar el aire sin contaminación. El uso de los coches causa, en gran parte, el smog de la ciudad. Las personas no ponen la basura en los basureros y no reciclan. Otras personas dañan el medio ambiente usando productos que contaminan. Hay también otros problemas como la deforestación de los bosques y los incendios forestales.

La contaminación es un problema de todos. Es cierto que no todos quieren trabajar de voluntarios para proteger la naturaleza, pero al menos tienen que ayudar a los que sí trabajan por el medio ambiente. ¿Cómo? Es fácil. Pon la basura en el basurero y recicla lo que puedes. Usa productos naturales que no causan contaminación. Y puedes hacer muchas otras cosas más. Sé responsable...

¿Comprendiste?

Lee el artículo de Roberto. Luego, completa las siguientes oraciones:

1. Todos quieren respirar aire puro.

2. Hay pocas personas que ayudan a conservar el aire sin contaminación.

3. Otros problemas para el medio ambiente son la deforestación de los bosques y los incendios forestales.

¿Qué piensas?

¿Piensas que el problema de la contaminación será más serio en el futuro? ¿Por qué?

Answers will vary: Sí, creo que el problema de la contaminación será más serio en el futuro. Creo que la gente no entiende que tiene que ser más responsable con el medio ambiente.

Escribir A

> ¡AVANZA! **Goal:** Write about protecting the environment.

Step 1

Escribe una lista de tres palabras o frases para describir problemas para el medio ambiente.

Answers will vary: **basura**
Answers will vary: **pocos recursos naturales**
Answers will vary: **especies en peligro de extinción**

Step 2

Usa la lista para escribir tres oraciones de las cosas que tenemos que hacer para proteger el medio ambiente de los problemas que escribiste en la tabla. ¿Qué harás tú para proteger el medio ambiente?

Answers will vary: **Primero, tenemos que poner la basura en su lugar.**

Después, tenemos que reciclarla para conservar los recursos naturales. Yo

buscaré información sobre las especies en peligro de exinción y ayudaré a

los grupos de voluntarios.

Step 3

Evaluate your writing using the information in the table.

Writing Criteria	Excellent	Good	Needs Work
Content	You have stated three things that are necessary to protect the environment.	You have stated two things that are necessary to protect the environment.	You have not stated what is necessary to protect the environment.
Communication	Most of your response is clear.	Some of your response is clear.	Your response is not very clear.
Accuracy	You make few mistakes in grammar and vocabulary.	You make some mistakes in grammar and vocabulary.	You make many mistakes in grammar and vocabulary.

UNIDAD 8
Lección 1

Escribir A

Escribir B

> **¡AVANZA!** **Goal:** Write about protecting the environment.

Step 1

Vas a escribir un párrafo sobre cómo proteger el medio ambiente. Primero escribe una lista de cuatro conceptos importantes sobre el medio ambiente.

deforestación

especies en peligro de extinción

reciclar

voluntarios

Step 2

Con los conceptos de arriba, escribe un texto de cuatro oraciones para explicar qué podemos hacer en el futuro para proteger más el medio ambiente. Usa el futuro y **(no) es cierto que**.

Answers will vary: **Es cierto que nosotros los voluntarios tenemos que**

proteger el medio ambiente. Pero yo creo que, en el futuro, más personas

pensarán en la naturaleza, en el mundo y serán más responsables. Si no,

terminaremos con los árboles de la selva. Hay especies que morirán y que

no veremos nunca más.

Step 3

Evaluate your writing using the information in the table.

Writing Criteria	Excellent	Good	Needs Work
Content	You include four sentences to explain how to protect the environment.	You include two to three sentences to explain how to protect the environment.	You include one or fewer sentences to explain how to protect the environment.
Communication	Most of your message is organized and easy to follow.	Parts of your message are organized and easy to follow.	Your message is disorganized and hard to follow.
Accuracy	You make few mistakes in grammar and vocabulary.	You make some mistakes in grammar and vocabulary.	You make many mistakes in grammar and vocabulary.

Unidad 8, Lección 1
Escribir B

362

¡Avancemos! 2
Cuaderno: Práctica por niveles

UNIDAD 8 • Escribir B
Lección 1

Escribir C

> **¡AVANZA!** **Goal:** Write about protecting the environment.

Step 1

Vas a escribir un artículo sobre el medio ambiente. Primero, escribe una lista de cinco cosas que podemos hacer en el futuro para proteger la naturaleza.

Answers will vary: **ser responsables**

Answers will vary: **proteger las especies en peligro de extinción**

Answers will vary: **usar menos recursos naturales**

Answers will vary: **reciclar**

Step 2

Usando las ideas de arriba, escribe un artículo de cinco oraciones para el periódico escolar. Habla sobre qué podemos hacer en el futuro para proteger la naturaleza.

Answers will vary: **Todos tenemos que ser responsables con el medio**

ambiente y con el mundo. En el futuro, protegeremos a todas las especies

en peligro de extinción. También usaremos menos recursos naturales.

Todas las personas reciclarán el cartón, el papel y el vidrio. El mundo es de

todos y todos tenemos que protegerlo.

Step 3

Evaluate your writing using the information in the table.

Writing Criteria	Excellent	Good	Needs Work
Content	You include five sentences to tell how to protect the environment.	You include three to four sentences to tell how to protect the environment.	You include two or fewer sentences to tell how to protect the environment.
Communication	Most of your sentences are organized and easy to follow.	Parts of your sentences are organized and easy to follow.	Your sentences are disorganized and hard to follow.
Accuracy	You make few mistakes in grammar and vocabulary.	You make some mistakes in grammar and vocabulary.	You make many mistakes in grammar and vocabulary.

Cultura A

> **¡AVANZA!** **Goal:** Review cultural information about Ecuador.

❶ Ecuador Responde a las siguientes preguntas con una de las tres opciones.

1. ¿Cuál es la moneda de Ecuador? __b__

   a. el peso ecuatoriano   **b.** el dólar estadounidense   **c.** la peseta ecuatoriana

2. ¿En qué mes se celebran las artes en Ecuador? __c__

   a. junio   **b.** diciembre   **c.** agosto

3. ¿Cómo se llama la Fiesta del Sol? __a__

   a. Inti Raymi   **b.** Galápagos   **c.** Quechua

4. ¿Dónde está la Estación Científica Charles Darwin? __c__

   a. en Venezuela   **b.** en Quito   **c.** en las Islas Galápagos

❷ Los animales en peligro de extinción Une con una línea el animal en peligro de extinción de la izquierda con sus característica a la derecha.

Las tortugas gigantes   Vive en las selvas de Centroamérica y Sudamérica.

El jaguar   Pueden vivir más de 100 años.

El oso de anteojos   La organización FUDENA trabaja para su protección.

❸ Conserva el medio ambiente Describe tres maneras en que las personas y las organizaciones pueden ayudar a los animales en peligro de extinción y proteger el medio ambiente.

Answers will vary. _____

_____

_____

_____

_____

_____

UNIDAD 8 • Cultura A
Lección 1

364

Unidad 8, Lección 1
Cultura A

¡Avancemos! 2
Cuaderno: Práctica por niveles

Cultura B

> **¡AVANZA!** **Goal:** Review cultural information about Ecuador.

1 **La cultura en Ecuador** Escoge de las palabras en paréntesis y completa las oraciones.

1. Los ecuatorianos hablan español y (quechua / inglés).

2. Desde 2000, la moneda que se usa en Ecuador es el (dólar estadounidense/peso).

3. En la Fiesta del Sol el líder de los bailes se pone una máscara con dos caras, una que representa el día y otra que representa (el sol / la noche).

4. En Quito, agosto es el mes de (las artes / las ciencias).

2 **Los animales en peligro de extinción** Contesta las preguntas con oraciones completas.

1. ¿Qué animales hay en las Islas Galápagos?

Answers will vary: **En las Islas Galápagos hay tortugas gigantes, pingüinos y piqueros.**

2. ¿Qué animales están en peligro por la deforestación y la caza?

Answers will vary: **El oso de anteojos y el jaguar están en peligro por la deforestación y la caza.**

3. ¿Qué organización trabaja para proteger al oso de anteojos?

La organización FUDENA de Venezuela.

3 **La Estación Científica Charles Darwin** Quieres trabajar de voluntario(a) en la Estación Científica Charles Darwin. Escríbeles una carta y explícales cómo quieres ayudarles.

Answers will vary.

_____

_____

_____

_____

Cultura C

> ▶ ¡AVANZA! **Goal:** Review cultural information about Ecuador.

1 **Ecuador** Responde a las siguientes preguntas con oraciones completas.

1. ¿Quién es el Aya Uma y qué hace? _____Es el líder de los_____

bailes del Inti Raymi. Se pone una máscara de dos caras. _____

2. ¿Qué pájaro observó Charles Darwin en las islas Galápagos? _____Charles Darwin_____

observó catorce especies de piqueros. _____

3. ¿Qué se celebra cada junio en Ecuador? _____Cada junio se celebra el Inti Raymi o_____

la Fiesta del Sol. _____

2 **Los animales** Eres periodista en una revista científica. Escribe un artículo para describir los animales particulares de Ecuador y Venezuela.

Answers will vary. _____

_____

_____

_____

_____

3 **Visita Ecuador** Escribe un anuncio para animar *(encourage)* a los turistas a visitar Ecuador. Incluye información sobre las celebraciones, su naturaleza y los lugares que pueden visitar.

Answers will vary. _____

_____

_____

_____

_____

_____

_____

UNIDAD 8
Lección 1

Cultura C

366

Unidad 8, Lección 1
Cultura C

¡Avancemos! 2
Cuaderno: Práctica por niveles

Vocabulario A

> **¡AVANZA!** **Goal:** Talk about professions and about the future.

1 Mis amigos y yo estamos pensando en nuestra profesión. Une con flechas las profesiones con lo que hace cada una.

a. Profesor   Dibuja edificios.

b. Doctor   Enseña a jóvenes.

c. Arquitecto   Construye edificios.

d. Programador   Cura a enfermos.

e. Ingeniero   Trabaja con computadoras.

2 Observa las profesiones y oficios que mis amigos y yo queremos. Completa las siguientes oraciones:

1.    **2.**    **3.**   **4.**   **5.**

1. Marisa quiere ser _____ alpinista _____ .

2. Carlos quiere ser _____ policía _____ .

3. Carmen quiere ser _____ dentista _____ .

4. Víctor quiere ser _____ veterinario _____ .

5. Emilio quiere ser _____ bombero _____ .

3 Contesta las siguientes preguntas con una oración completa.

1. ¿Qué puedes hacer en la universidad?

Answers will vary: **En la universidad puedo estudiar una buena profesión.**

_____

2. ¿Qué necesitas para ser artista?

Answers will vary: **Para ser artista, necesitas una buena imaginación.**

_____

Vocabulario B

> ¡AVANZA! **Goal:** Talk about professions and about the future.

1 Los amigos de Gustavo hablan sobre sus profesiones futuras. Completa la oración con la palabra correcta. Elígela de las palabras entre paréntesis.

1. A Lucas le gusta escalar; él será _____ alpinista _____ .

(cartero / alpinista / piloto)

2. A Irma le gustan los animales; ella será _____ veterinaria _____ .

(enfermera / abogada / veterinaria)

3. A Manuel le gusta el arte; él será _____ artista _____ .

(artista / agente de bolsa / político)

4. A Jimena le gusta dibujar edificios; ella será _____ arquitecta _____ .

(ingeniera / diseñadora / arquitecta)

5. A Martín le gusta enseñar a los jóvenes; él será _____ profesor _____ .

(carpintero / profesor / bombero)

2 Gustavo habla con su amiga Sofía sobre las profesiones que quieren tener. Completa el siguiente diálogo.

Gustavo: Sofía, me interesa curar a las personas enfermas. Pienso que me gustaría

ser _____ doctor / enfermero _____ .

Sofía: Es una profesión muy linda. A mí también me interesa la salud, pero

sólo de la boca. A mí me gustaría ser _____ dentista _____ .

Gustavo: Es una profesión interesante. También hay otras profesiones para cuidar

la salud de los animales, como la de los _____ veterinarios _____ .

Sofía: Sí, y también hay personas que descubren curas, como los

_____ científicos _____ .

3 Escribe tres oraciones sobre las profesiones que te gustaría tener y por qué.

1. *Answers will vary:* **Me gustaría ser bombero para ayudar a las personas.**

2. *Answers will vary:* **Me gustaría ser artista porque me gusta hacer pinturas.**

3. *Answers will vary:* **Me gustaría ser arquitecto porque quiero dibujar edificios.**

Vocabulario C

┌───┐
│ ¡AVANZA! **Goal:** Talk about professions and about the future. │
└───┘

1 Hay muchas profesiones para estudiar: las que necesitan imaginación, las que se relacionan con los negocios... Coloca las profesiones en la columna correspondiente.

┌──┐
│ mujer de negocios   policía   dentista   diseñador   │
│ cartero   carpintero   arquitecto   profesor   │
│ enfermero bombero   hombre de negocios   agente de bolsa   doctor   │
│ artista   veterinario   │
└──┘

Salud	Usan la imaginación y las manos	Dinero y números	Ayudan o enseñan a las personas
doctor	artista	hombre de negocios	profesor
dentista	arquitecto	mujer de negocios	bombero
enfermero	diseñador	agente de bolsa	policía
veterinario	carpintero		cartero

2 ¿Qué profesión te gustaría tener? Completa las siguientes oraciones con las profesiones relacionadas a lo que te gusta.

1. Me gusta investigar: _Answers will vary:_ **puedo ser científico.**

2. Me gustan los peces: _Answers will vary:_ **puedo ser buceador.**

3. Me gustan los edificios: _Answers will vary:_ **puedo ser arquitecto o ingeniero.**

4. Me gusta ayudar a la gente: _Answers will vary:_ **puedo ser doctor, enfermero, policía o bombero.**

3 Escribe un texto de tres oraciones para describir cuál será tu profesión en el futuro y por qué.

Answers will vary: **En el futuro, yo seré profesor. Me gusta mucho enseñar a los jóvenes cosas importantes. Pero lo que más me interesa es que ellos pueden usar lo que yo les enseño para ser buenos en su profesión.**

Gramática A *Future Tense of Irregular Verbs*

> **¡AVANZA!** **Goal:** Use future tense of irregular verbs to talk about professions.

① Marcos y sus amigos están pensando qué profesión tendrán. Subraya la forma verbal correcta en las siguientes oraciones.

1. La próxima semana nosotros (sabemos / <u>sabremos</u>) qué profesión quiere tener Marcos.

2. Se dice que Marcos (<u>querrá</u> / querré) ser abogado.

3. Marcos y Ana (<u>tendrán</u> / tienen) que pensar en alguna profesión interesante.

4. Si algo no me interesa, yo no (podrá / <u>podré</u>) estudiar.

5. ¿Mañana tú me (<u>dirás</u> / dices) qué profesión quieres?

6. En la escuela se habla de las profesiones que (tenían / <u>tendrán</u>) los estudiantes.

② La próxima semana los amigos de Marcos investigarán sobre profesiones. Escribe oraciones completas con la información de abajo.

1. Marcos / salir a conocer universidades.

   Marcos saldrá a conocer universidades.

2. Marcos y Elena / hacer muchas preguntas.

   Marcos y Elena harán muchas preguntas.

3. Yo / saber mi profesión.

   Yo sabré mi profesión.

4. Elena y yo / les decir a nuestros padres.

   Elena y yo les diremos a nuestros padres.

5. ¿Tú / venir con nosotros?

   ¿Tú vendrás con nosotros?

③ ¿Qué cosas harás en el futuro? Completa las siguientes oraciones con los verbos **salir**, **poder** y **tener**.

1. Mañana, yo *Answers will vary:* **saldré con amigos**.

2. El próximo mes yo *Answers will vary:* **podré viajar a otra ciudad**.

3. El próximo año yo *Answers will vary:* **tendré nuevos amigos en la escuela**.

Gramática B *Future Tense of Irregular Verbs*

Level 2, pp. 451-455

> ¡AVANZA! **Goal:** Use future tense of irregular verbs to talk about professions.

1 Los amigos de Norma tendrán diferentes profesiones. Une con flechas las personas con lo que harán en el futuro.

a. Norma   sabrán dibujar edificios.

b. Norma y Ernesto   pondrás tus cuadros en venta.

c. Norma y yo   haré una buena carrera.

d. Yo   saldremos en la televisión.

e. Tú   podrá curar enfermos.

) Escribe tres oraciones para describir las cosas que harán los chicos en el futuro. Usa el futuro de los verbos y la información de las cajas.

Norma	tener	una buena profesión
Norma y Ernesto	poder	una profesión interesante
Yo	querer	estudiar muchas cosas

1. *Answers will vary:* **Norma tendrá una buena profesión.**

2. *Answers will vary:* **Norma y Ernesto podrán estudiar muchas cosas.**

3. *Answers will vary:* **Yo querré una profesión interesante.**

) Escribe tres oraciones con las cosas que pasarán en el futuro. Sigue el modelo.

modelo: Se piensa que habrá más abogados.

1. *Answers will vary:* **Se cree que no habrá tantas enfermedades.**

2. *Answers will vary:* **Se dice que habrá más abogados que doctores.**

3. *Answers will vary:* **Se cree que habrá muchos científicos.**

UNIDAD 8
Lección 2 • Gramática B

Gramática C *Future Tense of Irregular Verbs*

> **¡AVANZA!** **Goal:** Use future tense of irregular verbs to talk about professions.

1 Santiago habla de qué profesión tendrá en el futuro. Completa el texto con los verbos correspondientes. Escógelos de la caja y conjúgalos en futuro según la persona.

Con la profesión que quiero, **1.** _____ podré _____ descubrir curas

para las enfermedades. Con la profesión que **2.** _____ tendrá _____

mi amigo Eduardo, él **3.** _____ podrá _____ usar esas curas.

Yo quiero ser científico y él quiere ser doctor. Nosotros les

4. _____ diremos _____ a nuestros padres qué profesión

5. _____ tendremos _____ . Sé que ellos **6.** _____ harán _____ todo

para ayudarnos a ir a la universidad.

poder
tener
decir
hacer

2 Los amigos de Santiago tendrán diferentes profesiones. Escribe oraciones con las cosas que ellos harán. Usa el futuro de los siguientes verbos.

1. (Se dice que) Saber: *Answers will vary:* **Se dice que Ernesto sabrá de negocios.**

_____

2. Hacer: *Answers will vary:* **Luisa hará pinturas fantásticas.**

_____

.3. (Se habla de que) Venir: *Answers will vary:* **Se habla de que las personas vendrán**

desde lejos para conocer al gran arquitecto, mi amigo Julián Losada.

4. Haber: *Answers will vary:* **Habrá muchos ingenieros en este grupo**

de amigos.

5. Salir: *Answers will vary:* **Viviana saldrá en las revistas, será una**

abogada famosa.

3 Escribe tres oraciones completas con lo que tú o tus amigos harán en el futuro. Usa los verbos **hacer**, **poder** y **querer**.

1. *Answers will vary:* **Yo haré nuevos amigos en la universidad.**

2. *Answers will vary:* **Mis amigos podrán visitarme.**

3. *Answers will vary:* **Mi mejor amigo querrá estudiar la misma profesión que yo.**

Gramática A *Pronouns*

> **¡AVANZA!** **Goal:** Use pronouns to talk about professions.

1 Juan quiere estudiar en otra ciudad. Encierra en un círculo el pronombre correcto.

1. Yo (me / te) quiero ir a estudiar a otra ciudad.

2. Yo (le / les) dije esto a mis padres.

3. Papá, no (se / me) preguntes más sobre la universidad, no sé qué más puedo decir(se / te).

4. El padre compró el boleto para Juan. No sé cuándo (me / se) (las / lo) dará.

2 Los chicos hablan de sus profesiones. Completa las oraciones con los pronombres correspondientes.

1. Vilma piensa en un edificio y _____se_____ lo dibuja a su amigo Andrés.

2. A nosotros _____nos_____ gustan las profesiones que requieren imaginación.

3. A mí _____me_____ interesa una profesión como artista o diseñador.

4. Susana, no _____te_____ vayas tan temprano. Hábla*nos*_____ de tu profesión; queremos saber.

5. No sé qué oficio quiero; tengo que pensar*lo*_____ bien.

3 Contesta las siguientes preguntas con oraciones completas. Usa pronombres:

1. ¿Adónde te vas en verano?

Answers will vary: **En verano, me voy de vacaciones a la playa.** _____

_____

2. ¿Qué te interesa estudiar?

Answers will vary: **Me interesan las profesiones que usan la imaginación.** _____

_____

3. ¿Qué les dices a tus amigos sobre sus profesiones?

Answers will vary: **Yo les digo que tienen que pensar bien qué profesiones**

tendrán. _____

¡Avancemos! 2
Cuaderno: Práctica por niveles

Unidad 8, Lección 2
Gramática A **373**

UNIDAD 8
Lección 2 • Gramática A

Gramática B *Pronouns*

Level 2, pp. 456-458

> **¡AVANZA!** **Goal:** Use pronouns to talk about professions.

1 Completa las siguientes oraciones con el pronombre correspondiente.

me	le	la	nos

1. Por favor, no _____le_____ digas a nadie mi secreto.

2. A mí no _____me_____ interesa mucho el arte.

3. A nosotros sí _____nos_____ gusta mucho la clase de arte.

4. ¿Me dices la noticia? Díme_____la_____ ahora.

2 Los chicos hablan de distintas profesiones. Coloca el pronombre en el lugar que corresponde.

1. Mi mamá está enferma, voy a llevar_____la_____ al doctor.

2. Mi perro no come bien, yo _____se_____ _____lo_____ diré al veterinario.

3. Soy buceador y veo peces en el mar, si quieres te _____los_____ describo.

4. ¿Quieres llamar_____me_____ mañana para ir juntas a la universidad?

5. A mí _____me_____ interesa viajar en avión; seré piloto.

3 Éstas son las cosas que hacen los chicos. Reescribe las oraciones usando pronombres, como en la primera oración.

modelo: Me gusta enseñar historia a los jóvenes. Me gusta enseñársela.

1. No digas a las personas tu profesión; es una sorpresa.

No se la digas; es una sorpresa.

2. ¿Puedes dibujar una casa para mí?

¿Puedes dibujármela?

3. Por favor, mándale un correo electrónico al arquitecto.

Por favor, mándaselo.

4. Ese cartero lleva las cartas a mi barrio.

Ese cartero nos las lleva.

Unidad 8, Lección 2
Gramática B

374

¡Avancemos! 2
Cuaderno: Práctica por niveles

UNIDAD 8 • Gramática B
Lección 2

Gramática C *Pronouns*

¡AVANZA! **Goal:** Use pronouns to talk about professions.

---

1 No podemos entender bien qué están diciendo los chicos. Ordena las siguientes oraciones.

1. las No gustan nos profesiones peligrosas; dan nos miedo.

No nos gustan las profesiones peligrosas; nos dan miedo.

2. Julián la se vida se como ganará bombero; digas no a su madre lo.

Julián se ganará la vida como bombero; no se lo digas a su madre.

3. universidad Marta va nueva mañana se a la; quiere la conocer.

Marta se va mañana a la nueva universidad; la quiere conocer.

4. ¿piensas Tú que veremos en la nos universidad?

¿Tú piensas que nos veremos en la universidad?

2 Escribe cinco oraciones con las cosas que te gustan de una profesión. Usa los pronombres entre paréntesis.

1. (la) *Answers will vary:* **Me gusta estar con la gente. Me encanta ayudarla.**

2. (se) *Answers will vary:* **Se dice que los políticos tienen la profesión más importante.**

3. (me) *Answers will vary:* **Me encanta descubrir peces.**

4. (los) *Answers will vary:* **Me gustan los animales; quiero protegerlos.**

5. (les) *Answers will vary:* **Les dije a mis padres que quiero ser enfermero.**

3 Escríbe un correo electrónico de cuatro oraciones a un amigo para contarle sobre tu futuro. Usa pronombres. *Answers will vary:*

Querida Débora:

Te escribo este correo electrónico para contarte que ya sé cuál será mi

profesión. Sabes que siempre me interesó hacer descubrimientos y por

eso quiero ser científica. Se dice que los científicos estudian mucho, pero

no me importa, quiero hacer descubrimientos importantes y dárselos al

mundo. Por favor, llámame esta noche para contarte mejor.

Eugenia.

Integración: Hablar

Level 2, pp. 459-461
WB CD 04 track 31

Sonia investiga diferentes profesiones en la Feria de Trabajo.

Fuente 1 Leer

Lee el póster anunciando una feria de trabajo para estudiantes de la comunidad.

Se Buscan: Estudiantes jóvenes, inteligentes, con muchas preguntas sobre su futuro.

Feria de Trabajo Anual
sábado 18 de mayo 9 a.m.–7 p.m.
Auditorio, Colegio Sandoval

Agricultura * Artes * Construcción * Ciencias
Educación * Negocios * Salud * Turismo

En la Feria de Trabajo podrás hablar con representantes de muchas diferentes áreas de trabajo. Les podrás hacer preguntas sobre sus profesiones, y ellos te las contestarán. Saldrás con mucha información, algunos nuevos contactos y tal vez una decisión sobre algo muy importante para tu vida. ¿Vendrás?

Fuente 2 Escuchar   WB CD 04 track 32

Escucha el anuncio para estudiantes que se presenta en la televisión local. Toma apuntes sobre la experiencia de Sonia.

_____

_____

_____

_____

Hablar

Explícales a tus amigos por qué piensas que es buena idea ir a la feria. ¿Qué dijo Sonia sobre la feria? ¿Qué profesiones podrán investigar? ¿Qué aprenderán y a quiénes conocerán?

modelo: La Feria de Trabajo será muy interesante porque...

Answers will vary: **La Feria de Trabajo será muy interesante porque allí podremos conocer a mucha gente con diferentes profesiones, como artistas, profesores, carpinteros, enfermeros, hombres y mujeres de negocios, agricultores, etc. Les podremos hacer preguntas a todos y nos las contestarán. También estará allí una científica que se llama Sonia. Ella descubrió su profesión en esta Feria hace algunos años. Pienso que saldremos de allí con conocimientos importantes para nuestro futuro.**

Integración: Escribir

Para muchos jóvenes, es difícil encontrar la profesión ideal. Francisco y Andrea tienen este problema, pero hoy Andrea encontró algo interesante.

Fuente 1 Leer

Lee la publicidad de una organización de la comunidad.

Se necesitan: jóvenes responsables

¿Qué querrás hacer en el futuro? Si quieres ayudar **ahora** a mejorar el mundo, trabaja de voluntario con nosotros. Te entrenaremos para una profesión mientras tú haces algo bueno para el mundo. Se buscan:

- futuros arquitectos y carpinteros para construir casas para la gente que las necesitan;
- futuros científicos e ingenieros para investigar sobre el medio ambiente y empezar programas en la comunidad para reducir la contaminación;
- futuros profesores para dar clases divertidas a los niños sobre temas sociales y ecológicos;
- futuros artistas y diseñadores para ayudar con nuestros anuncios y el sitio Web;

...y más.

Si quieres más información, pídesela a nuestro coordinador de voluntarios al siguiente número: 655-8080.

Fuente 2 Escuchar   *WB CD 04 track 34*

Escucha el mensaje que le dejó Andrea a su amigo Francisco. Toma apuntes.

_____

_____

_____

_____

Escribir

¿Cuál de las profesiones del anuncio podrán tener Andrea y Francisco? ¿Por qué? ¿Piensas que Francisco querrá participar en el programa?

modelo: Probablemente, Andrea será...

Answers will vary: **Probablemente, Andrea será carpintera, porque ella**

dice que le gusta trabajar con las manos y las herramientas. Francisco

podrá ser o diseñador o profesor, porque es artístico y le gustan las

computadoras y los niños. Pienso que los dos querrán participar, porque

los dos quieren hacer algo para mejorar el mundo.

Escuchar A

Level 2, pp. 466-467
WB CD 04 tracks 35-36

¡AVANZA! **Goal:** Listen to people talk about professions.

1 Escucha a Emiliano. Luego, lee cada oración y contesta **cierto** o **falso**.

C (F) **1.** Emiliano no quiere ir a la universidad.

(C) F **2.** Emiliano será científico.

C (F) **3.** Los científicos no saben muchas cosas.

(C) F **4.** Los científicos descubren curas.

(C) F **5.** Los doctores usan los descubrimientos de los científicos.

2 Escucha a Estela. Luego, completa las oraciones con las palabras entre paréntesis.

1. Estela quiere darles _____ curas _____ a las personas. (curas / descubrimientos)

2. Los enfermos van al doctor para _____ mejorarse _____ . (verlo / mejorarse)

3. Para ser doctor, hay que tener muchos _____ conocimientos _____ . (conocimientos / enfermos)

4. Se dice que ser doctor es la _____ profesión _____ más importante. (responsabilidad / profesión)

UNIDAD 8
Lección 2
Escuchar A

378
Unidad 8, Lección 2
Escuchar A

¡Avancemos! 2
Cuaderno: Práctica por niveles

Escuchar B

Level 2, pp. 466-467
WB CD 04 tracks 37-38

> ¡AVANZA! **Goal:** Listen to people talk about professions.

1 Escucha a Andrés. Encierra en un círculo las profesiones que él nombra.

doctor   (ingeniero)

(arquitecto)   (abogado)

veterinario   detective

científico   (artista)

2 Escucha a Mónica. Luego, completa las oraciones.

1. Mónica será _____ ingeniera _____ .

2. Mónica quiere esta profesión para ___ trabajar con su padre ___ .

3. El padre de Mónica es _____ arquitecto _____ .

4. El padre de Mónica dibujará edificios y ella _____ los construirá _____ .

Escuchar C

> **¡AVANZA!** **Goal:** Listen to people talk about professions.

1 Escucha a Sonia. Luego completa la tabla con la profesión que tendrá cada chico y qué dice Sonia sobre cada uno.

Nombre	Profesión	¿Qué dice Sonia?
Sonia	veterinaria	Le gustan los animales.
Federico	buceador	Le gustan los peces.
Gastón	hombre de negocios	Le interesan los negocios.
Viviana	dentista	Tiene que estudiar más.
Emiliano	científico	Quiere construir robots.

2 Escucha a Federico y toma notas. Luego, contesta las siguientes preguntas con oraciones completas.

1. ¿Qué quiere ser Federico?

Federico quiere ser buceador.
_____

2. ¿Para qué quiere estudiar Federico?

Para investigar a los animales que viven en el mar.
_____

3. ¿Qué podrá hacer en su profesión?

Conocerá todos los animales que ya se descubrieron y podrá descubrir otros.
_____

4. ¿Cuáles son los animales favoritos de Federico?

Los animales favoritos de Federico son los que viven en el mar.
_____

Unidad 8, Lección 2
Escuchar C

380

UNIDAD 8 • Lección 2
Escuchar C

¡Avancemos! 2
Cuaderno: Práctica por niveles

Leer A

> **¡AVANZA!** **Goal:** Read about professions.

Esta mañana, Julieta fue al consultorio del doctor pero no pudo verlo. Entonces, ella le escribió esta nota.

> *Doctor:*
>
> *No puedo quedarme porque tengo que estudiar. Vendré mañana temprano. Necesito una cita porque hace días que me duele la cabeza. Creo que es por estudiar mucho, pero es preferible que usted me lo diga. Saldré de mi casa a las siete para tener la primera cita mañana. Si no puede verme mañana, por favor, llámeme al 555-6543*
>
> *Julieta Mendoza*

¿Comprendiste?

Lee la nota de Julieta. Luego, marca con una X las cosas que ella dice.

1. Julieta quiere ver al doctor. __x__

2. El doctor no quiere verla. _____

3. Julieta no puede quedarse. __x__

4. Julieta tiene que ir a trabajar. _____

5. A Julieta le duele la cabeza. __x__

6. A Julieta no le gusta ir al consultorio del doctor. _____

7. El doctor puede decirle a Julieta por qué le duele. __x__

8. Julieta sabe mejor que el doctor por qué le duele. _____

¿Qué piensas?

¿Qué piensas de la profesión de doctor?

Answers will vary: **Creo que es una profesión fantástica porque cura a las personas.**

Leer B

Level 2, pp. 466-467

> **¡AVANZA!** **Goal:** Read about professions.

El próximo año, Miguel y sus amigos irán a la universidad. Ellos escriben en una hoja de papel qué harán en el futuro. En diez años, todos quieren leerla para ver si hicieron lo que pensaron antes de entrar a la universidad.

Raúl: Yo dibujaré los edificios más importantes de la ciudad. Unos años después, me casaré y tendré tres hijos.

Jimena: Yo estudiaré una profesión para ayudar a los enfermos y a los viejitos. Ayudaré a los doctores y atenderé a las personas. Después, habrá tiempo para el esposo y los hijos.

Ernesto: Con mi profesión podré descubrir peces que nadie vio antes. Viajaré por todos los mares del mundo.

Viviana: Yo haré las pinturas más famosas de la historia. La gente vendrá de todos los lugares del mundo para verlas.

¿Comprendiste?

Lee la hoja que escribieron los chicos. Luego, une con flechas las personas con la profesión que tendrán.

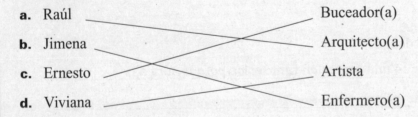

a. Raúl — Buceador(a)

b. Jimena — Arquitecto(a)

c. Ernesto — Artista

d. Viviana — Enfermero(a)

¿Qué piensas?

1. ¿Qué piensas que harás en el futuro? ¿Por qué?

   Answers will vary: **Creo que seré doctor o arquitecto. Me gusta ayudar a la**

   gente, pero también quisiera hacer algo creativo.

Unidad 8, Lección 2
Leer B

382

¡Avancemos! 2
Cuaderno: Práctica por niveles

UNIDAD 8
Lección 2
Leer B

Leer C

> **¡AVANZA!** **Goal:** Read about professions.

Verónica está pensando qué profesión tendrá. Ella le escribe un correo electrónico a su mejor amigo para decirle lo que piensa.

Hola, Omar.

Este año tengo que saber qué profesión tendré. Mi problema es que me interesan muchas profesiones pero ninguna me interesa más que otra. Al menos sé que me gusta usar la imaginación. Por lo tanto, puedo estudiar para ser arquitecta, pero también puedo estudiar para ser diseñadora. El arte me interesa mucho pero pienso que no puedo ganarme la vida como artista.

Me parece que nunca sabré qué profesión quiero tener, ¿tú, qué me dices?, ¿qué podré hacer?

Verónica

¿Comprendiste?

Lee el correo electrónico de Verónica. Luego, contesta las preguntas con oraciones completas.

1. ¿Qué problema tiene Verónica?

   Le interesan muchas profesiones pero ninguna le interesa más que otra.

2. ¿Qué le gusta usar a Verónica?

   Le gusta usar la imaginación.

3. ¿Qué profesiones puede tener Verónica?

   Puede ser arquitecta, pero también puede ser diseñadora.

¿Qué piensas?

¿Piensas que es fácil ganarse la vida con la profesión de artista? ¿Por qué?

Answers will vary: **No, creo que no es fácil ganarse la vida con la profesión**

de artista, porque no todas las personas entienden el arte. Tampoco

necesitan a un artista como a un doctor, por ejemplo.

Escribir A

> **¡AVANZA!** **Goal:** Write about professions.

Step 1

Escribe una lista de tres profesiones que te gustaría tener.

1. *Answers will vary:* **doctor** _____
2. *Answers will vary:* **diseñador** _____
3. *Answers will vary:* **carpintero** _____

Step 2

Escribe cuatro oraciones completas para describir las profesiones que escribiste arriba. Usa pronombres y di cuál de las profesiones tendrás.

Answers will vary: **Los doctores les dicen a las personas por qué están**

enfermos. Los diseñadores necesitan imaginación; la usan

para trabajar. Los carpinteros hacen muebles y cosas de madera. Yo seré

diseñador porque me gusta mucho crear y dibujar cosas nuevas.

_____

_____

Step 3

Evaluate your writing using the information in the table.

Writing Criteria	Excellent	Good	Needs Work
Content	You have included four sentences that describe the professions you would like to have.	You have included three sentences that describe the professions you would like to have.	You have included two or fewer sentences that describe the professions you would like to have.
Communication	Most of your sentences are clear.	Some of your sentences are clear.	Your sentences are not very clear.
Accuracy	You make few mistakes in grammar and vocabulary.	You make some mistakes in grammar and vocabulary.	You make many mistakes in grammar and vocabulary.

UNIDAD 8
Lección 2

Unidad 8, Lección 2
Escribir A

384

¡Avancemos! 2
Cuaderno: Práctica por niveles

Escribir B

> **¡AVANZA!** **Goal:** Write about professions.

Step 1

Escribe una lista de las profesiones que tú y tus amigos quieren tener.

Answers will vary: **Yo: programador**

Answers will vary: **Virginia: doctora**

Answers will vary: **Ernesto: buceador**

Step 2

Usa la lista para escribir un texto de cuatro oraciones para describir qué profesión tendrán tú y tus amigos en el futuro. Usa pronombres y el futuro.

Answers will vary: **En el futuro, yo seré programador. Me gustan mucho**

las computadoras y sé usarlas muy bien. Mi amiga Virginia será doctora

porque le gusta ayudar a las personas enfermas. Mi amigo Ernesto

está seguro que será buceador porque le encanta el océano y los animales

del mar.

Step 3

Evaluate your writing using the information in the table.

Writing Criteria	Excellent	Good	Needs Work
Content	You have included four sentences that describe the profession you and your friends will have in the future.	You have included two to three sentences that describe the profession you and your friends will have in the future.	You have included one sentence that describes the profession you and your friends will have in the future.
Communication	Most of your sentences are organized and easy to follow.	Parts of your sentences are organized and easy to follow.	Your sentences are disorganized and hard to follow.
Accuracy	You make few mistakes in grammar and vocabulary.	You make some mistakes in grammar and vocabulary.	You make many mistakes in grammar and vocabulary.

Escribir C

Level 2, pp. 466-467

> **¡AVANZA!** **Goal:** Write about professions.

Step 1

Escribe qué hacen las personas que tienen las siguientes profesiones:

1. Doctor: *Answers will vary:* **Da curas a las personas y protege su salud.**

2. Arquitecto: *Answers will vary:* **Dibuja edificios.**

3. Carpintero: *Answers will vary:* **Hace muebles y artesanías de madera.**

4. Veterinario: *Answers will vary:* **Da curas a los animales enfermos.**

Step 2

Escribe cinco oraciones sobre las profesiones de la lista. Di qué prefieres estudiar y por qué. Usa el futuro y pronombres. *Answers will vary:*

Desde niño, supe que la profesión que quiero tener es la de científico porque

me gustaría encontrar una cura para el cáncer. Creo que también puedo

ser un buen veterinario porque los animales me gustan mucho. Mi madre

siempre me dice que seré un buen arquitecto o un carpintero porque me

gusta dibujar y hacer cosas de madera. Siempre me lo dice, pero yo creo

que seré científico. Me gusta investigar y descubrir cosas y soy bueno

en ciencias.

Step 3

Evaluate your writing using the information in the table.

Writing Criteria	Excellent	Good	Needs Work
Content	You include five sentences to describe the professions you would like to have in the future.	You include three to four sentences to describe the professions you would like to have in the future.	You include two or fewer sentences to describe the professions you would like to have in the future.
Communication	Most of your message is organized and easy to follow.	Parts of your message are organized and easy to follow.	Your message is disorganized and hard to follow.
Accuracy	You make few mistakes in grammar and vocabulary.	You make some mistakes in grammar and vocabulary.	You make many mistakes in grammar and vocabulary.

UNIDAD 8 • Escribir C
Lección 2

386
Escribir C

Unidad 8, Lección 2
Escribir C

¡Avancemos! 2
Cuaderno: Práctica por niveles

Cultura A

> ¡AVANZA! **Goal:** Review cultural information about Ecuador.

1 **Los concursos intercolegiales** Completa las oraciones con una palabra entre paréntesis.

1. Los concursos intercolegiales son concursos de escuelas contra
(otras escuelas / los maestros).

2. Los estudiantes compiten en asignaturas como música, poesía, oratoria, ciencias, arte y
(matemáticas / arquitectura).

3. Los estudiantes ganan premios como trofeos, medallas y (dinero / becas).

4. Los concursos les dan experiencia para sus (profesiones / escuelas)

2 **El artista** Contesta las siguientes preguntas.

1. Eduardo Kingman ¿es escritor o es pintor? Eduardo Kingman es _____pintor_____ .

2. ¿Qué caracteriza a sus pinturas, las cabezas grandes o las manos grandes?

____Las manos grandes____ caracterizan a sus pinturas.

3. ¿Qué representa la pintura de Kingman en la página 453 de tu libro?

____Answers will vary .____

3 **Iván Vallejo y el andinismo** Contesta las siguientes preguntas con oraciones completas.

1. ¿Dónde escaló montañas Iván Vallejo?

Iván Vallejo escaló montañas en los Andes, los Alpes y los Himalayas.

2. ¿Cómo compró su equipo de andinismo?

Trabajaba durante los veranos para poder comprarlo.

3. ¿Qué estudió en la universidad?

Estudió para ser ingeniero químico.

4. ¿Por qué es especial su viaje al Everest?

Answers will vary: **Es especial porque fue el primer ecuatoriano en alcanzar**

su cima y lo hizo sin oxígeno suplementario.

Cultura B

> **¡AVANZA!** **Goal:** Review cultural information about Ecuador.

1 **El artista** Completa las oraciones sobre Eduardo Kingman con las palabras correctas.

Me llamo Eduardo Kingman y soy un artista **1.** (ecuatoriano / mexicano).

En mis pinturas hay **2.** (personas / animales) con manos muy grandes.

2 **En Ecuador** Completa las oraciones con las palabras correctas.

1. ¿Qué especies de animales de las Galápagos van a ver los turistas? Van a ver

_____ los pingüinos _____ y las tortugas gigantes.

2. Los concursos intercolegiales son competencias contra _____ otras escuelas _____ .

3. En el mes de agosto puedes ver muchos _____ eventos _____ culturales en Quito.

4. La Fiesta del Sol, o Inti Raymi, se celebra en _____ junio _____ en Ecuador.

3 **Dos profesiones únicas** Escribe un párrafo sobre Iván Vallejo y Yucef Merhi. Primero, organiza tus ideas en el organigrama *(chart)*, usando palabras de la caja. Después, escribe tu párrafo comparando los dos y sus profesiones.

| la tecnología | las montañas | los juegos de video |
| la cima | el arte | los Alpes |

Iván Vallejo	Yucef Merhi

_____

_____

_____

_____

Unidad 8, Lección 2
Cultura B

388

¡Avancemos! 2
Cuaderno: Práctica por niveles

UNIDAD 8 • Cultura B
Lección 2

Cultura C

| ¡AVANZA! | **Goal:** Review cultural information about Ecuador. |

1 **Los concursos intercolegiales** Contesta las siguientes preguntas con oraciones completas.

1. ¿Quiénes participan en los concursos intercolegiales? _____*Answers will vary:* **Los**

    estudiantes en Ecuador participan en los concursos intercolegiales.

2. ¿En qué asignaturas se compite? _____*Answers will vary:* **Se compite en**

    ciencias, arte, música y poesía.

3. ¿Qué premios ganan los competidores? _____*Answers will vary:* **Los competidores**

    ganan trofeos, medallas, becas y experiencia.

2 **El artista Eduardo Kingman** Eres un crítico de arte. Escribe una crítica de la pintura de Eduardo Kingman.

Answers will vary.

_____

_____

_____

3 **El diario** Escoge a Iván Vallejo o a Yucef Merhi. Escribe qué cosas crees que él escribió en su diario personal cuando era niño, qué cosas hacía y qué cosas quería hacer de mayor. Sigue el modelo.

modelo: Me llamo Iván Vallejo. Tengo siete años. Quiero ser alpinista. En el futuro, yo...

Answers will vary.

_____

_____

_____

_____

_____

Comparación cultural:
Las profesiones y el mundo de hoy

Lectura y escritura

After reading the paragraphs about different professions by Mario, Roberto, and Tania, write a paragraph about a profession that would allow you to help others or protect the environment. Use the information in your chart to write sentences, and then write a paragraph that describes the profession you choose.

Step 1

Complete the chart describing as many details as you can about a profession that would allow you to help others or protect the environment.

Profesión	Qué se hace	Cómo ayuda	Por qué me gusta

Step 2

Now take the details from your chart and write a sentence for each topic on the chart.

_____

_____

_____

_____

_____

_____

_____

_____

390
Unidad 8
Comparación cultural: Las profesiones y el mundo de hoy
¡Avancemos! 2
Cuaderno: Práctica por niveles

Comparación cultural:
Las profesiones y el mundo de hoy

Lectura y escritura (continued)

Step 3

Now write your paragraph using the sentences you wrote as a guide. Include an introduction sentence and use the phrases **es cierto que, es verdad que,** and **es importante que** to write about your profession.

_____

_____

_____

_____

_____

_____

_____

Checklist

Be sure that…

☐ all the details about your profession from your chart are included in the paragraph;

☐ you use details to describe each aspect of the profession and how it helps others or the environment;

☐ you include impersonal expressions and new vocabulary words.

Rubric

Evaluate your writing using the rubric below.

Writing criteria	Excellent	Good	Needs Work
Content	Your description includes many details about your profession.	Your description includes some details about your profession.	Your description includes little information about your profession.
Communication	Most of your description is organized and easy to follow.	Parts of your description are organized and easy to follow.	Your description is disorganized and hard to follow.
Accuracy	Your description has few mistakes in grammar and vocabulary.	Your description has some mistakes in grammar and vocabulary.	Your description has many mistakes in grammar and vocabulary.

UNIDAD 8 • Comparación
Lección 2 cultural

Comparación cultural: Las profesiones y el mundo de hoy

Level 2, pp. 244-245

Compara con tu mundo

Now write a comparison about your profession and that of one of the three students from page 469. Organize your comparison by topics. First, compare what people do in each profession and then how each profession helps others or protects the environment.

Step 1

Use the chart to organize your comparison by topics. Write details for each topic about your chosen profession and that of the student you chose.

	Mi profesión	La profesión de _____
Nombre de la profesión		
Qué se hace		
Cómo ayuda		

Step 2

Now use the details from the chart to write a comparison. Include an introduction sentence and write about each topic. Use the phrases **es cierto que, es verdad que,** and **es importante que** to describe your profession and that of the student you chose.

_____
_____
_____
_____
_____
_____
_____

Unidad 8
Comparación cultural: Las profesiones y el mundo de hoy

392

¡Avancemos! 2
Cuaderno: Práctica por niveles

UNIDAD 8 • Comparación
Lección 2   cultural

Identify and Describe People

PEOPLE

el (la) director (a) de la escuela	school principal
el hombre	man
el (la) maestro (a)	teacher
la mujer	woman

APPEARANCES

alto (a)	tall
bajo (a)	short
pelirrojo (a)	red-haired
rubio (a)	blond

QUALITIES

artístico(a)	artistic
atlético(a)	athletic
bonito (a)	handsome/pretty
cómico (a)	funny
desorganizado (a)	disorganized
estudioso (a)	studious
organizado (a)	organized
perezoso (a)	lazy
serio (a)	serious
simpático (a)	nice
trabajador (a)	hardworking

Say Where You Go

la biblioteca	library
el café	café
la cafetería	cafeteria
la casa del amigo	friend's house
el centro	center; downtown
el centro comercial	shopping center; mall
el cine	movie theater; the movies
el concierto	concert

la escuela	school
el estadio	stadium
la fiesta	party
el gimnasio	gymnasium
la oficina	office
el parque	park
el partido	. . .game
de fútbol	soccer . . .
de béisbol	baseball . . .
de básquetbol	basketball . . .
la piscina	pool
el restaurante	restaurant
la clase	class; classroom
el teatro	theater
la tienda	store

Describe How You Feel

estar...	to be...
alegre	happy
bien	well; fine
contento (a)	happy
cansado (a)	tired
deprimido (a)	depressed
emocionado (a)	excited
enfermo (a)	sick
enojado	angry
mal	bad
más o menos	so-so
nervioso (a)	nervous
ocupado (a)	busy
regular	okay
tranquilo (a)	calm
triste	sad
tener...	to be . . .
calor	hot
frío	cold

hambre	hungry
miedo	scared
sed	thirsty
razón	right

Food

el almuerzo	lunch
la carne	meat
la cena	dinner
la comida	food
el desayuno	breakfast
la ensalada	salad
los frijoles	beans
la fruta	fruit
la hamburguesa	hamburger
la manzana	apple
la naranja	orange
el pescado	fish
el pollo	chicken
el postre	dessert
el sándwich	sandwich
las verduras	vegetables

Activities

almorzar	to eat lunch
beber refrescos	to have soft drinks
escribir correos electrónicos	to write e-mails
escuchar música	to listen to music
estudiar	to study
ir de compras	to go shopping
jugar al fútbol	to play soccer
pasar un rato con los amigos	to spend time with friends
leer un libro	to read a book
mirar la televisión	to watch television
practicar deportes	to practice/play sports

Discuss Travel Preparations

PLANNING

la agencia de viajes	travel agency
el (la) agente de viajes	travel agent
confirmar el vuelo	to confirm a flight
hacer la maleta	to pack a suitcase
hacer un viaje	to take a trip
ir de vacaciones	to go on vacation
llamar a	to call someone
	(by phone)
viajar	to travel

Ask For Information

Por favor, ¿dónde queda...?	Can you please tell me where . . . is?

ITEMS

el boleto	ticket
el boleto de ida y vuelta	roundtrip ticket
el equipaje	luggage
la identificación	identification
el itinerario	itinerary
la maleta	suitcase
el pasaporte	passport
la tarjeta de embarque	boarding pass
el traje de baño	bathing suit

Around Town

la estación de tren	train station
la oficina de turismo	tourist office
la parada de autobús	bus stop
tomar un taxi	to take a taxi

At the Airport

BEFORE DEPARTURE

abordar	to board
el aeropuerto	airport
el (la) auxiliar de vuelo	flight attendant
facturar el equipaje	to check one's luggage
hacer cola,	to get in line
la pantalla	monitor; screen
el (la) pasajero(a)	passenger
la puerta	gate
la salida	departure
el vuelo	flight

AFTER ARRIVAL

la llegada	arrival
pasar por la aduana	to go through customs
pasar por seguridad	to go through security
el reclamo de equipaje	baggage claim

Going on Vacation

VACATION ACTIVITIES

acampar	to camp
dar una caminata	to hike
estar de vacaciones	to be on vacation
hacer una excursión	to go on a day trip
mandar tarjetas postales	to send postcards
montar a caballo	to ride a horse
pescar	to fish
el tiempo libre	free time
tomar fotos	to take photos
el (la) turista	tourist
ver las atracciones	to go sightseeing
visitar un museo	to visit a museum

VACATION LODGINGS

el alojamiento	lodging
el ascensor	elevator
la habitación	hotel room
la habitación individual	single room
la habitación doble	double room
hacer/tener una reservación	to make/to have a reservation
el hostal	hostel; inn
el hotel	hotel
la llave	key
la recepción	reception desk

Describe the Past

anteayer	the day before yesterday
el año pasado	last year
el mes pasado	last month
la semana pasada	last week

Expressions

Le dejo... en...	I'll give . . . to you for . . .
Me gustaría...	I would like . . .
¿Podría ver...?	Could I see / look at . . . ?
¡Qué...!	How . . . !
¡Qué caro(a)!	How expensive!
¡Qué bello(a)!	How beautiful!

Gifts and Souvenirs

ITEMS

el anillo	ring
el arete	earring
las artesanías	handicrafts
el collar	necklace
las joyas	jewelry
el recuerdo	souvenir
la tarjeta postal	postcard

BUYING

bello(a)	beautiful; nice
caro(a)	expensive
demasiado(a)	too; too much
el dinero	cash
en efectivo	
el mercado al aire libre	open-air market
regatear	to bargain
la tarjeta de crédito	credit card

Direct Object Pronouns

Ser means **to be**. Use ser to identify a person or say where he or she is from.

Singular		Plural	
me	me	nos	us
te	you (familiar)	os	you (familiar)
lo	you (formal), him, it	los	you, them
la	you (formal), her, it	las	you, them

Indirect Object Pronouns

Singular		Plural	
me	me	nos	us
te	you (familiar)	os	you (familiar)
le	you (formal), him, her	les	you, them

Nota gramatical: When a person is the object of a **verb**, the **personal a** must be used after the **verb** and before the person that is the object. In general, **tener** does not take the **personal a.**
¿Conoce usted **a la professora** de ciencias? *Do you know the science teacher?*

Preterite of –ar Verbs

The **preterite** tense in Spanish tells what happened at a particular moment in the past. You form the **preterite** tense of regular verbs by adding tense endings to the verb stem.

Visitar *to visit*	
yo visité	nosotros(as) visitamos
tú visitaste	vosotros(as) visitasteis
usted, él, ella visitó	ustedes, ellos(as) visitaron

Preterite of ir, ser, hacer, ver, dar

ir *to go* / ser *to be*		hacer *to do; make*	
fui	fuimos	hice	hicimos
fuiste	fuisteis	hiciste	hicisteis
fue	fueron	hizo	hicieron

ver *to see*		dar *to give*	
vi	vimos	di	dimos
vi	visteis	diste	disteis
vio	vieron	dio	dieron

Nota gramatical: Each interrogative word has a written accent and some have masculine, feminine, and plural forms.

adónde *to where*	cuántos *how many*
cómo *how*	dónde *where*
cuál (es) *which (ones)*	por qué *why*
cuándo *when*	qué *what*
cuánto(a) *how much*	quién (es) *who*

Qué can be followed directly by a noun but **cuál** cannot.
¿**Qué** hotel es el mejor? *What hotel is the best?*
¿**Cuál** de las llaves necesito? *Which key do I need?*

Talk About Sporting Events

el campeonato	championship
el ciclismo	bicycle racing
la competencia	competition
competir (i)	to compete
estar empatado	to be tied
jugar (ue) en equipo	to play on a team
meter un gol	to score a goal
el premio	prize; award

Sports Equipment

la pista	track
la red	net
el uniforme	uniform

Express Emotions

¡Ay, por favor!	Oh, please!
¡Bravo!	Bravo!
¡Dale!	Come on!
¡Uy!	Ugh!

Discuss Ways to Stay Healthy

Es bueno...	It's good...
Es importante...	It's important...
Es necesario...	It's necessary...
hacer ejercicio	to exercise
mantenerse (ie) en forma	to stay in shape
saludable	healthy; healthful
seguir (i) una dieta balanceada	to follow a balanced diet

Sports Competitions

la Copa Mundial	The World Cup
los Juegos Olímpicos	The Olympic Games
los Juegos Panamericanos	The Panamerican Games
la Vuelta a Francia	The Tour de France

Describe Athletes

activo(a)	active
el (la) deportista	sportsman / woman
lento(a)	slow
musculoso(a)	muscular
rápido(a)	fast

Talk About Your Daily Routine

acostarse (ue)	to go to bed
afeitarse	to shave oneself
apagar la luz	to turn off the light
arreglarse	to get ready
bañarse	to take a bath
cepillarse los dientes	to brush one's teeth
despertarse (ie)	to wake up
dormirse (ue)	to fall asleep
ducharse	to take a shower
encender (ie) la luz	to turn on the light
entrenarse	to train
lavarse	to wash oneself
levantarse	to get up
maquillarse	to put on makeup
peinarse	to comb one's hair
ponerse la ropa	to put on clothes
la rutina	routine
secarse	to dry oneself
tener prisa	to be in a hurry
tener sueño	to be sleepy

Personal Care Items

el cepillo (de dientes)	brush (toothbrush)
el champú	shampoo
la crema de afeitar	shaving cream
el desodorante	deodorant
el jabón	soap
la pasta de dientes	toothpaste
el peine	comb
el secador de pelo	hair dryer
la toalla	towel

Parts of the Body

la cara	face
el codo	elbow
el cuello	neck
el dedo	finger
el dedo del pie	toe
el diente	tooth
la garganta	throat
el hombro	shoulder
la muñeca	wrist
el oído	inner ear (hearing)
la uña	nail

Clarify Sequence of Events

primero	first
entonces	then; so
luego	later; then
más tarde	later on
por fin	finally

How Often You Do Things

a veces	sometimes
frecuentemente	frequently
generalmente	in general; generally
normalmente	usually; normally

Preterite of –er , –ir verbs

The **preterite** tense endings are the same for **–er** and **–ir** verbs.

comer *to eat*			escribir *to write*		
comí	comimos		escribí	escribimos	
comiste	comisteis		escribiste	escribisteis	
comió	comieron		escribió	escribieron	

Demonstrative Adjectives and Pronouns

Demonstrative Adjectives

	close		not close		far away	
	m.	f.	m.	f.	m.	f.
Singular	este	esta	ese	esa	aquel	aquella
	this	*this*	*that*	*that*	*that*	*that*
Plural	estos	estas	esos	esas	aquellos	aquellas
	these	*these*	*those*	*those*	*those*	*those*

Demonstrative Pronouns

	m.	f.	m.	f.	m.	f.
Singular	éste	ésta	ése	ésa	aquél	aquélla
Plural	éstos	éstas	ésos	ésas	aquéllos	aquéllas

Nota gramatical: **Adverbs** can be formed by adding **–mente** to the singular feminine form of an adjective.

rápido / rápida: *Ricardo corre rápidamente.* *Ricardo runs rapidly.*

If the adjective has only one form, just add **–mente.**

Reflexive Verbs

All **reflexive verbs** are expressed with a **reflexive pronoun.** The **pronoun** appears before the conjugated **verb.**

bañarse *to take a bath*		
yo	me baño	nosotros(as)	nos bañamos
tú	te bañas	vosotros(as)	vos bañáis
usted, él, ella	se baña	ustedes, ellos(as)	se bañan

Present Progressive

Use the present tense of **estar** plus the **present participle** to form the **present progressive.**

estar *to be*		
estoy	estamos
estás	estais
está	están

	becomes
comprar	comprando
comer	comiendo
excribir	escribiendo

Estoy comprando los boletos.
I am buying the tickets.

Nota gramatical: When the verb **pensar** is followed by an **infinitive,** it means *to plan* or *to plan on.*

Pienso acostarme temprano esta noche. *I plan to go (on going) to bed early tonight.*

Talk About Shopping

CLOTHING AND ACCESSORIES

el abrigo	coat
las botas	boots
el chaleco	vest
el cinturón	belt
la falda	skirt
la gorra	cap
la pulsera	bracelet
el reloj	watch
las sandalias	sandals
el suéter	sweater
el traje	suit

CLOTHING FIT AND FASHION

de cuadros	plaid
de rayas	striped
estar de moda	to be in style
el número	shoe size
la talla	clothing size
vestirse (i)	to get dressed
¿Cómo me queda(n)?	How does it (do they) fit me?
quedar...	to fit...
bien	well
mal	badly
flojo(a)	loose
apretado(a)	tight

WHERE YOU SHOP

el almacén	department store
la farmacia	pharmacy
Internet	Internet
la joyería	jewelry store
la librería	bookstore
la panadería	bakery
la zapatería	shoe store

OTHER SHOPPING EXPRESSIONS

Está abierto(a).	It's open.
Está cerrado(a).	It's closed.

Express Preferences and Opinions

Creo que sí.	I think so.
Creo que no.	I don't think so.
En mi opinión...	In my opinion . . .
Es buena idea. / mala idea.	It's a good idea / bad idea.
Me parece que...	It seems to me . . .
encantar	to delight
interesar	to interest
importar	to be important
recomendar (ie)	to recommend

Items at the Market

los artículos	goods
barato(a)	inexpensive
la escultura	sculpture
fino(a)	fine
una ganga	a bargain
la pintura	painting
el retrato	portrait
único(a)	unique
(estar) hecho(a) a mano	(to be) handmade
ser de...	to be made of . . .
cerámica	ceramic
cuero	leather
madera	wood
metal	metal
oro	gold
piedra	stone
plata	silver

Expressions of Courtesy

Con mucho gusto.	With pleasure.
Con permiso.	Excuse me.
De nada.	You're welcome.
Disculpe.	Excuse me; I'm sorry.
No hay de qué.	Don't mention it.
Pase.	Go ahead.
Perdóneme.	Forgive me.

Ask for Help

¿Me deja ver...?	May I see...?

Repaso: Present Tense Irregular yo Verbs

Some present-tense verbs are irregular only in the **yo** form.

hacer	poner	salir	traer
ha**go**	pon**go**	sal**go**	trai**go**

conocer	dar	saber	ver
cono**zco**	**doy**	**sé**	**veo**

decir	venir	tener
di**go**	ven**go**	ten**go**

Pronouns after Prepositions

Pronouns that follow **prepositions** are different from subject pronouns and object pronouns. Use these **pronouns** after prepositions like **para, de, a,** and **con.**

Pronouns after Prepositions	
mí	nosotros(as)
ti	vosotros(as)
él, ella, usted	ellos, ellas, ustedes

When you use **mí** and **ti** after the preposition **con,** they combine with **con** to form the word **conmigo** and **contigo.**

Nota gramatical: Other verbs are conjugated like gustar, such as encantar, interesar, importar, and quedar.

A Marta le **encantan** las pulseras. *The bracelets **delight** Marta.*

Irregular Preterite Verbs

The verbs **estar, poder, poner, saber,** and **tener** have a unique stem in the preterite, but they all take the same endings.

Verb	Stem	Preterite Endings	
estar	estuv–	–e	–imos
poder	pud–	–iste	–isteis
poner	pus–	–o	–ieron
saber	sup–		
tener	tuv–		

Note that there are no accents on these endings.

Preterite of –ir Stem-changing Verbs

Stem changing **–ir** verbs in the preterite change only in the **usted / él / ella** and the **usted / ellos / ellas** forms.

e → i in 3rd person singular and plural

pedir *to ask for*	
pedí	pedimos
pediste	pedisteis
pidió	pidieron

o → u in 3rd person singular and plural

dormir *to sleep*	
dormí	dormimos
dormiste	dormisteis
durmió	durmieron

Nota gramatical: To describe how long something has been going on, use:
hace + the period of time + que + the present tense.

Hace meses que quiero comprar esa pintura, pero todavía no tengo el dinero.
I've been wanting to buy that painting for months, but I still don't have the money.

To ask how long something has been going on, use:
cuánto tiempo + hace + que + the present tense.

¿Cuánto tiempo hace que quieres comprar esa pintura?
How long have you been wanting to buy that painting?

Nota gramatical: To describe how long ago something happened, use:
hace + the period of time + que + the preterite.

Hace dos años que fui a Puerto Rico.

To Tell a Legend

CHARACTERS

el (la) dios(a)	god / goddess
el emperador	emperor
el (la) enemigo(a)	enemy
el (la) guerrero(a)	warrior
el ejército	army
el héroe	hero
la heroína	heroine
el (la) joven	young man / woman
la princesa	princess

EVENTS

la batalla	battle
la guerra	war
casarse	to get married
contar (ue)	to tell (a story)
llevar	to take; to carry
llorar	to cry
morir (ue)	to die
pelear	to fight
regresar	to return
transformar	to transform

DESCRIPTIONS

azteca	Aztec
estar enamorado (a) (de)	to be in love (with)
heroico(a)	heroic
histórico(a)	historic; historical
hermoso(a)	handsome; pretty
querido(a)	beloved
los celos	jealousy
tener celos	to be jealous
valiente	brave

PLACES

la montaña	mountain
el palacio	palace
el volcán	volcano

PARTS OF A LEGEND

la leyenda	legend
el mensaje	lesson; message
la narración	narration
el personaje	character

NARRATE PAST EVENTS

Había una vez...	Once upon a time there was / were . . .
Hace muchos siglos...	Many centuries ago . . . .
sobre	about

Ancient Civilizations

CHARACTERISTICS

antiguo(a)	ancient
avanzado(a)	advanced
el calendario	calendar
la civilización	civilization
la estatua	statue
la herramienta	tool
el monumento	monument
el objeto	object
la pirámide	pyramid
la religión	religion
las ruinas	ruins
el templo	temple
la tumba	tomb

ACTIVITIES

la agricultura	agriculture
cazar	to hunt
construir	to build
la excavación	excavation

PEOPLE

el (la) agricultor(a)	farmer
los toltecas	Toltecs

Modern Civilizations

CITY LAYOUT

la avenida	avenue
la acera	sidewalk
el barrio	neighborhood
la catedral	cathedral
la ciudad	city
la cuadra	city block
el edificio	building
moderno(a)	modern
la plaza	plaza; square
el rascacielos	skyscraper

ASK FOR AND GIVE DIRECTIONS

¿Cómo llego a...?	How do I get to . . . ?
cruzar	to cross
doblar...	to turn...
a la derecha	to the right
a la izquierda	to the left
seguir (i) derecho	to go straight
desde	from
hasta	to
entre	between
frente a	across from
(en) la esquina	(on) the corner
el semáforo	traffic light

The Imperfect Tense

The **imperfect** is used to describe something that was not perfected or not completed in the past. Regular verbs in the **imperfect** take these endings:

estar	hacer	salir
estaba	hacía	salía
estabas	hacías	salías
estaba	hacía	salía
estábamos	hacíamos	salíamos
estabais	hacíais	salíais
estaban	hacían	salían

Preterite and Imperfect

Use the **preterite** if the action started and ended at a definite time.

La guerra **empezó** en 1846.
The war began in 1846.

Use the **imperfect** to talk about past actions without saying when they began or ended.

Los guerros no **tenían** miedo del enemigo.
The warriors were not afraid of the enemy.

You can apply both tenses to talk about two overlapping events.

Cuando la guerra **terminó,** Santa Ana **era** presidente de México.
When the war ended, Santa Ana was president of Mexico.

Nota gramatical: To form most **past participles,** drop the infinitive ending and add **–ado** for **–ar** verbs or **–ido** for **–er** and **–ir** verbs.

cerrar   La oficina está **cerrada.**   *The office is closed.*
perder   Estamos **perdidos.**   *We're lost.*
vestir   Carmen está bien **vestida** hoy. *Carmen is well dressed today.*

If the verb is reflexive, drop the **se** from the infinitive

peinar**se** → peinado

Preterite of –car, –gar, and –zar verbs

In the preterite, verbs that end in **–car, –gar,** and **–zar** are spelled differently in the **yo** form to maintain the pronunciation.

buscar	c	becomes	qu	(yo) busqué
pagar	g	becomes	gu	(yo) pagué
empezar	z	becomes	c	(yo) empecé

More Verbs with Irregular Preterite Stems

The verbs **venir, querer, decir,** and **traer** have irregular **preterite stems.**

Verb	Stem	Irregular Preterite Endings		
venir	vin–	–e		–imos
querer	quis–	–iste		–isteis
		–o		–ieron

Verb	Stem	ustedes/ ellos/ ellas
decir	dij–	dijeron
traer	traj–	trajeron

Nota gramatical: Verbs such as **leer** and **construir** change the **i** to **y** in the él/ella/usted and ellos/ellas/ustedes forms of the preterite.

leer: leí leímos   **construir:** contruí construimos
          leíste leísteis   construiste construisteis
          leyó leyeron   contruyó construyeron

Ingredients

el aceite	oil
el ajo	garlic
el azúcar	sugar
la cebolla	onion
las espinacas	spinach
la fresa	strawberry
la lechuga	lettuce
el limón	lemon
la mayonesa	mayonnaise
la mostaza	mustard
la pimienta	pepper
la sal	salt
el vinagre	vinegar
la zanahoria	carrot
el ingrediente	ingredient
el supermercado	supermarket

Describe Food

el sabor	flavor
agrio(a)	sour
caliente	hot (temperature)
delicioso(a)	delicious
dulce	sweet
fresco(a)	fresh
picante	spicy; hot
sabroso(a)	tasty
salado(a)	salty
¡Qué asco!	How disgusting!

Discuss Food Preparation

añadir	to add
batir	to beat
freír (i)	to fry
hervir (ie)	to boil
mezclar	to mix
probar (ue)	to taste
la receta	recipe

Having Meals

la tortilla de patatas	potato omelet
cenar	to have dinner
desayunar	to have breakfast
la merienda	afternoon snack

Phrases used in Restaurants

ORDERING	
¿Cuál es la especialidad de la casa?	What is the specialty of the house?
¿Me puede traer...?	Can you bring me . . . ?
Y para comer (beber)...	And to eat (drink) . . .
¡Buen provecho!	Enjoy!

COMPLIMENTS	
¡Excelente!	Excellent!
Muy atento(a).	Very attentive.
Muy amable.	Very kind.
Gracias por atenderme.	Thank you for your service.

Restaurant Dishes

el caldo	broth
la chuleta de cerdo	pork chop
el entremés	appetizer
los espaguetis	spaghetti
la especialidad	specialty
el filete a la parrilla	grilled steak
el flan	custard
el gazpacho	cold tomato soup
la paella	traditional Spanish rice dish
el plato vegetariano	vegetarian dish
el pollo asado	roasted chicken
la tarta de chocolate	chocolate cake
el té	tea

Dessert Places

la heladería	ice cream shop
la pastelería	pastry shop

Setting the Table

la cuchara	spoon
el cuchillo	knife
la servilleta	napkin
el tenedor	fork
el vaso	glass

Food Preparation

batido(a)	beaten
cocido(a)	cooked
crudo(a)	raw
frito(a)	fried
hervido(a)	boiled
mezclado(a)	mixed
molido(a)	ground

Usted/Ustedes Commands

Ustedes **commands** take the **yo** form of verbs in the present tense.

Infinitive	Present Tense	usted	ustedes
probar (ue)	yo prue**bo**	prue**be**	prue**ben**
comer	yo co**mo**	co**ma**	co**man**
añadir	yo aña**do**	aña**da**	aña**dan**

Pronoun Placement with Commands

In **Affirmative Commands**, object pronouns are attached to the end of the **verb.**
Llévenos al supermercado.   *Take us to the supermarket.*
In **Negative Commands**, object pronouns are before the verb and after **no.**
No le venda esta camisa.   *Don't sell her this shirt.*

Nota gramatical: To add emphasis to some adjectives, you can attach the ending
-ísimo(a, os, as).
bello(a)   ¡Esta cocina es **bellísima!**   *This kitchen is very (extremely) beautiful!*
When the last consonant in the adjective is c, g, or z, spelling changes are required.

c→**qu**	ri**c**o→ri**qu**ísimo
g→**gu**	lar**g**o→lar**gu**ísimo
z→**c**	feli**z**→feli**c**ísimo

Affirmative and Negative Words

Affirmative Words		Negative Words	
algo	something	nada	nothing
alguien	someone	nadie	no one
algún /	some	ningún/	none, not any
alguno(a)		ninguno(a)	
o.... o	either . . . or	ni... ni	neither . . . nor
siempre	always	nunca	never
también	also	tampoco	neither, either

Double Object Pronouns

With both object pronouns, indirect object pronoun goes first.

indirect object ⌐ ⌐direct object
La camarera **nos lo** trajo.
The waitress brought it to us.

Pronouns can also go before the conjugated verb, or can attach to the infinitive or **-ndo** form.

before → *attached* →
Me los vas a pedir.   *or*   Vas a **pedírmelos.**

Making Movies

ON THE SET

el argumento	plot
editar	to edit
los efectos especiales	special effects
la escena	scene
esperar	to wait (for)
filmar	to film
fracasar	to fail
el guión	screenplay
hacer un papel	to play a role
el maquillaje	makeup
el sonido	sound
tener éxito	to be successful

EQUIPMENT

la cámara de cine	movie camera
la cámara digital	digital camera
la cámara de video	video camera
el software	software
el micrófono	microphone

PEOPLE INVOLVED WITH MOVIES

el actor	actor
la actriz	actress
el (la) camarógrafo(a)	cameraman / camerawoman
el (la) director(a)	director
la estrella de cine	movie star
la gente	people
el (la) guionista	screenwriter
famoso(a)	famous

Types of Movies

la animación	animation
la comedia	comedy
el documental	documentary
el drama	drama

la película...

	...film
de aventuras	action
de ciencia ficción	science fiction
de fantasía	fantasy
de terror	horror

How Movies Affect You

Me hace reír.	It makes me laugh.
Me hace llorar.	It makes me cry.
Me da miedo.	It scares me.

Extending and Responding to Invitations

BY E-MAIL

la dirección electrónica	e-mail address
estar en línea	to be online
hacer clic en	to click on
el icono	icon
el mensajero instantáneo	instant messaging
el ratón	mouse
el teclado	keyboard

ON THE TELEPHONE

dejar un mensaje	to leave a message
el teléfono celular	cellular phone
¿Aló?; ¿Bueno?; ¿Diga?; ¿Está...?	Hello?
No, no está.	No, he's / she's not.
Un momento.	One moment.
¿Puedo hablar con...?	May I speak to . . .?
Is . . . there?	

CONVINCING OTHERS

¡Cómo no!	Of course!
¡Te lo juro!	I swear to you!
¡Estoy convencido(a)!	I'm convinced!
¡Te digo la verdad!	I'm telling you the truth!
Te lo aseguro.	I assure you.

THE INVITATION

la invitación	invitation
el fin de semana	weekend
el (la) próximo(a)	next

ACCEPTING AND DECLINING

Sí, me encantaría.	Yes, I would love to.
¡Qué lástima!	What a shame!
¡Claro que sí!	Of course!

The Movie Premiere

la corbata	tie
el corbatín	bow tie
la gala	gala; formal party
la ropa elegante	formalwear
estrenar	to premiere
el estreno	premiere
la crítica	review

Express Hopes and Wishes

¡Ojalá!	I hope so!

Acceptance Speech Phrases

Estoy muy emocionado(a).	I'm overcome with emotion.
Quisiera dar las gracias a...	I would like to thank...

Affirmative Tú Commands

Regular **affirmative tú commands** are the same as the **usted / él / ella** form in present tense.

Él **escribe** el guión y **filma** la película.   **Escribe** el guión y **filma** la película.
He writes the script and films the movie.   *Write the script and film the movie.*

Some irregular **tú commands** are based on the present-tense **yo** form.

Irregular Tú Commands

	(yo form)	(tú command)
decir	digo	**di**
poner	pongo	**pon**
salir	salgo	**sal**
tener	tengo	**ten**
venir	vengo	**ven**

Negative Tú Commands

Negative tú commands begin with "**no**" and change verb ending.

-**ar** verbs: **-o → -es**

-**er** and -**ir** verbs: **-o → -as**

Infinitive	Present Tense	Negative tú command
mirar	yo miro	No mires...
comer	yo como	No comas
escribir	yo escribo	No escribas

Nota gramatical: When you want to say *Let's...!*, use **vamos + a + infinitive.**
¡**Vamos a ver** una película!   *Let's see a movie!*

Present Subjunctive with Ojalá

Use **ojalá que...** with the **present subjunctive** to express hopes and wishes.

-**ar** verbs = **-e** endings   -**er**, -**ir** verbs = **-a** endings

hablar	tener	escribir
hable	tenga	escriba
hables	tengas	escribas
hable	tenga	escriba
hablemos	tengamos	escribamos
habléis	tengáis	escribáis
hablen	tengan	escriban

More Subjunctive Verbs with Ojalá

The verbs **dar, estar, ir, saber,** and **ser** are irregular in the subjunctive.

dar	estar	ir	saber	ser
dé	esté	vaya	sepa	sea
des	estés	vayas	sepas	seas
dé	esté	vaya	sepa	sea
demos	estemos	vayamos	sepamos	seamos
deis	estéis	vayáis	sepáis	seáis
den	estén	vayan	sepan	sean

Nota gramatical: When forming the present subjunctive of verbs ending in -**car**, -**gar**, or -**zar**, change the spelling of the verb stem.

sacar	**c** becomes **qu**	saque, saques...
pagar	**g** becomes **gu**	pague, pagues...
empezar	**z** becomes **c**	empiece, empieces...

Discussing Important Issues

la cuestión	question; issue
la opinión	opinion
el punto de vista	point of view
por un lado...	on the one hand
y por otro lado...	on the other hand...
por eso	for that reason; that's why
sin embargo	however
no sólo... sino también	not only... but also
estar / no estar de acuerdo con	to agree / disagree with

The School Newspaper

CONTENTS

el anuncio	advertisement
el artículo	article
la entrevista	interview
la información	information
las noticias	news
el periódico	newspaper
el titular	headline

ROLES

el (la) editor(a)	editor
el (la) escritor(a)	writer
el (la) fotógrafo(a)	photographer
el (la) periodista	reporter

FUNCTIONS

investigar	to investigate
entrevistar	to interview
publicar	to publish
explicar	to explain
describir	to describe
presentar	to present

School-related Issues

la amistad	friendship
la comunidad	community
escolar	school (adj.); school-related
la presión de grupo	peer pressure
la vida	life

Expressing Opinions

Es importante que...	It's important that...
Es bueno que...	It's good that...
Es malo que...	It's not good that...
Es preferible que...	It's preferable that...
Es necesario que...	It's necessary that...

The Extended Family

el apellido	last name
la esposa	wife
el esposo	husband
la suegra	mother-in-law
el suegro	father-in-law
la cuñada	sister-in-law
el cuñado	brother-in-law
el (la) niño(a)	child
la novia	girlfriend; fiancé
el novio	boyfriend; fiancé
la sobrina	niece
el sobrino	nephew
la madrina	godmother
el padrino	godfather
el (la) pariente	relative

Relationships with Others

discutir	to argue
enojarse	to get angry
entenderse (ie)	to understand each other
bien	well
entenderse (ie) mal	to misunderstand each other
estar orgulloso(a) (de)	to be proud (of)
llevarse bien	to get along well
llevarse mal	to not get along

Personality Characteristics

generoso(a)	generous
impaciente	impatient
paciente	patient
popular	popular
sincero(a)	sincere
tímido(a)	shy

Other Important People

el (la) entrenador(a)	coach
de deportes	
el (la) compañero(a) de equipo	teammate

Pets

el pájaro	bird
el pez	fish

Doing Errands

el banco	bank
el consultorio	doctor's / dentist's office
el correo	post office
irse	to go; to leave
quedarse	to stay
tener una cita	to have an appointment

Subjunctive with Impersonal Expressions

When an **Impersonal expressions** gives an opinion that something should happen, the verbs that follow are in the **subjunctive.**

Fact: Mis amigos y yo **estudiamos** para los exámenes.
My friends and I study for the exams.

Opinion: Es importante que todos **estudiemos** para los exámenes.
It's important that we all study for the exams.

In the second example, the speaker thinks it is important that everybody study, but is uncertain that everyone will.

Por and Para

Por indicates cause rather than purpose

Para moves you towards the word, or destination, that follows.

Nota gramatical: The subjunctive form of haber is **haya.**

Es importante que **haya** entrevistas con los estudiantes en el periódico escolar.
It's important that there be interviews with students in the school papers.

Repaso: Comparatives

Use the following phrases with an **adjective** to compare *qualities.* Use them with a **noun** to compare *quantites.*

| **más...que** | **menos...que** | **tan...como** |
| *more...than* | *less...than* | *as...as* |

Tengo **menos dinero que** Tania.
I have less money than Tania.

When a comparison doesn't involve qualities or quantities, use these phrases.

| **más que...** | **menos que...** | **tanto como...** |
| *more than...* | *less than...* | *as much as...* |

Viajo **tanto como** tú.
I travel as much as you.

Superlatives

When you want to say that something has the *most* or the *least* of a certain quality, use a definite article with **más** or **menos.**

el (la) más los (las) más	*the most*
el (la) menos los (las) menos	*the least*

When the **noun** is part of the superlative phrase, place it *between* the article and the superlative word.

Nota gramatical: The long forms of possessive adjectives agree in gender and number with the nouns they describe. They either follow the noun for emphasis or are used without a noun as a pronoun.

Juan es un **amigo mío.** *Juan is a friend **of mine.***

Nota gramatical: To compare numbers with más and menos, you use **de** instead of **que.**

Susana tiene **más de** diez peces. *Susana has **more than** ten fish.*